总主编 单墫 熊斌

奥数教程
学习手册

·配《奥数教程》第六版·

华东师范大学出版社

六年级

本册主编　杭顺清
参 编 者　杭顺清　郭凯福
　　　　　庄国志

图书在版编目(CIP)数据

奥数教程学习手册. 六年级/杭顺清主编. —上海:华东师范大学出版社,2007.3
ISBN 978 - 7 - 5617 - 5284 - 5

Ⅰ.奥⋯　Ⅱ.杭⋯　Ⅲ.数学课-初中-教学参考资料
Ⅳ.G634.603

中国版本图书馆 CIP 数据核字(2007)第 039099 号

奥数教程(第六版)学习手册
六年级

总 主 编　单 墫　熊 斌
本册主编　杭顺清
总 策 划　倪 明
项目编辑　孔令志
审读编辑　杨晓梅
封面设计　高 山
版式设计　蒋 克

出版发行　华东师范大学出版社
社　　址　上海市中山北路 3663 号　邮编 200062
网　　址　www.ecnupress.com.cn
电　　话　021 - 60821666　行政传真 021 - 62572105
客服电话　021 - 62865537　门市(邮购)电话 021 - 62869887
地　　址　上海市中山北路 3663 号华东师范大学校内先锋路口
网　　店　http://hdsdcbs.tmall.com

印 刷 者　浙江省临安市曙光印务有限公司
开　　本　890×1240　32 开
印　　张　8.625
字　　数　212 千字
版　　次　2014 年 6 月第三版
印　　次　2014 年 6 月第 14 次
书　　号　ISBN 978 - 7 - 5617 - 5284 - 5/G・3104
定　　价　17.00 元

出 版 人　朱杰人

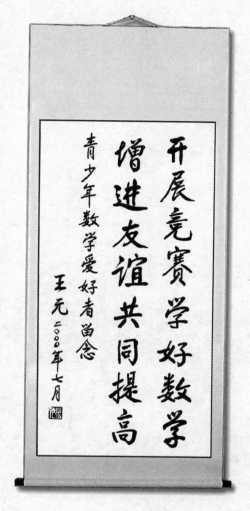

开展竞赛学好数学
增进友谊共同提高

青少年数学爱好者留念

王元 二〇〇〇年七月

著名数学家、中国科学院院士、原中国数学奥
林匹克委员会主席王元先生致青少年数学爱好者

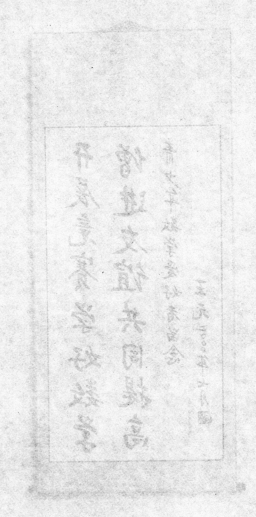

前　言

据说在很多国家,特别是美国,孩子们害怕数学,把数学作为"不受欢迎的学科".但在中国,情况很不相同,很多少年儿童喜爱数学,数学成绩也都很好.的确,数学是中国人擅长的学科,如果在美国的中小学,你见到几个中国学生,那么全班数学的前几名就非他们莫属.

在数(shǔ)数(shù)阶段,中国儿童就显出优势.

中国人能用一只手表示 1~10,而很多国家非用两只手不可.

中国人早就有位数的概念,而且采用最方便的十进制(不少国家至今还有12 进制,60 进制的残余).

中国文字都是单音节,易于背诵,例如乘法表,学生很快就能掌握,再"傻"的人也都知道"不管三七二十一".但外国人,一学乘法,头就大了.不信,请你用英语背一下乘法表,真是佶屈聱牙,难以成诵.

圆周率 π＝3.141 59….背到小数后五位,中国人花一两分钟就够了.可是俄国人为了背这几个数字,专门写了一首诗,第一句三个单词,第二句一个……要背 π 先背诗,这在我们看来简直是自找麻烦,可他们还作为记忆的妙法.

四则运算应用题及其算术解法,也是中国数学的一大特色.从很古的时候开始,中国人就编了很多应用题,或联系实际,或饶有兴趣,解法简洁优雅,机敏而又多种多样,有助于提高学生的学习兴趣,启迪学生智慧.例如:

"一百个和尚一百个馒头,大和尚一个人吃三个,小和尚三个人吃一个,问有几个大和尚,几个小和尚?"

外国人多半只会列方程解.中国却有多种算术解法,如将每个大和尚"变"成 9 个小和尚,100 个馒头表明小和尚是 300 个,多出 200 个和尚,是由于每个大和尚变小和尚,多变出 8 个,从而 200÷8＝25 即是大和尚人数.小和尚自然是75 人,或将一个大和尚与 3 个小和尚编成一组,平均每人吃一个馒头.恰好与总体的平均数相等.所以大和尚与小和尚这样编组后不多不少,即大和尚是 100÷(3＋1)＝25 人.

中国人善于计算,尤其善于心算.古代还有人会用手指计算(所谓"掐指一算").同时,中国很早就有计算的器械,如算筹、算盘.后者可以说是计算机的雏形.

在数学的入门阶段——算术的学习中,我国的优势显然,所以数学往往是我国聪明的孩子喜爱的学科.

几何推理,在我国古代并不发达(但关于几何图形的计算,我国有不少论著),比希腊人稍逊一筹.但是,中国人善于向别人学习.目前我国中学生的几何水平,在世界上遥遥领先.曾有一个外国教育代表团来到我国一个初中班,他们认为所教的几何内容太深,学生不可能接受,但听课之后,不得不承认这些内容中国的学生不但能够理解,而且掌握得很好.

我国数学教育成绩显著.在国际数学竞赛中,我国选手获得众多奖牌,就是最有力的证明.从1986年我国正式派队参加国际数学奥林匹克以来,中国队已经获得了14次团体冠军,可谓是成绩骄人.当代著名数学家陈省身先生曾对此特别赞赏.他说:"今年一件值得庆祝的事,是中国在国际数学竞赛中获得第一……去年也是第一名."(陈省身1990年10月在台湾成功大学的讲演"怎样把中国建为数学大国")

陈省身先生还预言:"中国将在21世纪成为数学大国."

成为数学大国,当然不是一件容易的事,不可能一蹴而就,它需要坚持不懈的努力.我们编写这套丛书,目的就是:(1)进一步普及数学知识,使数学为更多的青少年喜爱,帮助他们取得好的成绩;(2)使喜爱数学的同学得到更好的发展,通过这套丛书,学到更多的知识和方法.

"天下大事,必作于细."我们希望,而且相信,这套丛书的出版,在使我国成为数学大国的努力中,能起到一点作用.本丛书初版于2000年,现根据课程改革的要求对各册再作不同程度的修订.

著名数学家、中国科学院院士、原中国数学奥林匹克委员会主席王元先生担任本丛书顾问,并为青少年数学爱好者题词,我们表示衷心的感谢.还要感谢华东师大出版社及倪明、孔令志先生,没有他们,这套丛书不会是现在这个样子.

单 墫 熊 斌

2014年5月

目 录

习题详细解答

竞赛热点精讲

第 1 讲

分数的计算

1 原式 $= 3.41 \times \dfrac{16}{47} \times \dfrac{47}{8} - 21\dfrac{5}{37} + 19.18$

$= 6.82 + 19.18 - 21\dfrac{5}{37}$

$= 26 - 21\dfrac{5}{37}$

$= 4\dfrac{32}{37}.$

2 原式 $= \left(6\dfrac{25}{90} - 5\dfrac{66}{90}\right) \div \left[2\dfrac{2}{7} + 3\dfrac{1}{3} \div 1\dfrac{2}{5}\right]$

$= \left(5\dfrac{115}{90} - 5\dfrac{66}{90}\right) \div \left[2\dfrac{2}{7} + \dfrac{10}{3} \times \dfrac{5}{7}\right]$

$= \dfrac{49}{90} \div \left[2\dfrac{2}{7} + 2\dfrac{8}{21}\right]$

$= \dfrac{49}{90} \div \left[2\dfrac{6}{21} + 2\dfrac{8}{21}\right]$

$= \dfrac{49}{90} \div 4\dfrac{2}{3}$

$= \dfrac{49}{90} \times \dfrac{3}{14}$

$= \dfrac{7}{60}.$

3 原式 $= \dfrac{8}{3} \times \dfrac{45 - 20}{24} \div \left[\dfrac{13}{4} \times \dfrac{24}{3 + 44}\right]$

$$= \frac{8 \times 25}{3 \times 24} \div \frac{13 \times 24}{4 \times 47} = \frac{25}{9} \times \frac{47}{78} = \frac{1175}{702}$$

$$= 1\frac{473}{702}.$$

4 原式 $= \left(84 + \frac{4}{19}\right) \times \frac{11}{8} + \left(105 + \frac{5}{19}\right) \times \frac{9}{10}$

$$= \left(21 + \frac{1}{19}\right) \times 4 \times \frac{11}{8} + \left(21 + \frac{1}{19}\right) \times 5 \times \frac{9}{10}$$

$$= \left(21 + \frac{1}{19}\right) \times \frac{11}{2} + \left(21 + \frac{1}{19}\right) \times \frac{9}{2}$$

$$= 21\frac{1}{19} \times \left(\frac{11}{2} + \frac{9}{2}\right) = 210\frac{10}{19}.$$

5 原式 $= 1.25 \times 88\frac{6}{15} \times 8 - 125\% \times 78\frac{2}{3} \times 8 +$

$$8 \times \frac{1}{3} \times 1\frac{1}{4} + \frac{2}{5} \times 3\frac{1}{3}$$

$$= (1.25 \times 8) \times \left(88\frac{6}{15} - 78\frac{10}{15}\right) + \frac{10}{3} + \frac{4}{3}$$

$$= 10 \times 9\frac{11}{15} + 4\frac{2}{3} = 90 + \frac{22}{3} + 4\frac{2}{3} = 102.$$

6 由于 $3.6 = 3\frac{3}{5} = \frac{18}{5}$，所以

原式 $= 0.25 \times 3.6 \times (4.85 - 1 + 6.15) + \left(5.5 - 1.75 \times \frac{54}{21}\right)$

$$= 0.25 \times 3.6 \times (4.85 - 1 + 6.15) + (5.5 - 4.5)$$

$$= 10.$$

7 原式 $= \frac{1}{51} \times [(2-1) + (4-3) + \cdots + (48-47) + (50-49)]$

$$= \frac{1}{51} \times 1 \times (50 \div 2) = \frac{25}{51}.$$

8 设 $S = \dfrac{1}{2} + \dfrac{1}{4} + \dfrac{1}{8} + \dfrac{1}{31} + \dfrac{1}{62} + \dfrac{1}{124} + \dfrac{1}{248} + \dfrac{1}{496}$, ①

则 $2S = 1 + \dfrac{1}{2} + \dfrac{1}{4} + \dfrac{2}{31} + \dfrac{1}{31} + \dfrac{1}{62} + \dfrac{1}{124} + \dfrac{1}{248}$, ②

②$-$①, 得 $S = 1 + \dfrac{2}{31} - \dfrac{1}{8} - \dfrac{1}{496}$

$$= \dfrac{33}{31} - \dfrac{1}{8} - \dfrac{1}{496}$$

$$= \dfrac{264 - 31}{248} - \dfrac{1}{496}$$

$$= \dfrac{233}{248} - \dfrac{1}{496} = \dfrac{465}{496} = \dfrac{15}{16}.$$

9 设 $a = 1 + \dfrac{1}{2} + \dfrac{1}{3} + \dfrac{1}{4}$, $b = \dfrac{1}{2} + \dfrac{1}{3} + \dfrac{1}{4}$, 则 $a - b = 1$.

原式 $= a \times \left(b + \dfrac{1}{5} \right) - \left(a + \dfrac{1}{5} \right) \times b$

$$= ab + \dfrac{1}{5}a - ab - \dfrac{1}{5}b$$

$$= \dfrac{1}{5}(a - b) = \dfrac{1}{5} \times 1 = \dfrac{1}{5}.$$

10 原式 $= \left[1 - \left(\dfrac{1}{2} - \dfrac{1}{3} \right) + \dfrac{1}{6} \right] \times \left[1 - \left(\dfrac{1}{4} - \dfrac{1}{5} \right) + \dfrac{1}{20} \right] \times$

$$\left[1 - \left(\dfrac{1}{6} - \dfrac{1}{7} \right) + \dfrac{1}{42} \right]$$

$$= \left[1 - \dfrac{1}{6} + \dfrac{1}{6} \right] \times \left[1 - \dfrac{1}{20} + \dfrac{1}{20} \right] \times$$

$$\left[1 - \dfrac{1}{42} + \dfrac{1}{42} \right]$$

$$= 1 \times 1 \times 1 = 1.$$

11 设 $a = \dfrac{238}{375}$, $b = \dfrac{465}{587}$, $c = \dfrac{627}{731}$.

原式 $= a \times (b-c) + b(c-a) + c(a-b)$

$\quad = ab - ac + bc - ba + ca - cb = 0.$

12 原式 $= \left[(1+3+9) + \left(\dfrac{5}{99} + \dfrac{5}{33} + \dfrac{5}{11} \right) \right] \div$

$$\left[(1+3+9) + \left(\dfrac{1}{99} + \dfrac{1}{33} + \dfrac{1}{11} \right) \right]$$

$$= \left[(1+3+9) + \dfrac{5}{99}(1+3+9) \right] \div$$

$$\left[(1+3+9) + \dfrac{1}{99}(1+3+9) \right]$$

$$= \left[(1+3+9) \times \left(1 + \dfrac{5}{99} \right) \right] \div$$

$$\left[(1+3+9) \times \left(1 + \dfrac{1}{99} \right) \right]$$

$$= \left(1 + \dfrac{5}{99} \right) \div \left(1 + \dfrac{1}{99} \right) = 104 \div 100 = 1.04.$$

13 原式 $= 70 \times \dfrac{6}{7} + \dfrac{7}{6} \times \dfrac{6}{7} + 60 \times \dfrac{5}{6} + \dfrac{6}{5} \times \dfrac{5}{6} +$

$$50 \times \dfrac{4}{5} + \dfrac{5}{4} \times \dfrac{4}{5} + 40 \times \dfrac{3}{4} + \dfrac{4}{3} \times \dfrac{3}{4} +$$

$$30 \times \dfrac{2}{3} + \dfrac{3}{2} \times \dfrac{2}{3} = 205.$$

14 原式 $= 1 \times 11 + \dfrac{7}{33} \times (1+2+3+\cdots+11)$

$$= 11 + \dfrac{7}{33} \times (1+11) \times 11 \times \dfrac{1}{2}$$

$$= 11 + 14 = 25.$$

15 设

$$S = \dfrac{1}{2} + \left(\dfrac{2}{3} + \dfrac{1}{3} \right) + \cdots + \left(\dfrac{39}{40} + \dfrac{38}{40} + \cdots + \dfrac{2}{40} + \dfrac{1}{40} \right),$$

则 $S = \dfrac{1}{2} + \left(\dfrac{1}{3} + \dfrac{2}{3} \right) + \cdots + \left(\dfrac{1}{40} + \dfrac{2}{40} + \cdots + \dfrac{38}{40} + \dfrac{39}{40} \right).$

上下两式同分母的括号上下对齐相加,得

$$2S = 1 + 2 + 3 + 4 + \cdots + 38 + 39 = 780.$$

所以,原式 $= 390.$

16 原式 $= \dfrac{\cancel{3}}{2} \times \dfrac{\cancel{4}}{\cancel{3}} \times \dfrac{\cancel{5}}{\cancel{4}} \times \cdots \times \dfrac{\cancel{99}}{\cancel{98}} \times \dfrac{100}{\cancel{99}} \times \dfrac{1}{\cancel{2}} \times \dfrac{\cancel{2}}{\cancel{3}} \times$

$\qquad \dfrac{\cancel{3}}{\cancel{4}} \times \cdots \times \dfrac{\cancel{97}}{\cancel{98}} \times \dfrac{\cancel{98}}{99}$

$\qquad = \dfrac{100}{2} \times \dfrac{1}{99} = \dfrac{50}{99}.$

17 原式 $= \dfrac{11}{90} + \dfrac{21}{90} + \dfrac{31}{90} + \dfrac{41}{90} + \dfrac{51}{90} + \dfrac{61}{90} + \dfrac{71}{90} + \dfrac{81}{90}$

$\qquad = \dfrac{11 + 21 + 31 + 41 + 51 + 61 + 71 + 81}{90}$

$\qquad = \dfrac{368}{90} = 4\dfrac{4}{45}.$

18 原式 $= \dfrac{1.2^3 \times 1 \times 3 \times 9 + 2^3 \times 1 \times 3 \times 9 + \left(\frac{1}{13} \right)^3 \times 1 \times 3 \times 9}{1.2^3 \times 1 \times 2 \times 4 + 2^3 \times 1 \times 2 \times 4 + \left(\frac{1}{13} \right)^3 \times 1 \times 2 \times 4}$

$\qquad = \dfrac{1 \times 3 \times \cancel{9}}{1 \times 2 \times 4} \times \dfrac{1.2^3 + 2^3 + \left(\frac{1}{13} \right)^3}{1.2^3 + 2^3 + \left(\frac{1}{13} \right)^3} = 3\dfrac{3}{8}.$

19 原式 $= \dfrac{2^2 \times \left[5 + 5^2 \times 2^2 + \cdots + 5^n \times (2^{n-1})^2 \right]}{3^2 \times \left[5 + 5^2 \times 2^2 + \cdots + 5^n \times (2^{n-1})^2 \right]}$

$\qquad = \dfrac{4}{9}.$

20 设 $S = 1 + \dfrac{1}{3} + \dfrac{1}{3^2} + \dfrac{1}{3^3} + \cdots + \dfrac{1}{3^{99}} + \dfrac{1}{3^{100}},$ ①

$$3S = 3 + 1 + \frac{1}{3} + \frac{1}{3^2} + \frac{1}{3^3} + \cdots + \frac{1}{3^{98}} + \frac{1}{3^{99}}, \qquad ②$$

$$② - ① = 2S = 3 - \frac{1}{3^{100}},$$

$$S = \frac{1}{2} \times \left(3 - \frac{1}{3^{100}}\right).$$

所以，原式 $= \frac{1}{2} \times \left(3 - \frac{1}{3^{100}}\right).$

第 2 讲

分数的大小比较

1 (1) $\dfrac{579}{580}=1-\dfrac{1}{580}$，$\dfrac{44}{45}=1-\dfrac{1}{45}$，$\dfrac{1652}{1653}=1-\dfrac{1}{1653}$，

因为 $\dfrac{1}{45}>\dfrac{1}{580}>\dfrac{1}{1653}$，所以 $1-\dfrac{1}{45}<1-\dfrac{1}{580}<1-\dfrac{1}{1653}$，所

以 $\dfrac{44}{45}<\dfrac{579}{580}<\dfrac{1652}{1653}$.

(2) $\dfrac{7}{99}=0.\dot{0}\dot{7}$，$\dfrac{77}{999}=0.\dot{0}7\dot{7}$，$\dfrac{7+77}{99+999}=0.076\,502\,7\cdots$，

因为 $0.\dot{0}\dot{7}<0.076\,502\,7\cdots<0.\dot{0}7\dot{7}$，所以

$$\dfrac{7}{99}<\dfrac{7+77}{99+999}<\dfrac{77}{999}.$$

2 $\dfrac{16}{15}=1\dfrac{1}{15}$，$\dfrac{17}{11}=1\dfrac{6}{11}$，$\dfrac{8}{7}=1\dfrac{1}{7}$，因为 $\dfrac{1}{15}<\dfrac{1}{7}<$

$\dfrac{6}{11}$，所以 $\dfrac{16}{15}<\dfrac{8}{7}<\dfrac{17}{11}$；又 $\dfrac{7}{9}<\dfrac{7}{8}$，$\dfrac{2}{3}<\dfrac{4}{5}$，且 $\dfrac{2}{3}<\dfrac{7}{9}<$

$\dfrac{4}{5}<\dfrac{7}{8}$，所以 $\dfrac{2}{3}<\dfrac{7}{9}<\dfrac{4}{5}<\dfrac{7}{8}<\dfrac{16}{15}<\dfrac{8}{7}<\dfrac{17}{11}$.

3 这五个分数的倒数分别是

$$51\dfrac{9}{10},\ 51\dfrac{11}{14},\ 51\dfrac{11}{15},\ 51\dfrac{17}{21},\ 51\dfrac{29}{35}.$$

，因为 $\dfrac{9}{10}>\dfrac{29}{35}>\dfrac{17}{21}>\dfrac{11}{14}>\dfrac{11}{15}$，所以

$$\dfrac{10}{519}<\dfrac{35}{1814}<\dfrac{21}{1088}<\dfrac{14}{725}<\dfrac{15}{776}.$$

4 $\frac{54\,321}{54\,322}=1-\dfrac{1}{54\,322}$, $\dfrac{5432}{5433}=1-\dfrac{1}{5433}$, $\dfrac{543}{544}=1-$

$\dfrac{1}{544}$, $\dfrac{54}{55}=1-\dfrac{1}{55}$,

因为 $\dfrac{1}{55}>\dfrac{1}{544}>\dfrac{1}{5433}>\dfrac{1}{54\,322}$,所以

$$\frac{54}{55}<\frac{543}{544}<\frac{5432}{5433}<\frac{54\,321}{54\,322}.$$

5 因为 $\dfrac{43^{21}}{43^{20}}=43>1$,即 $43^{21}>43^{20}$,所以

$$\frac{43^{21}}{43^{20}}<\frac{43^{21}-21}{43^{20}-21}.\quad\left(a>b\ \text{时},\frac{a}{b}<\frac{a-k}{b-k},\ k<b\right)$$

6 $\dfrac{3861}{3862}=1-\dfrac{1}{3862}$, $\dfrac{5971}{5974}=1-\dfrac{3}{5974}$.

因为 $\dfrac{1}{3862}<\dfrac{3}{5974}$,所以 $1-\dfrac{1}{3862}>1-\dfrac{3}{5974}$,所以 $\dfrac{3861}{3862}>$

$\dfrac{5971}{5974}$.

7 由 $\dfrac{1}{A}=4+\dfrac{567}{1234}$,又 $\dfrac{1}{B}=4+\dfrac{567}{1243}$,由于 $\dfrac{567}{1234}>$

$\dfrac{567}{1243}$,即 $\dfrac{1}{A}>\dfrac{1}{B}$,所以 $\dfrac{1234}{5503}<\dfrac{1243}{5539}$,$B$ 比 A 大.

8 $\dfrac{1}{6}=\dfrac{4}{24}$, $\dfrac{1}{4}=\dfrac{6}{24}$, $\dfrac{n}{24}$ 介于 $\dfrac{1}{6}$ 和 $\dfrac{1}{4}$ 之间,且 n 是整数,则 $n=5$.

9 设这个分数为 A. $\dfrac{1}{2010}<A<\dfrac{1}{2009}$,即 $\dfrac{2}{4020}<A<$

$\dfrac{2}{4018}$,分子相同,$4018<A$ 的分母 <4020,取整数,A 的分母为

4019,则 A 为 $\dfrac{2}{4019}$.

⑩ 原式 $= \dfrac{1}{4} = \dfrac{8}{32}$, $\dfrac{1}{16} = \dfrac{2}{32}$. $2 < 3$, 4, 5, 6, $7 < 8$ 的

中间数是 5. 所以位于 $\dfrac{1}{4}$ 和 $\dfrac{1}{16}$ 正中间的数是 $\dfrac{5}{32}$, 选 A. 另解:正中

间的数是 $\dfrac{1}{2} \times \left(\dfrac{1}{4} + \dfrac{1}{16} \right) = \dfrac{1}{2} \times \dfrac{5}{16} = \dfrac{5}{32}$.

⑪ 通分: $\dfrac{1}{2} = \dfrac{210}{420}$, $\dfrac{1}{3} = \dfrac{140}{420}$, $\dfrac{1}{4} = \dfrac{105}{420}$, $\dfrac{1}{5} = \dfrac{84}{420}$,

$\dfrac{1}{6} = \dfrac{70}{420}$, $\dfrac{6}{7} = \dfrac{360}{420}$, 显然 $210 + 84 + 70 = 364$ 最接近 360, 选

D.

⑫ 与其他算式不相等的是 C.

$A = \dfrac{1}{12} + \dfrac{2}{3} = \dfrac{1}{12} + \dfrac{8}{12} = \dfrac{9}{12} = \dfrac{3}{4}$,

$B = \dfrac{13}{20} + \dfrac{1}{10} = \dfrac{13}{20} + \dfrac{2}{20} = \dfrac{15}{20} = \dfrac{3}{4}$,

$C = \dfrac{5}{12} + \dfrac{1}{6} = \dfrac{5}{12} + \dfrac{2}{12} = \dfrac{7}{12}$,

$D = \dfrac{1}{4} + \dfrac{2}{4} = \dfrac{3}{4}$,

$E = \dfrac{11}{20} + \dfrac{1}{5} = \dfrac{11}{20} + \dfrac{4}{20} = \dfrac{15}{20} = \dfrac{3}{4}$.

⑬ $\dfrac{1}{11} + \dfrac{1}{33} = \dfrac{4}{33}$, $\dfrac{4}{33}$ 的倒数为 8.25;

$\dfrac{1}{12} + \dfrac{1}{29} = \dfrac{41}{348}$, $\dfrac{41}{348}$ 的倒数约为 8.49;

$\dfrac{1}{13} + \dfrac{1}{25} = \dfrac{38}{325}$, $\dfrac{38}{325}$ 的倒数约为 8.55;

$$\frac{1}{14}+\frac{1}{21}=\frac{5}{42},\frac{5}{42}\text{的倒数为 }8.40.$$

因为 $8.25<8.40<8.49<8.55$，所以

$$\frac{1}{11}+\frac{1}{33}>\frac{1}{14}+\frac{1}{21}>\frac{1}{12}+\frac{1}{29}>\frac{1}{13}+\frac{1}{25}.$$

14 $\dfrac{1}{11}-\dfrac{1}{15}=\dfrac{4}{165}$，$\dfrac{1}{12}-\dfrac{1}{17}=\dfrac{5}{204}$，$\dfrac{1}{13}-\dfrac{1}{19}=$

$\dfrac{6}{247}$，$\dfrac{1}{14}-\dfrac{1}{21}=\dfrac{1}{42}$，显然统一分子可以比较此四个算式的大

小. $\dfrac{4}{165}=\dfrac{60}{2475}$，$\dfrac{5}{204}=\dfrac{60}{2448}$，$\dfrac{6}{247}=\dfrac{60}{2470}$，$\dfrac{1}{42}=\dfrac{60}{2520}$，

由于 $\dfrac{60}{2520}<\dfrac{60}{2475}<\dfrac{60}{2470}<\dfrac{60}{2448}$，所以

$$\frac{1}{12}-\frac{1}{17}>\frac{1}{13}-\frac{1}{19}>\frac{1}{11}-\frac{1}{15}>\frac{1}{14}-\frac{1}{21}.$$

15 $\left(\dfrac{1}{2}+\dfrac{1}{3}+\dfrac{1}{4}+\dfrac{1}{5}+\dfrac{1}{6}+\dfrac{1}{7}\right)\div 6=\dfrac{223}{840}$，而 $\dfrac{1}{4}=$

$\dfrac{210}{840}$，$\dfrac{1}{3}=\dfrac{280}{840}$，所以这 6 个分数的平均值排在第 5 位.

16 $0.5\dot{1}=\dfrac{23}{45}$，在此 6 个数中，$\dfrac{23}{45}$ 仅大于 $\dfrac{24}{47}$，6 个数的排列

是：$\dfrac{2}{3}>\dfrac{5}{9}>\dfrac{13}{25}>0.\dot{5}\dot{1}>0.5\dot{1}>\dfrac{24}{47}$. 包括未出现的两个数，这

8 个数从小到大排列，第 4 个数是 $0.5\dot{1}$. 显然这 8 个数从大到小排

列，第 4 个数是 $0.\dot{5}\dot{1}$.

17 原式左边等于 $1-\dfrac{1}{n+1}$，可得不等式 $1-\dfrac{1}{n+1}>$

$\dfrac{1949}{1998}$，所以 $\dfrac{1}{n+1}<\dfrac{49}{1998}$，解得 $n>39\dfrac{38}{49}$，故 n 最小值等于 40.

18 设 $A=\dfrac{1}{2}\times\dfrac{3}{4}\times\dfrac{5}{6}\times\cdots\times\dfrac{99}{100}$，$B=\dfrac{2}{3}\times\dfrac{4}{5}\times\dfrac{6}{7}\times\cdots\times$

$\dfrac{98}{99}$,则

$$A \times B = \dfrac{1}{2} \times \dfrac{2}{3} \times \dfrac{3}{4} \times \dfrac{4}{5} \times \cdots \times \dfrac{98}{99} \times \dfrac{99}{100}$$

$$= \dfrac{1}{100} = \left(\dfrac{1}{10}\right)^2.$$

因为 A 的前 49 项都小于 B 对应的 49 项,A 的最后一项 $\dfrac{99}{100} < 1$,

所以 $A < B$,再由 $\left(\dfrac{1}{10}\right)^2 = A \times B > A \times A$,推知,$\dfrac{1}{10} > A$.

较大的数是 $\dfrac{1}{10}$.

19 $A = 1 + \left(\dfrac{1}{2} + \dfrac{1}{3} + \dfrac{1}{6}\right) + \left(\dfrac{1}{4} + \dfrac{1}{5} + \dfrac{1}{7} + \dfrac{1}{8}\right) +$

$\qquad \left(\dfrac{1}{9} + \dfrac{1}{10} + \dfrac{1}{11} + \cdots + \dfrac{1}{16}\right)$

$\qquad = 2 + \left(\dfrac{1}{4} + \dfrac{1}{5} + \dfrac{1}{7} + \dfrac{1}{8}\right) +$

$\qquad \left(\dfrac{1}{9} + \dfrac{1}{10} + \dfrac{1}{11} + \cdots + \dfrac{1}{16}\right)$

又因为 $\dfrac{1}{2} = 4 \times \dfrac{1}{8} < \dfrac{1}{4} + \dfrac{1}{5} + \dfrac{1}{7} + \dfrac{1}{8} < 4 \times \dfrac{1}{4} = 1$,

$\dfrac{1}{2} = 8 \times \dfrac{1}{16} < \dfrac{1}{9} + \dfrac{1}{10} + \dfrac{1}{11} + \cdots + \dfrac{1}{16} < 8 \times \dfrac{1}{8} = 1$,

所以 $\qquad 3 = 2 + \dfrac{1}{2} + \dfrac{1}{2} < A < 2 + 1 + 1 = 4.$

故 A 的整数部分是 3.

20 原式 $= \left(1 + \dfrac{11 + 12 + 13 + 14 + \cdots + 20}{11 \times 69 + 12 \times 68 + \cdots + 20 \times 60}\right) \times 100.$

$\dfrac{11 + 12 + 13 + 14 + \cdots + 20}{11 \times 69 + 12 \times 68 + \cdots + 20 \times 60} > \dfrac{11 + 12 + 13 + \cdots + 20}{11 \times 69 + 12 \times 69 + \cdots + 20 \times 69} = \dfrac{1}{69},$

$$\frac{11+12+13+14+\cdots+20}{11\times 69+12\times 68+\cdots+20\times 60} < \frac{11+12+13+\cdots+20}{11\times 60+12\times 60+\cdots+20\times 60} = \frac{1}{60}.$$

所以 $\left(1+\dfrac{1}{69}\right)\times 100 < A < \left(1+\dfrac{1}{60}\right)\times 100$，则 $101\dfrac{31}{69} <$

$A < 101\dfrac{40}{60}$.

因此 A 的整数部分是 101.

第 **3** 讲

巧算分数的和

1 原式 $= \dfrac{1}{2048}$. 用图解表示如下：

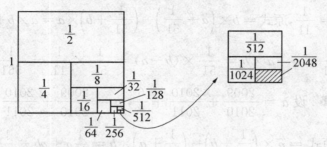

阴影部分即为所求.

即原式 $= 1 - \left(\dfrac{1}{2} + \dfrac{1}{4} + \cdots + \dfrac{1}{2048} \right)$

$\qquad\quad = 1 - \left(1 - \dfrac{1}{2048} \right)$

$\qquad\quad = 1 - 1 + \dfrac{1}{2048} = \dfrac{1}{2048}.$

2 原式 $= \dfrac{3}{4} + \dfrac{5}{36} + \dfrac{7}{144} + \dfrac{9}{400} + \dfrac{11}{900} + \dfrac{13}{1764} + \dfrac{15}{3136}$

$\qquad\quad = \left(1 - \dfrac{1}{4} \right) + \left(\dfrac{1}{4} - \dfrac{1}{9} \right) + \left(\dfrac{1}{9} - \dfrac{1}{16} \right) + \left(\dfrac{1}{16} - \right.$

$\qquad\quad \left. \dfrac{1}{25} \right) + \left(\dfrac{1}{25} - \dfrac{1}{36} \right) + \left(\dfrac{1}{36} - \dfrac{1}{49} \right) + \left(\dfrac{1}{49} - \dfrac{1}{64} \right)$

$$=1-\frac{1}{64}=\frac{63}{64}.$$

3 原式 $= 1\times 1!+2\times 2!+3\times 3!+\cdots+8\times 8!$

$\qquad = 2!-1!+3!-2!+4!-3!+\cdots+9!-8!$

$\qquad = 9!-1!=362\,880-1$

$\qquad = 362\,879.$

4 设 $a=\dfrac{1}{21}+\dfrac{1}{31}+\dfrac{1}{41}$，$b=\dfrac{1}{11}+\dfrac{1}{21}+\dfrac{1}{31}+\dfrac{1}{41}$，

$b-a=\dfrac{1}{11}$，原式 $=b\times\left(a+\dfrac{1}{51}\right)-\left(\dfrac{1}{51}+b\right)\times a=a\times b+\dfrac{1}{51}\times$

$b-\dfrac{1}{51}\times a-a\times b=\dfrac{1}{51}\times(b-a)=\dfrac{1}{51}\times\dfrac{1}{11}=\dfrac{1}{561}.$

5 设 $a=\dfrac{2009}{2010}+\dfrac{2010}{2011}+\dfrac{6}{7}$，$b=\dfrac{2009}{2010}+\dfrac{2010}{2011}+\dfrac{2}{5}$.

原式 $=a\times\left(\dfrac{1}{2}+b\right)-\left(\dfrac{1}{2}+a\right)\times b=\dfrac{1}{2}a+ab-\dfrac{1}{2}b-ab$

$\qquad =\dfrac{1}{2}(a-b)$

$\qquad =\dfrac{1}{2}\times\left(\dfrac{2009}{2010}+\dfrac{2010}{2011}+\dfrac{6}{7}-\dfrac{2009}{2010}-\dfrac{2010}{2011}-\dfrac{2}{5}\right)$

$\qquad =\dfrac{1}{2}\times\left(\dfrac{6}{7}-\dfrac{2}{5}\right)=\dfrac{1}{2}\times\left(\dfrac{30}{35}-\dfrac{14}{35}\right)$

$\qquad =\dfrac{1}{2}\times\dfrac{16}{35}=\dfrac{8}{35}.$

6 原式 $=\left(1+\dfrac{1}{3}\right)+\left(1+\dfrac{1}{15}\right)+\cdots+\left(1+\dfrac{1}{255}\right)$

$\qquad =1\times 8+\dfrac{1}{2}\left(1-\dfrac{1}{3}+\dfrac{1}{3}-\dfrac{1}{5}+\cdots+\dfrac{1}{15}-\dfrac{1}{17}\right)$

$\qquad =8+\dfrac{1}{2}\left(1-\dfrac{1}{17}\right)=8\dfrac{8}{17}.$

7 原式 $= \dfrac{1}{5 \times 6} + \dfrac{1}{6 \times 7} + \cdots + \dfrac{1}{11 \times 12}$

$= \left(\dfrac{1}{5} - \dfrac{1}{6} \right) + \left(\dfrac{1}{6} - \dfrac{1}{7} \right) + \cdots + \left(\dfrac{1}{11} - \dfrac{1}{12} \right)$

$= \dfrac{1}{5} - \dfrac{1}{12} = \dfrac{7}{60}.$

8 原式 $= \left(\dfrac{1}{2} - \dfrac{1}{7} \right) + \left(\dfrac{1}{7} - \dfrac{1}{12} \right) + \left(\dfrac{1}{12} - \dfrac{1}{17} \right) +$

$\left(\dfrac{1}{17} - \dfrac{1}{22} \right) + \left(\dfrac{1}{22} - \dfrac{1}{27} \right) + \left(\dfrac{1}{27} - \dfrac{1}{32} \right)$

$= \dfrac{1}{2} - \dfrac{1}{32} = \dfrac{15}{32}.$

9 原式 $= (1 + 3 + 5 + 7 + 9 + 11) + \left[\left(\dfrac{1}{3} - \dfrac{1}{5} \right) + \right.$

$\left(\dfrac{1}{5} - \dfrac{1}{7} \right) + \left(\dfrac{1}{7} - \dfrac{1}{9} \right) + \left(\dfrac{1}{9} - \dfrac{1}{11} \right) +$

$\left. \left(\dfrac{1}{11} - \dfrac{1}{13} \right) + \left(\dfrac{1}{13} - \dfrac{1}{15} \right) \right] \times \dfrac{1}{2}$

$= 36 + \left(\dfrac{1}{3} - \dfrac{1}{15} \right) \times \dfrac{1}{2} = 36 \dfrac{2}{15}.$

10 原式 $= \left[\left(\dfrac{7 \times 7}{12} - \dfrac{7 \times 9}{20} + \dfrac{7 \times 11}{30} - \dfrac{7 \times 13}{42} + \right. \right.$

$\left. \left. \dfrac{7 \times 15}{56} \right) - 3 \dfrac{1}{6} \right] \times 24$

$= \left[7 \times \left(\dfrac{7}{12} - \dfrac{9}{20} + \dfrac{11}{30} - \dfrac{13}{42} + \dfrac{15}{56} \right) - 3 \dfrac{1}{6} \right] \times 24$

$= \left[7 \times \left(\dfrac{1}{3} + \dfrac{1}{4} - \dfrac{1}{4} - \dfrac{1}{5} + \dfrac{1}{5} + \dfrac{1}{6} - \dfrac{1}{6} - \right. \right.$

$\left. \left. \dfrac{1}{7} + \dfrac{1}{7} + \dfrac{1}{8} \right) - 3 \dfrac{1}{6} \right] \times 24$

$$= \left(7 \times \frac{11}{24} - \frac{19}{6}\right) \times 24 = 77 - 19 \times 4 = 1.$$

11 原式 $= \left(1+\frac{1}{2}\right)\left(1-\frac{1}{2}\right)\left(1+\frac{1}{3}\right)\left(1-\frac{1}{3}\right)\cdots \times$

$$\left(1+\frac{1}{10}\right)\left(1-\frac{1}{10}\right)$$

$$= \frac{3}{2} \times \frac{1}{2} \times \frac{4}{3} \times \frac{2}{3} \times \cdots \times \frac{9}{10} \times \frac{11}{10}$$

$$= \frac{1}{2} \times \frac{11}{10} = \frac{11}{20}.$$

12 原式 $= \frac{2^2}{3} \times \frac{3^2}{4} \times \frac{4^2}{5} \times \frac{5^2}{6} \times \frac{6^2}{7} \times \frac{7^2}{8} \times \frac{8^2}{9}$

$$= 4 \times 4 \times 5 \times 2 \times 7 \times 8 = 8960.$$

13 原式 $= \frac{1}{2} \times \left[\left(1-\frac{1}{3}\right) + \left(\frac{1}{3}-\frac{1}{5}\right) + \cdots + \left(\frac{1}{97}-\frac{1}{99}\right)\right]$

$$= \frac{1}{2} \times \left(1-\frac{1}{99}\right) = \frac{49}{99}.$$

14 原式 $= \frac{1}{3} \times \left(\frac{1}{2}-\frac{1}{5}+\frac{1}{5}-\frac{1}{8}+\frac{1}{8}-\frac{1}{11}+\frac{1}{11}-\right.$

$$\left.\frac{1}{14}+\frac{1}{14}-\frac{1}{17}+\frac{1}{17}-\frac{1}{20}\right) = \frac{1}{3} \times \left(\frac{1}{2}-\frac{1}{20}\right)$$

$$= \frac{3}{20}.$$

15 原式 $= \frac{1}{5} \times 4 \times \left(\frac{1}{2}-\frac{1}{7}+\frac{1}{7}-\frac{1}{12}+\frac{1}{12}-\frac{1}{17}+\frac{1}{17}-\right.$

$$\left.\frac{1}{22}+\cdots+\frac{1}{92}-\frac{1}{97}+\frac{1}{97}-\frac{1}{102}\right)$$

$$= \frac{4}{5} \times \left(\frac{1}{2}-\frac{1}{102}\right) = \frac{20}{51}.$$

16 原式 $= 1+\frac{2}{1\times 3}+1+\frac{2}{3\times 5}+\cdots+1+\frac{2}{2011\times 2013}$

$$= 1006 + \frac{1}{2} \times 2 \times \left(1 - \frac{1}{3} + \frac{1}{3} - \frac{1}{5} + \cdots + \frac{1}{2011} - \frac{1}{2013}\right)$$

$$= 1006 + \frac{2012}{2013} = 1006\frac{2012}{2013}.$$

17 因为 $\dfrac{2}{n(n+1)(n+2)} = \dfrac{1}{n} - \dfrac{2}{n+1} + \dfrac{1}{n+2}$，所以

$$原式 = \left(\frac{1}{3} - \frac{2}{4} + \frac{1}{5}\right) + \left(\frac{1}{4} - \frac{2}{5} + \frac{1}{6}\right) + \left(\frac{1}{5} - \frac{2}{6} + \frac{1}{7}\right) +$$

$$\left(\frac{1}{6} - \frac{2}{7} + \frac{1}{8}\right) + \left(\frac{1}{7} - \frac{2}{8} + \frac{1}{9}\right) + \left(\frac{1}{8} - \frac{2}{9} + \frac{1}{10}\right)$$

$$= \frac{1}{3} - \frac{1}{4} - \frac{1}{9} + \frac{1}{10} = \frac{13}{180}.$$

18 $原式 = \dfrac{1}{2} + \dfrac{3}{4} + \dfrac{4}{8} + \dfrac{5}{16} + \dfrac{6}{32} + \dfrac{1}{2^6} \times$

$$\left(\frac{7}{1} + \frac{8}{2} + \frac{9}{4} + \frac{10}{8} + \frac{11}{16}\right)$$

$$= 2\frac{1}{4} + \frac{1}{2^6} \times 15\frac{3}{16}$$

$$= 2\frac{1}{4} + \frac{243}{1024} = 2\frac{499}{1024}.$$

19 $原式 = \dfrac{2010 \times 2009}{2009 \times 2008} + \dfrac{2010 \times 2009}{2008 \times 2007} + \dfrac{2010 \times 2009}{2007 \times 2006} + \cdots +$

$$\frac{2010 \times 2009}{2 \times 1}$$

$$= 2010 \times 2009 \times \left(\frac{1}{2009 \times 2008} + \frac{1}{2008 \times 2007} + \right.$$

$$\left. \frac{1}{2007 \times 2006} + \cdots + \frac{1}{2 \times 1}\right)$$

$$= 2010 \times 2009 \times \left(\frac{1}{2008} - \frac{1}{2009} + \frac{1}{2007} - \frac{1}{2008} + \right.$$

$$\left. \frac{1}{2006} - \frac{1}{2007} + \cdots + 1 - \frac{1}{2} \right)$$

$$= 2010 \times 2009 \times \left(1 - \frac{1}{2009} \right) = 4\,036\,080.$$

❷⓿ 原式 $= \left(\dfrac{2^2}{1 \times 2} + \dfrac{1^2}{1 \times 2} \right) + \left(\dfrac{3^2}{2 \times 3} + \dfrac{2^2}{2 \times 3} \right) +$

$\left(\dfrac{4^2}{3 \times 4} + \dfrac{3^2}{3 \times 4} \right) + \cdots + \left(\dfrac{2002^2}{2001 \times 2002} + \dfrac{2001^2}{2001 \times 2002} \right) = \dfrac{2}{1} +$

$\dfrac{1}{2} + \dfrac{3}{2} + \dfrac{2}{3} + \dfrac{4}{3} + \dfrac{3}{4} + \cdots + \dfrac{2002}{2001} + \dfrac{2001}{2002}.$

因为上式中分母为 $1 \sim 2001$ 的同分母的两个分数之和都是 2,所以

$$原式 = 2 \times 2001 + \frac{2001}{2002} = 4002 \frac{2001}{2002}.$$

第 *4* 讲

繁 分 数

1 原式 $= \dfrac{\dfrac{15}{4} \times \dfrac{1}{5}}{1.35} \times 5.4 = \dfrac{0.75}{1.35} \times 5.4 = 3.$

2 原式 $= \dfrac{2 + \dfrac{1}{2} + 0.2}{4 + \dfrac{1}{4} + 0.4} \times 31 = \dfrac{2.7}{4.65} \times 31 = 18.$

3 原式 $= \dfrac{0.\dot{1} + 0.\dot{2} + 0.\dot{3}}{0.\dot{1} \times 0.\dot{2} \times 0.\dot{3}} = \dfrac{\dfrac{1}{9} + \dfrac{2}{9} + \dfrac{3}{9}}{\dfrac{1}{9} \times \dfrac{2}{9} \times \dfrac{3}{9}} = \dfrac{\dfrac{6}{9}}{\dfrac{6}{729}}$

$\qquad = \dfrac{6}{9} \times \dfrac{729}{6} = 81.$

4 原式 $= 2012 \times \dfrac{3.75 \times 1.3 + 3 \times 0.375}{25 \times 20 + 3}$

$\qquad = 2012 \times \dfrac{0.375 \times 16}{503} = 24.$

5 原式 $= \dfrac{0.\dot{1} \times 0.5625}{0.12\dot{3} + \dfrac{19}{150}} \approx 0.25.$

6 原式 $= \dfrac{\dfrac{1}{2013}}{\dfrac{2013^2 - 2012}{2013^2 - 2012^2 + 2012 \times (2012 - 1)}}$

$$= \cfrac{\cfrac{1}{2013}}{\cfrac{2013^2 - 2012}{2013^2 - 2012^2 + 2012^2 - 2012}}$$

$$= \cfrac{\cfrac{1}{2013}}{\cfrac{2013^2 - 2012}{2013^2 - 2012}} = \frac{1}{2013}.$$

7 原式 $= \cfrac{1 + \cfrac{1}{\cfrac{5}{3}}}{1 - \cfrac{1}{\cfrac{7}{3}}} = \cfrac{1 + \cfrac{3}{5}}{1 - \cfrac{3}{7}} = \frac{8}{5} \times \frac{7}{4} = 2\frac{4}{5}.$

8 原式 $= \cfrac{1}{2 - \cfrac{5}{3 + \cfrac{6}{\cfrac{25}{8}}}} = \cfrac{1}{2 - \cfrac{5}{3 + \cfrac{48}{25}}} = \cfrac{1}{2 - \cfrac{5}{\cfrac{123}{25}}}$

$$= \cfrac{1}{2 - \cfrac{125}{123}} = \cfrac{1}{\cfrac{121}{123}} = \frac{123}{121} = 1\frac{2}{121}.$$

9 原式 $= \cfrac{1}{4 - \cfrac{1}{3 + \cfrac{1}{2 - \cfrac{1}{\cfrac{3}{2}}}}} = \cfrac{1}{4 - \cfrac{1}{3 + \cfrac{1}{2 - \cfrac{2}{3}}}}$

$$= \cfrac{1}{4 - \cfrac{1}{\cfrac{15}{4}}} = \cfrac{1}{4 - \cfrac{4}{15}} = \cfrac{1}{\cfrac{56}{15}} = \frac{15}{56}.$$

10 很显然，每一个分子是对应的每一个分母的 $\dfrac{1}{2}$，如 $1\dfrac{2}{3} \div 3\dfrac{1}{3} = \dfrac{1}{2}$，$2\dfrac{3}{4} \div 5\dfrac{2}{4} = \dfrac{1}{2}$，$\cdots$，$28\dfrac{29}{30} \div 57\dfrac{28}{30} = \dfrac{1}{2}$．所以原式 $= \dfrac{1}{2}$．

11 原式被除数 $= \dfrac{\dfrac{10 \times 1.9}{3} + \dfrac{39}{9}}{\dfrac{62}{75} - \dfrac{4}{25}} = \dfrac{32}{3} \times \dfrac{3}{2} = 16$；

原式除数 $= \dfrac{3\dfrac{1}{2} + 6\dfrac{4}{5}}{0.5 \times 5.15} = \dfrac{10.3}{2.575} = 4$；

所以　　　　　原式 $= 16 \div 4 = 4$．

12 原式 $= \dfrac{1}{\cancel{4}_{1}} \times \dfrac{\cancel{4}^{1}}{5} + \dfrac{1}{\cancel{9}_{1}} \times \dfrac{\cancel{4}^{2}}{5} \times \dfrac{\cancel{9}^{1}}{\cancel{10}_{5}} + \dfrac{1}{\cancel{16}_{1}} \times$

$\dfrac{\cancel{4}^{2}}{5} \times \dfrac{9}{\cancel{10}_{5}} \times \dfrac{\cancel{16}^{1}}{17} = \dfrac{1}{5} + \dfrac{2}{25} + \dfrac{18}{25 \times 17}$

$= \dfrac{7}{25} + \dfrac{18}{25 \times 17} = \dfrac{7 \times 17 + 18}{425} = \dfrac{137}{425}$．

13 注：$0.\overset{..}{0}\overset{..}{9}$ 是循环小数，即 $0.\overset{..}{0}\overset{..}{9} = 0.090\,909\cdots$，其余亦同．

原式 $= \dfrac{0.\overset{..}{0}\overset{..}{9} \times (1 + 10) \times 10 \div 2}{\dfrac{9}{99} \times (1 + 10) \times 10 \div 2} = \dfrac{9}{100} \times \dfrac{99}{9} = 0.99$．

14 原式的被乘数为 $\dfrac{\dfrac{7}{4} + \dfrac{1}{6}}{13\dfrac{1}{3} - 12} \div 2\dfrac{7}{8} = \dfrac{1}{\cancel{16}_{2}} \times \dfrac{\cancel{8}^{1}}{\cancel{23}_{1}} =$

$\dfrac{1}{2}$;

原式的乘数为 $\dfrac{1}{\dfrac{15+10+4-3}{30}}+\dfrac{1}{2}=\dfrac{15}{13}+\dfrac{1}{2}=\dfrac{43}{26}$;

原式 $=\dfrac{1}{2}\times\dfrac{43}{26}=\dfrac{43}{52}$.

15 原式 $=\dfrac{2011-(2.11+2.22)\times12\div2\div4.33+1\div\left(\dfrac{1}{2}\times\dfrac{2}{3}\times\dfrac{3}{4}\times\dfrac{4}{5}\right)}{(1+11)\times11\div2+\dfrac{(1+11)\times11\div2}{66}}$

$=\dfrac{2011-4.33\times6\div4.33+1\div\dfrac{1}{5}}{66+\dfrac{66}{66}}$

$=\dfrac{2011-6+5}{67}=\dfrac{2010}{67}=30$.

16 原式分子 $=1.25\times5+\left[\dfrac{1}{24}+\dfrac{3}{7}+\left(1\dfrac{7}{12}-\dfrac{5}{8}\right)\right]\times$

$0.7+0.25$

$=6.25+0.25+\left(\dfrac{1}{24}+\dfrac{3}{7}+\dfrac{23}{24}\right)\times0.7$

$=6.5+\dfrac{10}{7}\times\dfrac{7}{10}=7.5$;

原式分母 $=[3.8\div(3-2.24)]\times2.5$

$=[3.8\div0.76]\times2.5$

$=5\times2.5=12.5$;

所以,原式 $=7.5\div12.5=0.6$.

17 原式 $=\dfrac{\left(1-\dfrac{10}{19}\right)-\left(1-\dfrac{9}{18}\right)+\left(1-\dfrac{8}{17}\right)-\cdots+\left(1-\dfrac{2}{11}\right)-\left(1-\dfrac{1}{10}\right)}{\left(1-\dfrac{18}{19}\right)-\left(1-\dfrac{17}{18}\right)+\left(1-\dfrac{16}{17}\right)-\cdots+\left(1-\dfrac{10}{11}\right)-\left(1-\dfrac{9}{10}\right)}$

$=\dfrac{\dfrac{9}{19}-\dfrac{9}{18}+\dfrac{9}{17}-\dfrac{9}{16}+\dfrac{9}{15}-\dfrac{9}{14}+\dfrac{9}{13}-\dfrac{9}{12}+\dfrac{9}{11}-\dfrac{9}{10}}{\dfrac{1}{19}-\dfrac{1}{18}+\dfrac{1}{17}-\dfrac{1}{16}+\dfrac{1}{15}-\dfrac{1}{14}+\dfrac{1}{13}-\dfrac{1}{12}+\dfrac{1}{11}-\dfrac{1}{10}}$

$=9.$

18 原式 $=\dfrac{1+\dfrac{1}{2}+\cdots+\dfrac{1}{2012}-2\left(\dfrac{1}{2}+\cdots+\dfrac{1}{2012}\right)}{\dfrac{1}{1+2013}+\dfrac{1}{2+2014}+\cdots+\dfrac{1}{1006+3018}}$

$=\dfrac{\dfrac{1}{1007}+\dfrac{1}{1008}+\dfrac{1}{1009}+\dfrac{1}{1010}+\cdots+\dfrac{1}{2012}}{\dfrac{1}{2014}+\dfrac{1}{2016}+\dfrac{1}{2018}+\dfrac{1}{2020}+\cdots+\dfrac{1}{4024}}$

$=2.$

19 原式：$\dfrac{\dfrac{\cancel{1}}{\cancel{8}}\times\dfrac{\cancel{25}}{\cancel{24}}\dfrac{3}{}}{3\dfrac{1}{4}\div\left(\square+1\dfrac{5}{6}\right)}=\dfrac{125}{54}$，$\dfrac{\dfrac{25}{9}}{3\dfrac{1}{4}\div\left(\square+1\dfrac{5}{6}\right)}=$

$\dfrac{125}{54}$ ，所以 $3\dfrac{1}{4} \div \left(\Box + 1\dfrac{5}{6} \right) = \dfrac{\overset{\overset{1}{25}}{\cancel{9}}}{\underset{1}{}} \times \dfrac{\overset{6}{\cancel{54}}}{\underset{5}{\cancel{125}}}.$

$3\dfrac{1}{4} \div \left(\Box + 1\dfrac{5}{6} \right) = \dfrac{6}{5},\ \Box + 1\dfrac{5}{6} = \dfrac{13}{4} \times \dfrac{5}{6},\ \Box = \dfrac{13}{4} \times$

$\dfrac{5}{6} - 1\dfrac{5}{6},\ \Box = \dfrac{7}{8}.$

㉑ 左边 $= 1 - \dfrac{1}{7 + \dfrac{1}{\dfrac{50}{7}}} = 1 - \dfrac{1}{7 + \dfrac{7}{50}} = 1 - \dfrac{1}{\dfrac{357}{50}}$

$\qquad\qquad = 1 - \dfrac{50}{357} = \dfrac{307}{357}.$

因为 $\dfrac{1}{\Box + \dfrac{1}{\Box + \dfrac{1}{\Box + \dfrac{1}{\Box}}}} = \dfrac{307}{357}$，所以

$\Box + \dfrac{1}{\Box + \dfrac{1}{\Box + \dfrac{1}{\Box}}} = 1 \times \dfrac{357}{307} = 1 + \dfrac{50}{307} \quad \Box = 1.$

因为 $\dfrac{1}{\Box + \dfrac{1}{\Box + \dfrac{1}{\Box}}} = \dfrac{50}{307}$，所以 $\Box + \dfrac{1}{\Box + \dfrac{1}{\Box}} = \dfrac{307}{50} =$

$6 + \dfrac{7}{50} \quad \Box = 6.$

因为 $\dfrac{1}{\Box + \dfrac{1}{\Box}} = \dfrac{7}{50}$，所以 $\Box + \dfrac{1}{\Box} = \dfrac{50}{7} = 7 + \dfrac{1}{7}.$

所以 □ = 7,另一个 □ = 7.

这四个□从左至右分别是 1, 6, 7, 7.

它们的乘积为 $1 \times 6 \times 7 \times 7 = 294$.

第 **5** 讲

分数应用题

1 $15 - 15 \times \left[\left(1 + \frac{1}{5} \right) \div \left(1 + \frac{1}{2} \right) \right] = 3(元)$.

2 根据题意,第二桶油倒进 2.8 千克之后,与第一桶油的 $\left(1 - \frac{1}{5} \right)$ 的重量相等. 也就是说第一桶油再加上第一桶油的 $\left(1 - \frac{1}{5} \right)$ 是 $(44 + 2.8)$ 千克,所以第一桶油的重量是:

$$(44 + 2.8) \div \left(1 - \frac{1}{5} + 1 \right) = 26(千克).$$

第二桶油的重量是:$44 - 26 = 18$(千克).

3 设甲最初有 x 元,乙最初有 $(300 - x)$ 元.

$$\left(1 - \frac{1}{4} \right) x = \left(1 - \frac{1}{7} \right)(300 - x).$$

解得 $x = 160$,$300 - x = 300 - 160 = 140$.
甲最初有 160 元,乙最初有 140 元.

4 设全厂有工人 x 人.

$$\frac{1}{5} x = \frac{1}{7}(x + 18).$$

解得 $x = 45$,$45 \times \frac{1}{5} = 9$(人).

原来工厂有四级工 9 人.

5 若取甲班人数的 $\frac{3}{5}$ 和乙班人数的 $\frac{3}{5}$ 就是 $105 \times \frac{3}{5} =$

63（人），与甲班人数的 $\frac{1}{2}$ 和乙班人数的 $\frac{3}{5}$ 共 58 人相差 $63-58=$

5（人）．这就是甲班的 $\frac{3}{5}$ 与甲班的 $\frac{1}{2}$ 相差的人数，这样就可以求出

甲班的人数：$\left(105 \times \frac{3}{5} - 58\right) \div \left(\frac{3}{5} - \frac{1}{2}\right) = 50$（人），乙班人数：

$105 - 50 = 55$（人）．

6 总数的 $\frac{1}{5}$ 加 6 粒等于总数的 $\frac{1}{3}$，所以共有

$$6 \div \left(\frac{1}{3} - \frac{1}{5}\right) = 45（粒）.$$

7 对于同一段路，速度与时间成反比例．小明从家到学校一

半的路程是下坡，下坡是平路速度的 $\frac{3}{2}$ 倍，所用时间就是平路的

$\frac{2}{3}$，而总时间相同，那么下坡路节省的时间一定被上坡路占用了．

因此上坡路用的时间就是平路的 $1 + \frac{1}{3} = \frac{4}{3}$（倍），而上坡的速度

则是平路的 $\frac{3}{4}$．列式得：$1 \div \left[1 + \left(1 - 1 \div \frac{3}{2}\right)\right] = \frac{3}{4}$．

8 后来第一辆车上的同学比第二辆少 $13 \times 2 - 8 = 18$（人），

此时第二辆车上有：$18 \div \left(1 - \frac{7}{10}\right) = 60$（人）．

这次参加春游共有同学：$60 \times \left(1 + \frac{7}{10}\right) = 102$（人）．

9 小红将所折千纸鹤的 $\frac{1}{6}$ 给了小娅后，还有 $100 \div$

$\left(1 + \frac{1}{3}\right) = 75$（只），所以小红折了 $75 \div \left(1 - \frac{1}{6}\right) = 90$（只），小娅

折了:$100 - 90 = 10$(只)千纸鹤.

❿ 7 分所对应的分率为 $1 - \dfrac{4}{5} + \dfrac{1}{2} = \dfrac{7}{10}$,则原有积分为

$7 \div \dfrac{7}{10} = 10$(分),现有的积分为,$10 \times \left(1 + \dfrac{1}{2}\right) = 15$(分).

⓫ 把第一天的钱数当作单位"1".那么第二天的钱数是 $1 \times$

$\left(1 - \dfrac{1}{3}\right) = \dfrac{2}{3}$,第三天的钱数是 $\dfrac{2}{3} \times \left(1 + \dfrac{1}{3}\right) = \dfrac{8}{9}$,$\dfrac{8}{9} < 1$,所

以第一天多.

⓬ 现在大酒杯里有潘趣酒 $6 \div \left[\dfrac{2}{3} - \left(1 - \dfrac{2}{3}\right)\right] = 18$(杯),

原来大酒杯里有潘趣酒 $18 - 6 = 12$(杯).

⓭ 设一班为单位1,二班就是 $\dfrac{5}{6}$,三班就是 $\dfrac{5}{6} \times \left(1 - \dfrac{1}{5}\right) =$

$\dfrac{2}{3}$,一班+三班$= 1 + \dfrac{2}{3} = \dfrac{5}{3}$ 对应180本,$180 \div \dfrac{5}{3} = 108$(本),

108本就是一班的本数,三班一共捐献了 $1 + \dfrac{5}{6} + \dfrac{2}{3} = \dfrac{5}{2}$,$108 \div$

$\dfrac{5}{2} = 270$(本).综合算式:$180 \div \left(1 + \dfrac{2}{3}\right) \div \left(1 + \dfrac{5}{6} + \dfrac{2}{3}\right)$.

⓮ 自始至终小明和小红两个人的糖的数量的差不变,用份

数思想,原先小明占 2 份,小红占 3 份,后来小明占 4 份,小红占 7

份.故原来的糖是差的 $\dfrac{2+3}{3-2} = 5$ 倍,现在的糖是差的 $\dfrac{4+7}{7-4} =$

$\dfrac{11}{3}$ 倍,相差 $5 - \dfrac{11}{3} = \dfrac{4}{3}$ 倍的差,即为被吃掉的 60 颗糖,所以差

等于 $60 \div \dfrac{4}{3} = 45$,现在一共有糖 $45 \times \dfrac{11}{3} = 165$(颗).

⓯ 设儿子为 1 份,母亲为儿子的 $\dfrac{1}{2}$,女儿为母亲的 $\dfrac{1}{2}$,即女

儿为儿子的 $\frac{1}{4}$. 按遗嘱的要求, 母亲可以得到:

$$700 \div \left(1 + \frac{1}{2} + \frac{1}{4}\right) \times \frac{1}{2} = 700 \times \frac{4}{7} \times \frac{1}{2} = 200(万元).$$

⑯ 梨每个价 $11 \div 9 = \frac{11}{9}$(文), 果每个价 $4 \div 7 = \frac{4}{7}$(文). 果的个数 $\left(\frac{11}{9} \times 1000 - 999\right) \div \left(\frac{11}{9} - \frac{4}{7}\right) = 343$(个), 梨的个数 $1000 - 343 = 657$(个). 梨的总价 $\frac{11}{9} \times 657 = 803$(文), 果的总价 $\frac{4}{7} \times 343 = 196$(文).

⑰ 原来 1 只鸡蛋可卖得 $\frac{1}{3}$ 元, 1 只鸭蛋可以卖 $\frac{1}{2}$ 元, 平均价格是每只 $\left(\frac{1}{2} + \frac{1}{3}\right) \div 2 = \frac{5}{12}$(元). 但是混卖之后平均 1 只鸭蛋或者鸡蛋都卖得 $\frac{2}{5}$ 元钱, 比第一天的平均价格少了 $\frac{5}{12} - \frac{2}{5} = \frac{1}{60}$(元). 60 只蛋正好少了一元钱.

$$25 - \frac{1}{60} \times 60 = 25 - 1 = 24(元).$$

⑱ 设 1 分硬币有 x 个, 共计 $\frac{1}{100}x$ 元; 2 分硬币有 $\frac{3}{5}x$ 个, 共计 $\frac{2}{100} \times \frac{3}{5}x = \frac{3}{250}x$ 元; 5 分的硬币有 $\frac{3}{5} \times \frac{3}{5}x = \frac{9}{25}x$ 个, 共计 $\frac{5}{100} \times \frac{9}{25}x = \frac{9}{500}x$ 元, 1 角的硬币有 $\frac{9}{25} \times \frac{3}{5}x - 7 = \left(\frac{27}{125}x - 7\right)$ 个, 共计 $\left(\frac{27}{1250}x - 0.7\right)$ 元. 总计共 $\frac{1}{100}x + \frac{3}{250}x +$

$\dfrac{9}{500}x + \dfrac{27}{1250}x - 0.7(元) = 0.0616x - 0.7(元)$，且 x 必为 125 的倍数，不妨设 $x = 125k$，则 $0.0616x - 0.7 = 7.7k - 0.7$，为了使其为整数，$k = 1$，$11$，$21$，$\cdots$ 经检验，只有 $k = 11$ 时，$7.7k - 0.7 = 84$，在 50 至 100 之间．当 $k = 11$ 时，分别可以得 1 分硬币 1375 枚，2 分币 825 枚，5 分币 495 枚，1 角币 290 枚．

19 解法 1：显然，烛的消耗量与路程成正比．今去时用烛 1 支，另有 1 千米未用烛，回归时用烛 $1 + 1 - \dfrac{1}{3} = 1\dfrac{2}{3}$（支），可见全路程 $1 - 1 \div 1\dfrac{2}{3} = \dfrac{2}{5}$，为未用烛 1 千米，从而得此人家中至目的地的距离是：

$$1 \div \left[1 - 1 \div \left(1 + 1 - \dfrac{1}{3}\right)\right] = 1 \div \left(1 - \dfrac{3}{5}\right) = 2\dfrac{1}{2}（千米）.$$

解法 2：此人回归时比去时多用 $1 - \dfrac{1}{3} = \dfrac{2}{3}$（支）烛，可见此 $\dfrac{2}{3}$ 支烛可照行 1 千米，则全支烛可照行 $1 \div \dfrac{2}{3} = 1\dfrac{1}{2}$（千米），故全程是：

$$1 + 1 \div \left(1 - \dfrac{1}{3}\right) = 1 + 1\dfrac{1}{2} = 2\dfrac{1}{2}（千米）.$$

20 带一名徒弟的师傅人数是 $27 \times \dfrac{2}{3} = 18$（位），于是带两名或三名徒弟的师傅人数是 $27 - 18 = 9$（位），他们共带了 $40 - 18 = 22$（名）徒弟．假设这 9 位师傅都带了三名徒弟，就少了 $3 \times 9 - 22 = 5$（名）徒弟，这说明 5 位师傅没有带三名徒弟，而是带两名徒弟．

21 $4 \div \left(\dfrac{1}{2} + \dfrac{1}{3} - \dfrac{2}{5} \times 2\right) \times 2 = 240$（个）.

22 $1.98 \times \left\{ \left[\left(1 \div \dfrac{1}{2} + 1 \right) \div \dfrac{1}{2} - 1 \right] \div \dfrac{1}{2} \right\} = 19.8(元).$

23 第五次剪后剩下：$1 \div \left(1 - \dfrac{3}{4} \right) = 4$（米）；第四次剪后剩

下：$4 + 1 = 5$（米）；第三次剪后剩下：$5 \div \left(1 - \dfrac{2}{3} \right) = 15$（米）；第

二次剪后剩下：$15 + 1 = 16$（米）；第一次剪后剩下：$16 \div$

$\left(1 - \dfrac{1}{2} \right) = 32$（米）；原来绳子长：$32 + 1 = 33$（米）.

24 因为第一堆里的黑子和第二堆里的白子一样多，我们不
妨把第一堆里的黑子与第二堆里的白子对调，这样第一堆全成了
白子，第二堆全成了黑子.由于三堆棋子数相等，所以第一、第二堆
黑子占棋子总数的 $\dfrac{1}{3}$.

第三堆中的黑子占全部黑子的 $\dfrac{2}{5}$，那么其余黑子占全部黑子

的 $\dfrac{3}{5}$.也就是说，黑子总数的 $\dfrac{3}{5}$ = 棋子总数的 $\dfrac{1}{3}$.因此全部黑子

占全部棋子的：$\dfrac{1}{3} \div \dfrac{3}{5} = \dfrac{5}{9}$，白子占全部棋子的 $\dfrac{4}{9}$.

25 已知六年级学生的 $\dfrac{1}{2}$ = 五年级学生的 $\dfrac{2}{5}$，得五年级学

生是六年级学生的 $\dfrac{1}{2} \div \dfrac{2}{5} = \dfrac{5}{4}$；又六年级学生的 $\dfrac{1}{2}$ = 四年级学

生的 $\dfrac{3}{7}$，得四年级学生是六年级学生的 $\dfrac{1}{2} \div \dfrac{3}{7} = \dfrac{7}{6}$；所以六年级

学生有 $615 \div \left(1 + \dfrac{5}{4} + \dfrac{7}{6} \right) = 180$（名）.五年级学生有 $180 \times$

$\dfrac{5}{4} = 225$（名），四年级学生有 $180 \times \dfrac{7}{6} = 210$（名）.

26 以上场的女同学为单位"1",则得奖的男、女同学同为 $1 - \dfrac{1}{9}$. 所以上场的女同学有:

$$(407 - 16) \div \left[1 + \left(1 - \dfrac{1}{9}\right)\right] = 391 \div \dfrac{17}{9} = 207(人).$$

27 由题意知,第二次从乙袋中取走的与剩下的一样多,都是乙袋原重量的 $\dfrac{1}{3}$,所以乙袋原有 $12 \div \left(1 - \dfrac{1}{3} - \dfrac{1}{3}\right) = 36(千克)$,甲袋原有 $(36 - 12) \div \dfrac{1}{2} = 48(千克)$,原来这堆水果共重 $36 + 48 = 84(千克)$.

28 $\dfrac{甲班参加课外天文小组的人数}{乙班没有参加的人数} = \dfrac{1}{3} = \dfrac{3}{9}$ ①

$\dfrac{乙班参加课外天文小组的人数}{甲班没有参加的人数} = \dfrac{1}{4} = \dfrac{2}{8}$ ②

观察①的分子和②的分母,可以得到甲班参加与没有参加共 11 份,同样观察①的分母和②的分子,可以得到乙班参加与没有参加也是 11 份,从而得:甲没有参加的人数有 8 份,乙没有参加的人数有 9 份,所以甲班没有参加的人数是乙班没有参加人数的 $\dfrac{8}{9}$.

29 ① 若甲的得票数为奇数,则因为乙的得票数为甲的 $\dfrac{20}{21}$,由此可见乙的得票数为偶数. 今若乙增加 4 票,则甲必减少 4 票,相差 8 票,又因"恰可胜甲"即乙此时比甲多 1 票. 故知原来甲比乙多 $8 - 1 = 7$(票). 所以,甲的得票数为:$(4 \times 2 - 1) \div \left(1 - \dfrac{20}{21}\right) = 147(票)$,乙的得票数为:$147 \times \dfrac{20}{21} = 140(票)$.

② 若甲的得票数为偶数,则因为乙的得票数为甲的 $\dfrac{20}{21}$,则乙

的得票数也为偶数.今乙增加 4 票,则甲减少 4 票,相差 8 票,又因为乙恰可胜甲,则应该多得 2 票.知原来甲比乙多 $8-2=6$(票).

所以甲的得票数为:$(4\times2-2)\div\left(1-\dfrac{20}{21}\right)=126$(票),乙的得票

数为:$126\times\dfrac{20}{21}=120$(票).

故甲得 147 票,乙得 140 票;或者甲得 126 票,乙得 120 票.

❸⓪ $1\dfrac{1}{3}$ 周等于 $9\dfrac{1}{3}$ 日,今人数减少 $\dfrac{3}{8}$,还剩下 $\dfrac{5}{8}$.

用 $\dfrac{5}{8}$ 的人去完成全部的工作,所需日数为:

$$9\dfrac{1}{3}\div\dfrac{5}{8}=\dfrac{224}{15}\text{(日)}.$$

若工作时间增加 $\dfrac{1}{7}$,则为 $\dfrac{8}{7}$,那么完成全部工作,所需日数为:

$$\dfrac{224}{15}\div\dfrac{8}{7}=13\dfrac{1}{15}\text{(日)}.$$

即比以前增加了日数:

$$13\dfrac{1}{15}-9\dfrac{1}{3}=3\dfrac{11}{15}\text{(日)}.$$

第 **6** 讲

百分数应用题

1 设乙原有资金 x 万元. 甲原有资金 $(15-x)$ 万元. 由题意得 $\dfrac{(1-20\%)x}{(1+20\%)(15-x)}=\dfrac{4}{5}$,$0.8x=14.4-0.96x$,$1.76x=14.4$,$x=8\dfrac{2}{11}$,乙现有资金 $8\dfrac{2}{11}\times(1-20\%)=6\dfrac{6}{11}$(万元).

2 $(1+20\%)\div(1-20\%)-1=50\%$.

3 $1\times(1-20\%)\times(1+20\%)\times(1+20\%)\times(1-20\%)=92.16\%$.

4 设 3 月份售价是 1,4 月份售价是 $1+20\%$,5 月份售价是 $(1+20\%)\times(1-20\%)=1.2\times0.8=0.96<1$,5 月份比 3 月份的售价降低了.

5 设乙车间 x 人,甲车间 $(x+38)$ 人,丙车间 $(x+38+70)$ 人,所以全厂人数比乙车间人数的 3 倍多 146 人($38+38+70$),又全厂人数是 143 的倍数($1+43\%=143\%$),小于 1000 的 143 的倍数中有 $858,715,572,429$,只有 572 满足比乙车间人数的 3 倍多 146 人,所以全厂有 572 人.

6 甲种食品原价为 $9.6\div(1-20\%)=12$(元);乙种食品原价为 $9.6\div(1+20\%)=8$(元). 设甲种食品有 x 千克,乙种食品有 $(100-x)$ 千克,则有 $12x+8\times(100-x)=9.6\times100+140$,解得 $x=75$,$100-x=100-75=25$. 所以甲种食品有 75 千克,乙种食品有 25 千克.

7 一开始,除去水后,水果重:$100\times(1-90\%)=10$(千克),一周后,水果含水量:$(50-10)\div50=80\%$.

8 $1+15\%+10\%=125\%$,原出厂价是:$195\div125\%=$

156(元).

9 总价不变,设原价为1. 原价×80% = 打折后的单价,打折后可以买的件数:4÷(1×80%) = 5(个).

10 坐公共汽车的女生占学生总数的 12% $\left(48\%的\frac{1}{4}\right)$. 相应的男生则占 26% $\left(52\%的\frac{1}{2}\right)$. 所以全校共有 38% 的学生坐公共汽车上学.

11 碳水化合物占快餐总质量的 50% 是:500 × 50% = 250(克);

脂肪占快餐总质量的 8% 是:500 × 8% = 40(克);

蛋白质和矿物质的质量是:500 − 250 − 40 = 210(克);

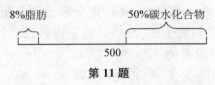

第 11 题

蛋白质质量是矿物质的 4 倍. 即:蛋白质质量占蛋白质和矿物质总质量的 $\frac{4}{1+4} = \frac{4}{5}$;这份快餐所含蛋白质的质量是:210 × $\frac{4}{5}$ = 168(克). 另解:500 × (1−50%−8%) × $\frac{4}{1+4}$ = 168(克).

12 女职工人数不变:480 × (1−60%) = 192(人),男职工调走若干人后全厂总人数:192 ÷ (1−36%) = 300(人),男职工调走:480 − 300 = 180(人).

13 假设生产人员原来为单位 1,现在为 $\frac{4}{5}$. 原来的产量为单位 1,现在为 1.4,原来的生产效率为 1,现在的生产效率为 1.4 ÷ $\frac{4}{5}$ = 1.75,(1.75−1) ÷ 1 = 75%.

14 2010 年的 100 元相当于 1999 年的 $100 \div (1 + 150\%) = 40$(元)，工资相当于下降了 $(100 - 40) \div 100 \times 100\% = 60\%$.

15 设原来手中的钱为"1"，原 1 件东西原价为"1"。物价上涨 25% 后为 $1 \times (1 + 25\%) = 125\%$，原来买 1 件东西的价钱只是现在的 $1 \div 125\% = 80\%$，相当于手中的钱贬值了 $1 - 80\% = 20\%$.

16 接下来的 8 场中胜 6 场，负 2 场，胜比负多 4 场；最后胜率 50%，胜负场数相同，所以开始时胜的场数比负的场数少 4 场，$4 \div (55\% - 45\%) = 40$(场)，现在胜了 $40 \times 45\% = 18$(场).

17 可知某公司在采用 A 技术后每个产品的成本为原来的 50%，再采用 B 技术后每个产品的成本为原本的 $50\% \times (1 - 30\%) = 35\%$，接着再采用 C 技术后每个产品的成本为原来的 $35\% \times (1 - 20\%) = 28\%$，因此其成本共减少 $1 - 28\% = 72\%$.

18 若每人收入都增加一倍，则全家总收入就将增加 100%。这个 100% 中有 5% 属于莎莎，15% 属于妈妈，25% 属于爸爸，剩余的 55% 就是爷爷带来的。

19 $1 - 30\% \times 2 = 40\%$，所以 $n = 360 \times 40\% = 144$；$10.4 \times (1800 \times 40\%) = 7488$(元)；$8.2 \times 30\% + 14.6 \times 30\% + 10.4 \times 40\% = 11$(元)。$[8.2 \times (1800 \times 30\%) + 14.6 \times (1800 \times 30\%) + 10.4 \times (1800 \times 40\%)] \div 1800 = 11$(元).

20 因为有 12 个带标记的小球，而摸到有标记的概率为 $\dfrac{6+4}{14+56+6+4} = \dfrac{1}{8}$。所以总球数估算为 $12 \div \dfrac{1}{8} = 96$(个)。黄球百分比为 $\dfrac{14+6}{80} \times 100\% = 25\%$。蓝球为 $1 - 25\% = 75\%$，黄球有 $96 \times 25\% = 24$(个).

21 设一袋大米的量为 $[5, 3]a = 15a$，一袋小麦的量为 $[5, 4]b = 20b$，可得刘备的饭量：$15a \div 5 = 3a$，关羽的饭量：$15a \div 3 = 5a$，或 $20b \div 5 = 4b$，即 $5a = 4b$，张飞的饭量：$20b \div 4 = 5b$，$5b = 5 \times \dfrac{5}{4}a = \dfrac{25}{4}a$。刘备比张飞的饭量少：

$$\left(\frac{25}{4}a - 3a\right) \div \frac{25}{4}a = 52\%.$$

㉒ 设李家有牛 $100A$ 头,王家有牛 $13B$ 头. $2012 \div 13$ 余 10,则 $100A \div 13$ 余 10.① 当 $A = 4$ 时,$400 \div 13$ 余 10,$B = (2012 - 400) \div 13 = 124$.共养奶牛:$400 \times 73\% + 124 \times 13 \times \frac{7}{13} = 1160$ 头;② 当 $A = 17$ 时,$1700 \div 13$ 余 10,$B = (2012 - 1700) \div 13 = 24$.共养奶牛:$1700 \times 73\% + 24 \times 13 \times \frac{7}{13} = 1409$ 头.两家可能共养了 1160 头奶牛,也可能共养了 1409 头奶牛.

㉓ 假设有 100 人参加考试.那么

做错第 1 题的有:$100 \times (1 - 81\%) = 19$(人),

做错第 2 题的有:$100 \times (1 - 85\%) = 15$(人),

做错第 3 题的有:$100 \times (1 - 91\%) = 9$(人),

做错第 4 题的有:$100 \times (1 - 74\%) = 26$(人),

做错第 5 题的有:$100 \times (1 - 79\%) = 21$(人).

最多一共做错:$19 + 15 + 9 + 26 + 21 = 90$(人).

如果做错题的人都恰好错了 3 道,那么不及格的人数最多有:$90 \div 3 = 30$(人).考试的合格率最少为:$(100 - 30) \div 100 \times 100\% = 70\%$.

㉔ 设一月份 A、B 两种商品销售总额为 y,C 商品销售总额为 x,二月份 C 商品的销售金额比一月份增长 $z\%$.则

$$\begin{cases} x = (x + y) \times 60\%, \\ x \times (1 + z\%) + y \times (1 - 5\%) = (x + y)(1 + 10\%). \end{cases}$$

解得 $z = 20$,二月份 C 商品的销售金额比一月份增长 20%.

㉕ 第二阶段按计划完成 $8400 \times (1 - 56\%) = 3696$(台),超过计划产量的 16% 是 $8400 \times 16\% = 1344$(台),第二阶段实际生产 $3696 + 1344 = 5040$(台).

㉖ 18 万元占公司股份的 30%,所以公司总投资为 $18 \div$

$30\% = 60$(万元). 其中甲投资 $60 \times 60\% = 36$(万元), 乙投资 $60 \times 40\% = 24$(万元). 因为后来甲、乙所占股份相同, 所以甲应收回 $36 - 60 \times 35\% = 36 - 21 = 15$(万元), 乙应收回 $24 - 60 \times 35\% = 3$(万元).

27 甲队每天运 $30 \times (1 + 75\%) = 52.5$(吨), 甲队运了全部救灾物资的 50% 时, 甲队运了 $1050 \times 50\% = 525$(吨), 乙队运了 $525 \div 52.5 \times 30 = 300$(吨), 甲队比乙队多运了 $525 - 300 = 225$(吨).

㉘ $45 \div 1 \div (1 + 20\%) = 37.5$(元).

$90 \div 2 \div (1 + 20\%) = 37.5$(元).

可知, 这一商品每件成本为 37.5 元.

29 这个人在商店交付手续费: $12\,000 \times 5\% = 600$(元), 从委托商店收回: $12\,000 \times (30\% + 10\%) = 12\,000 \times 40\% = 4800$(元). 两处剩下的物品共值(按原价算):

$20\,000 \times 75\% \times (1 - 30\% - 10\%) + 20\,000 \times (1 - 75\%) \times (1 - 20\%)$

$= 20\,000 \times 75\% \times 60\% + 20\,000 \times 25\% \times 80\%$

$= 9000 + 4000 = 13\,000$(元).

卖出这 $13\,000$ 元的物品这个人会收回:

$$13\,000 \times 70\% = 9100(元).$$

这个人共收回: $4800 + 9100 - 600 = 13\,300$(元).

所以, 这个人共损失: $20\,000 - 13\,300 = 6700$(元).

30 设去年总产值为 x 万元, 则总支出为 $(x - 600)$ 万元, 依题意有: $x \times (1 + 30\%) - (x - 600) \times (1 - 20\%) = 1000$, $1.3x - (x - 600) \times 0.8 = 1000$, $1.3x - 0.8x + 480 = 1000$, $0.5x = 520$, $x = 1040$.

因此去年总产值为 1040 万元, 总支出为 $1040 - 600 = 440$(万元).

第 7 讲

巧 配 浓 度

1 酒精重量没有变,酒精重量是:$(100+80)\times40\% = 72$(克).原酒精的浓度为 $72\div100\times100\% = 72\%$.

2 设这盆水原为 x 克.由题意得 $\dfrac{10+200\times5\%}{x+10+200} = 2.5\%$.
$10+10 = 0.025(x+210)$,解得 $x = 590$.

3 把加一杯纯酒精后的酒精分成 10 份,其中 4 份纯酒精(占 40%),6 份是水,如下图.△表示纯酒精,○表示水.加入纯酒精前,含纯酒精 25%.也就是纯酒精与水的比是 1:3,因此应该是 2 个△和 6 个○,这样就推算出倒入的一杯纯酒精是 2 个△,一杯水是 2 个○.原来容器中有 1 杯纯酒精和 2 杯水,浓度为 33.3%.

$$\begin{matrix} \triangle & \triangle & \bigcirc & \bigcirc & \bigcirc \\ \triangle & \triangle & \bigcirc & \bigcirc & \bigcirc \end{matrix}$$

4 设应加入浓度为 5% 的盐水 x 克,加入浓度为 20% 的盐水 $(450-x)$ 克.由题意得 $\dfrac{x\times5\%+(450-x)\times20\%}{450} = 15\%$,
$x\times5\%+90-x\times20\% = 67.5$, $0.05x-0.2x = 67.5-90$.解得 $x = 150$. $450-x = 450-150 = 300$(克),需浓度为 20% 的盐水 300 克,浓度为 5% 的盐水 150 克.

5 $500-500\times3.2\%\div8\% = 300$(克).

6 $\dfrac{20}{100}-\dfrac{20}{100+20} \approx 3.3\%$.

7 设加入一升水后的混合溶液有 x 升,则 $20\%x+1 = 33\dfrac{1}{3}\%(x+1)$,解得 $x = 5$.那么原混合液含糖百分含量为 $5\times$

$20\% \div (5-1) = 25\%.$

8 设原有酒精溶液 x 克，加入 y 克水，由题意得：
$\dfrac{x \times 30\%}{x+y} = 24\%$，解得 $y = \dfrac{1}{4}x$.再加入 y 克水,酒精溶液含量变

为 $\dfrac{x \times 30\%}{x + \dfrac{1}{4}x + \dfrac{1}{4}x} = 20\%.$

9 设原有酒精溶液 x 克，第一次加水 y 克，由题意得
$\dfrac{x \times 36\%}{x+y} = 30\%$，解得 $y = 0.2x.$

第二次加入水 z 克, $\dfrac{(x+0.2x) \times 30\%}{x+0.2x+z} = 24\%$，解得 $z =$

$0.3x.$第二次加入的水是第一次加入的水的 $\dfrac{0.3x}{0.2x} = 1.5$ 倍.

10 由题意知，乙杯倒入甲杯，甲杯的酒精含量是 $\dfrac{1}{2} \times$

$50\% = 25\%$，甲杯再倒入乙杯,此时乙杯的酒精含量为

$$\frac{1}{2} \times 50\% + \frac{1}{2} \times 25\% = 25\% + 12.5\% = 37.5\%.$$

11 设甲种酒精中含纯酒精 $x\%$，乙种酒精中含纯酒精 $y\%$，
由题意得：$\dfrac{4 \times x\% + 6 \times y\%}{4+6} = 62\%.$设甲种酒精和乙种酒精一

样多，各取 5 升，可得 $\dfrac{5 \times x\% + 5 \times y\%}{5+5} = 61\%$，可得

$\dfrac{4 \times x\% + 6 \times y\%}{62\%} = \dfrac{5 \times x\% + 5 \times y\%}{61\%}$，解得 $0.56 \times y\% =$

$0.66 \times x\%$,从而得甲种酒精含纯酒精 56%,乙种酒精含纯酒精
$66\%.$

12 浓度为 30% 与 20% 的食盐水混合成 25% 的食盐水,则
30% 与 20% 的食盐水重量相等,所以 40% 与 10% 的食盐水混合成

30%的食盐水有 300 克. 设原有 40%的食盐水 x 克. 则 10%的食盐水有 $(300-x)$ 克,则 $x\times40\%+(300-x)\times10\%=300\times30\%$, 解得 $x=200$. 原有 40%的食盐水 200 克.

13 设从甲、乙容器中各取 x 克倒入另一个容器. 根据甲、乙容器中浓度相同,可列方程

$$\frac{(400-x)\times20\%+x\times10\%}{400}=\frac{(600-x)\times10\%+x\times20\%}{600},$$

解得 $x=240$. 甲、乙容器各取出 240 克倒入另一个容器.

14 A 管在 1 分钟里流出的盐水是 $4\times60=240$(克);B 管在 1 分钟里流出的盐水是 $6\times60=360$(克);C 管在 1 分钟内共流了 $60\div(2+5)=8$(次)……4,余下的 4 秒里,前 2 秒关闭,后 2 秒打开. 所以 C 管共流了:$5\times8+2=42$(秒),共流出水 $10\times42=420$(克). 240 克浓度 20%盐水含盐:$240\times20\%=48$(克);360 克浓度 15%盐水含盐:$360\times15\%=54$(克);所以此时混合溶液中含盐浓度是:$\dfrac{48+54}{240+360+420}\times100\%=10\%$.

15 设甲容器倒入 x 克水,乙容器倒入 y 克水,由题意得 $\dfrac{300\times8\%}{300+x}=\dfrac{120\times12.5\%}{120+y}$,解得 $8y=5x+540$,取 $x=4$,$y=70$,甲容器至少倒入 4 克水,乙容器至少倒入 70 克水,两个容器的食盐水浓度才一样.

16 假设 B 种酒精减少 3 升,就与 C 种酒精升数相等,则 A、B、C 三种酒精总升数是 $11-3=8$(升),其纯酒精含量是 $11\times38.5\%-3\times36\%=3.155$(升). 假设 8 升都是 A 种酒精,纯酒精含量是 $8\times40\%=3.2$(升),造成纯酒精含量超出 $3.2-3.155=0.045$(升),用 B 种酒精和 C 种酒精各 1 升合起来与 A 种酒精升数置换直到消去 0.045 升为止:

$$(3.2-3.155)\div(2\times40\%-1\times36\%-1\times35\%)\times2$$
$$=0.045\div0.09\times2=1(升).$$

$8-1=7$(升),其中 A 酒精有 7 升.

17 设浓度为 24%、35% 的溶液分别计划取 x 千克和 y 千克,则有 $24\%x+35\%y=28\%(x+y)$. 即有 $4\%x=7\%y$,也就是 $4x=7y$. 而实际将两种溶液的量取反了,因此配出的盐水浓度为:

$$\frac{24\%y+35\%x}{x+y}=\frac{24\%\times\dfrac{4}{7}x+35\%x}{\dfrac{4}{7}x+x}=31\%.$$

18 新倒入纯酒精:

$$(1000+100+400)\times14\%-1000\times15\%=60(克).$$

设 A 种酒精溶液的浓度为 x,则 B 种为 $\dfrac{x}{2}$. 根据新倒入的纯酒精量,可列方程:

$$100x+400\times\frac{x}{2}=60,$$

解得 $$x=20\%.$$

19 整个过程盐水浓度在下降. 倒入 A 中后,浓度变为原来的 $\dfrac{10}{10+10}=\dfrac{1}{2}$;倒入 B 中后,浓度变为 A 中的 $\dfrac{10}{10+20}=\dfrac{1}{3}$;倒入 C 中后,浓度变为 B 中的 $\dfrac{10}{10+30}=\dfrac{1}{4}$. 所以一开始倒入 A 中的盐水浓度可以用倒推的方法.

$$0.5\%\div\frac{1}{4}\div\frac{1}{3}\div\frac{1}{2}=12\%.$$

20 因为 $25\%:(1-25\%)=1:3$,故第一次从甲容器倒 5 升纯酒精到乙容器,这样就使乙容器中纯酒精之比恰好是 $5:15=1:3$. 又因 $62.5\%:(1-62.5\%)=5:3$,所以第二次倒后,要使甲容器中纯酒精与水之比是 $5:3$,设从甲容器倒入乙容器的混合酒精为 1 份,水为 3 份,那么甲容器中剩下酒精为 $11-5=6$(升),应算作 4 份,这样恰好配成 5:3,所以倒过来的混合液总共是 $1+3=$ 4 份,因此也应是 6 升.

第 **8** 讲

利润和利息

1 设原来股价为"1",当年下跌 20% 后是 $1 \times (1 - 20\%) = 80\%$. 又设第二年应上涨 $x\%$ 才能保持原值，$80\% \times (1 + x\%) = 1$，解得 $x\% = 1 \div 0.8 - 1 = 0.25$，即第二年应上涨 25% 才能保持原值.

2 假设甲原来购进这种时装 x 套. $80\% \times x - 60\% \times \left(1 + \dfrac{1}{6}\right)x = 9$，$\dfrac{4}{5} \times x - \dfrac{3}{5} \times \dfrac{7}{6}x = 9$，解得 $x = 90$，乙原来购进 $90 \times \left(1 + \dfrac{1}{6}\right) = 105$(套).

3 方法一：开始的折扣是 100 元的 10% = 10 元. 所以税前价格是 90 元. 然后税是 90 元的 10% = 9 元. 因而实际应付的款项为 99 元.

方法二：价格是 $100 \,\text{元} \times \left(1 - \dfrac{1}{10}\right) \times \left(1 + \dfrac{1}{10}\right) = 99$(元).

4 90% 的账面价值与 125% 的账面价值之间差了 35%. 因为 35% 相当于 105 元，所以 1% 就是 3 元. 因此，原账面价值就等于 300 元. $105 \div (125\% - 90\%) \times 100\% = 300$(元).

5 $1600 \times (1 - n\%) \times (1 - n\%) = 1024$，$[40(1 - n\%)]^2 = 32^2$，$40(1 - n\%) = 32$，$1 - n\% = 0.8$，$n = 20$.

6 设每件商品成本为单位"1"，降价前销售量为 a，降价后销售量为 b. 则降价前总利润为 $25\% a$. 降价后每件利润为 $(1 + 25\%) \times 90\% = 112.5\%$. 降价后总利润为 $12.5\% b$，由条件有：$12.5\% b = (1 + 25\%) \times 25\% a$，得 $b \div a = 2.5$. 即降价后的销售量是原销售量的 2.5 倍.

7 13 元/千克的苹果价格提高 10%,应该是 13 + 13 × 10% = 14.3 元 / 千克;14.3 元 / 千克的苹果降价 10%,应该是 14.3 − 14.3 × 10% = 12.87 元 / 千克. 店老板这样售出的苹果,每千克比原定价便宜了 1 角 3 分钱.

8 两种贷款平均年利率为:5 ÷ 40 = 12.5%,甲种贷款:乙种贷款 = (12.5% − 12%):(14% − 12.5%) = 0.5:1.5 = 1:3,所以该厂申请甲种贷款 = 40 ÷ (1 + 3) × 1 = 10(万元).

9 甲五年后取出的本利和为:10 000 × (1 + 3.75% × 2) × (1 + 4.25% × 3) = 10 000 × 1.075 × 1.1275 = 12 340 × 1.3672 ≈ 12 120.63(元),乙五年后取出的本利和为:10 000 × (1 + 4.75% × 5) = 10 000 × 1.2375 = 12 375(元),可见,乙的收益多,多 12 375 − 12 120.63 = 254.37(元).

10 此人在一次性劳务收入后,在 800 ～ 2000 元部分交税:(2000 − 500) × 10% = 120(元),在 2000 ～ 5000 元部分交税:(5000 − 2000) × 15% = 450(元),在 5000 ～ 10 000 元部分交税:(10 000 − 5000) × 20% = 1000(元),(3200 − 120 − 450 − 1000) ÷ 25% = 6520(元),一次性劳务收入为:10 000 + 6520 = 16 520(元).税后净收入为:16 520 − 3200 = 13 320(元).

11 设年利率是 x. (581 625 − 111 625) × x × 5 = 111 625,470 000 × x × 5 = 111 625,2 350 000 × x = 111 625,x = 0.0475. 所以年利率是:0.0475 × 100% = 4.75%.

12 设李先生存入银行的一笔钱是 x 元. x × 3.25% × $\frac{3}{12}$ = 357.5,x × 0.008 125 = 357.5,x = 44 000. 所以李先生存入银行的一笔钱是 44 000 元,本利和是:44 000 + 357.5 = 44 357.5(元).

13 设李先生要存 x 年. 15 000 × 4.25% × x = 1912.5,637.5 × x = 1912.5,x = 3. 所以李先生要存 3 年,到期利息是 1912.5 元.

14 果品公司购进苹果 5.2 万公斤,付出:5.2 × 10 000 × 0.98 + 1840 = 52 800(元),计划本利和:52 800 × (1 + 17%) =

61 776(元),进货实际总量:$5.2 \times 10 000 \times (1 - 1\%) = 51 480$(公斤),每公斤苹果零售价应当定为:$61 776 \div 51 480 = 1.2$(元).

15 设原来每天卖 2 件,那么现在每天卖 $2 \times (1 + 1.5) = 5$(件),现在每件的利润是成本的:$12.5\% \times 90\% - 100\% = 12.5\%$,所以,现在每天的总利润比降价前增加了:$(12.5\% \times 5) \div (25\% \times 2) - 1 = 25\%$.

16 原来的利润是:$(72 \times 25\%) \times 100 = 18 \times 100 = 1800$(元),现在的利润是:$72 \times [(125\% \times 90\%) - 1] \times (100 \times 2.5) = 72 \times 0.125 \times 250 = 9 \times 250 = 2250$(元),现在每天的利润比原来增加:$2250 - 1800 = 450$(元).

17 设原来的成本为 1 份,那么其他量的份数如下表所示:

	成本(份)	定价(份)	售价(份)	利润(份)
原来	1	$1 \times (1 + 30\%)$ $= 1.3$	$1 \times (1 + 30\%)$ $= 1.3$	$1.3 - 1 = 0.3$
进价降低后	$1 \times (1 - 10\%)$ $= 0.9$	$0.9 \times (1 + 50\%) = 1.35$	$0.9 \times (1 + 50\%) = 1.35$	$1.35 - 0.9 = 0.45$

所以 300 元对应 0.15 份,所以 1 份等于 $300 \div 0.15 = 2000$(元),原价为 $1.3 \times 2000 = 2600$(元).

18 假设这套房子的标价是 100 万元.则张先生以标价的 95% 买下一套房子,付出:$100 \times 95\% = 95$(万元),张先生又以超出原标价的 40% 的价格将房子卖出,收回:$100 \times (1 + 40\%) = 140$(万元),因为物价涨幅为 20%,所以买进 95 万元相当于卖出时的:$100 \times (1 + 20\%) = 114$(万元),卖出时净赚:$140 - 114 = 26$(万元).张先生买进和卖出这套房子所得的利润率为:$26 \div 114 \times 100\% \approx 22.8\%$.

19 四种商品总的毛利润(销售价—进货价)为:

$95 \times 500 \times 8\% + 170 \times 60 \times 13\% + 450 \times 50 \times 21\% + 923 \times 3 \times 28\%$
$= 10 626.32$(元).

总销售价为：

$$95 \times 500 + 170 \times 60 + 450 \times 50 + 923 \times 3 = 82\,969(元),$$

所以四种商品的毛利润是 $10\,626.32 \div 82\,969 \times 100\% \approx 12.8\%$.

❷⓿ 由于 $3 \times (1 - 20\%) + 1 \times 100\% = 340\% = 4 \times 85\%$. 这说明 1 个人买 1 件与 1 个人买 3 件(共 4 件)每件的平均价,正好是原价的 85%. 由于买 2 件的,每件价格是原价的 $1 - 10\% = 90\%$. 所以买 1 件的与买 3 件的人一一配对后,仍应剩下一些买 3 件的人. 又由 $3 \times (2 \times 90\%) + 2 \times (3 \times 80\%) = 12 \times 85\%$,所以,剩下的买 3 件的人数与买 2 件的人数的比是 2:3. 于是,33 人可以分成两类:第一类是每 2 人买 4 件(1 人买 1 件,1 人买 3 件);第二类是每 5 人买 12 件(2 人买 3 件,3 人买 2 件),共买了 76 件,所以,第二类有: $\left(76 - 33 \times \dfrac{4}{2}\right) \div \left(\dfrac{12}{5} - \dfrac{4}{2}\right) = 25(人)$. 其中买 3 件的有: $25 \times \dfrac{2}{5} = 10(人)$,第一类有 $33 - 25 = 8(人)$,其中 3 件的有: $8 \div 2 = 4(人)$,于是,买 3 件的共有: $10 + 4 = 14(人)$.

第 **9** 讲

工 程 问 题

1 甲的工效是 $\frac{1}{6}$，乙的工效是 $\frac{1}{10}$，两人合打 3 天共完成这

份稿件的 $\left(\frac{1}{6} + \frac{1}{10}\right) \times 3 = \frac{4}{5}$.

2 扬扬独做 6 天，完成了工程的 $6 \times \frac{1}{12} = \frac{1}{2}$；贝贝独做 6

天，完成了工程的 $6 \times \frac{1}{24} = \frac{1}{4}$. 所以晶晶完成了工程的 $1 - \frac{1}{2} -$

$\frac{1}{4} = \frac{1}{4}$，他工作了 $\frac{1}{4} \div \frac{1}{36} = 9$(天).

3 设完成这批树苗的工作总量为单位"1"，则甲班工作效率

为 $\frac{1}{6}$，甲、乙两班的合作效率为 $\frac{1}{4}$. 因此乙班的工作效率为 $\frac{1}{4} -$

$\frac{1}{6} = \frac{1}{12}$，乙班单独种需要 12 小时完成.

4 设工作总量为 1，则甲、乙工效和为 $\frac{1}{8}$，乙、丙工效和为

$\frac{1}{9}$，甲、丙工效和为 $\frac{1}{18}$. 丙的工效为：$\left(\frac{1}{9} + \frac{1}{18} - \frac{1}{8}\right) \div 2 = \frac{1}{48}$，

$1 \div \frac{1}{48} = 48$(天)，丙一人来做 48 天可以完成这项工作.

5 $1 \div \left(\frac{1}{8} + \frac{1}{12} - \frac{1}{6}\right) = 24$(天).

6 因为合作要尽量少，所以不合作的时间一定是让甲做，利

用假设法,有:$\left(1-\dfrac{28}{36}\right)\div\dfrac{1}{54}=12(天)$,所以至少合作 12 天.

7 总工程量的 $\dfrac{2}{3}$ 为 $8\times30=240$,还有 $\dfrac{1}{3}$,即 $\dfrac{240}{2}=120$,还

需 $\dfrac{120}{8-2}=20(天)$. 则完成这项工程一共用了:$30+20=$

$50(天)$.

8 甲、乙、丙工作效率之和为 $\left(\dfrac{1}{10}+\dfrac{1}{12}+\dfrac{1}{15}\right)\div2=\dfrac{1}{8}$,

甲工作效率为 $\dfrac{1}{8}-\dfrac{1}{12}=\dfrac{1}{24}$,甲、乙、丙三队合做后剩下:$1-$

$\dfrac{1}{8}\times3=\dfrac{5}{8}$,甲队还要做 $\dfrac{5}{8}\div\dfrac{1}{24}=15(天)$.

9 一个轮回水池增加水 $\dfrac{1}{3}-\dfrac{1}{4}+\dfrac{1}{5}-\dfrac{1}{6}=\dfrac{7}{60}$,5 个轮回

后,水池共有水 $\dfrac{1}{6}+\dfrac{7}{60}\times5=\dfrac{45}{60}=\dfrac{3}{4}$(已放水 $4\times5=20$ 小

时),$\left(1-\dfrac{3}{4}\right)\div\dfrac{1}{3}=0.75(小时)$,所以 $20+0.75=20.75(小时)$

后水池开始溢水.

10 因为 $\dfrac{1}{甲}-\dfrac{1}{丙}=\dfrac{1}{20}$,所以 $\dfrac{1}{甲}=\dfrac{1}{20}+\dfrac{1}{丙}=\dfrac{1}{20}+\dfrac{1}{60}$

同理,$\dfrac{1}{乙}=\dfrac{1}{30}+\dfrac{1}{60}$. 三管同时打开,排空整池水需要:

$$1\div\left(\dfrac{1}{甲}+\dfrac{1}{乙}-\dfrac{1}{丙}\right)$$

$$=1\div\left(\dfrac{1}{20}+\dfrac{1}{60}+\dfrac{1}{30}+\dfrac{1}{60}-\dfrac{1}{60}\right)$$

$$=1\div\left(\dfrac{1}{20}+\dfrac{1}{30}+\dfrac{1}{60}\right)=10(小时).$$

11 设水池容量为 A，每个出水管每分钟排水量为 x，进水管每分钟进水量为 y.

$$A = (x-y) \times 30,$$
$$A = (2x-y) \times 10.$$

即

$$30x - 30y = 20x - 10y,$$
$$10x = 20y,$$
$$x = 2y.$$

于是

$$A = 30y.$$
$$30y \div 3x = 30y \div 6y$$
$$= 5(分钟).$$

12 设打开一根水管每小时可排出水 1 份，8 根水管开 3 小时共可排出 $8 \times 3 = 24$（份），5 根水管 6 小时共可排出 $5 \times 6 = 30$（份），$30 - 24 = 6$（份），这 6 份是（$6-3=$）3 小时内进水管放进的水．$(30-24) \div (6-3) = 2$（份），这 2 份就是进水管每小时进的水．所以需同时打开：$[8 \times 3 + (4.5-3) \times 2] \div 4.5 = 6$（根）进水管．

13 143 个零件由他们各自单独做：王师傅加工需要 2×143（小时），工人小张加工需要 3×143（小时），工人小李加工需要 4×143（小时）．

三人合作要：$1 \div \left(\dfrac{1}{286} + \dfrac{1}{429} + \dfrac{1}{572} \right) = 132$（小时）．

这样，王师傅要加工 $132 \div 2 = 66$（个），工人小张加工 $132 \div 3 = 44$（个），工人小李加工 $132 \div 4 = 33$（个）．

14 甲、乙、丙工效之和是：$\dfrac{1}{3} \div 5 = \dfrac{1}{15}$，甲工效是：$\dfrac{1}{15} \times \dfrac{3}{3+2+1} = \dfrac{1}{30}$，乙工效是：$\dfrac{1}{15} \times \dfrac{2}{3+2+1} = \dfrac{1}{45}$.

假设甲、乙也同丙那样一直干到底，那么甲多干 3 天的工作量，乙多干 2 天的工作量，则从开始至完成任务共做了：

$$\left(1 + \frac{1}{30} \times 3 + \frac{1}{45} \times 2\right) \div \frac{1}{15} = 17\frac{1}{6}(\text{天}).$$

所以，从开始算起是第 18 天完成的.

15 $v_{甲} = \frac{1}{10}$，$v_{乙} + v_{丙} = \frac{1}{8}$，$v_{甲} + v_{丙} = \frac{1}{6}$. $v_{丙} = \frac{1}{6} -$

$\frac{1}{10} = \frac{1}{15}$，$v_{乙} = \frac{1}{8} - \frac{1}{15} = \frac{7}{120}$. 共同搬用时 $1 \div \left(\frac{1}{10} + \frac{1}{8}\right) =$

$\frac{40}{9}$（小时）. 总量：$24 \div \left[\left(\frac{1}{10} - \frac{1}{15}\right) \times \frac{40}{9}\right] = 162$（粒）. 乙：$162 \times$

$\frac{7}{120} \times \frac{40}{9} = 42$（粒）.

16 设此时水池中的水为单位"1". 则 1 只长颈鹿每分钟喝

$\left(\frac{1}{4} - \frac{1}{5}\right) \div (15 - 10) = \frac{1}{100}$，大象每分钟喝 $\frac{1}{5} - \frac{1}{100} \times 10 =$

$\frac{1}{10}$. 大象和 30 只长颈鹿每分钟喝 $\frac{1}{10} + \frac{1}{100} \times 30 = \frac{2}{5}$，那么 $1 \div$

$\frac{2}{5} = 2.5$ 分钟后水将被喝光.

17 根据上午去甲工地的人数是去乙工地人数的 3 倍，可知

上午去甲工地的人数是这批工人的 $\frac{3}{4}$，去乙工地人数是这批工人

的 $\frac{1}{4}$，又下午去甲工地的人数是这批工人的 $\frac{7}{12}$，去乙工地人数是

这批工人的 $\frac{5}{12}$，由此可知甲工地上、下午所完成的工作量之比是：

$\frac{3}{4} : \frac{7}{12} = 9 : 7$，即甲工地上午完成总工作量的 $\frac{9}{16}$，下午完成总

工作量的 $\frac{7}{16}$. 这样，乙工地上午完成的工作量相当于甲工地总工

作量的 $\frac{9}{16} \times \left(\frac{1}{4} \div \frac{3}{4}\right) = \frac{3}{16}$，乙工地下午完成的工作量相当于

甲工地总工作量的 $\frac{7}{16} \times \left(\frac{5}{12} \div \frac{7}{12}\right) = \frac{5}{16}$，到傍晚时，乙工地剩

余的工作量相当于甲工地总工作量的 $1 \div 1.5 - \left(\frac{3}{16} + \frac{5}{16}\right) =$

$\frac{1}{6}$，因为乙工地剩下的工作量还需要 4 名工人再做 1 天. 所以这

批工人有：$4 \times \left[(1 + 1 \div 1.5) \div \frac{1}{6}\right] - 4 = 4 \times 10 - 4 = 36$（人）.

⓲ 设总工作量为"1"，则原来全组每小时完成 $\frac{1}{9}$，A 和 B 交

换后，8 小时完成，全组每小时完成 $\frac{1}{8}$，由于其他人的工作效率不

变. 所以 A 和 B 每小时多干了 $\frac{1}{8} - \frac{1}{9} = \frac{1}{72}$，$C$ 和 D 交换后，他

们两人每小时也多干了 $\frac{1}{72}$，A 和 B、C 和 D 同时交换，他们四人

每小时多干了 $\frac{2}{72}$，全组工人每小时完成 $\frac{1}{9} + \frac{2}{72} = \frac{5}{36}$，完成这

项任务需要 $1 \div \frac{5}{36} = 7.2$（小时）. 所以比原来提前 $9 - 7.2 =$

1.8（小时）$= 108$（分）.

⓳ 设裂缝 x 小时可将满池水漏完. 由只开甲、乙两管 12 小

时灌满可知：甲、乙两管每小时的工作量为 $\frac{1}{12} + \frac{1}{x}$；同理，甲、丙

两管每小时的工作量为 $\frac{1}{10} + \frac{1}{x}$；甲管每小时的工作量为 $\frac{1}{15} +$

$\frac{1}{x}$. 那么乙管的工作效率为 $\frac{1}{12} + \frac{1}{x} - \left(\frac{1}{15} + \frac{1}{x}\right)$，即 $\frac{1}{12} - \frac{1}{15}$；

丙管的工作效率为 $\frac{1}{10} + \frac{1}{x} - \left(\frac{1}{15} + \frac{1}{x}\right)$，即 $\frac{1}{10} - \frac{1}{15}$. 因此堵

好裂缝后，乙、丙两管齐开注满水池的时间为：

$$1 \div \left[\left(\frac{1}{12} - \frac{1}{15} \right) + \left(\frac{1}{10} - \frac{1}{15} \right) \right] = 20 \text{(小时)}.$$

❷⓪ 出水前两队合作时的工效为 $\left(\frac{1}{36} + \frac{1}{45} \right) \times (1 +$

$20\%) = \frac{3}{50}$，出水后又干了 $18 - \frac{3}{5} \div \frac{3}{50} = 8$（天），这时的工效

为 $\left(1 - \frac{3}{5} \right) \div 8 = \frac{1}{20}$，与原工效相差 $\left(\frac{3}{50} - \frac{1}{20} \right)$，整个工程要挖

土 $50 \div \left(\frac{3}{50} - \frac{1}{20} \right) = 5000$（方）.

第**10**讲

行 程 问 题

① 根据速度与时间成反比.

顺流速度：逆流速度 $= 36 : 24 = 3 : 2$，

所以去时所用时间为 $15 \times \dfrac{2}{3+2} = 6$（小时），$A$、$B$ 两地相距

$$36 \times 6 = 216（千米）.$$

② 设甲的速度为 $v_{甲}$，乙的速度为 $v_{乙}$，根据题意有：

$$AC = 18v_{乙}, \quad CB = 8v_{甲}.$$

$\dfrac{AC}{v_{甲}} = \dfrac{CB}{v_{乙}}$，即 $\dfrac{18v_{乙}}{v_{甲}} = \dfrac{8v_{甲}}{v_{乙}}$，有 $8(v_{甲})^2 = 18(v_{乙})^2$，得 $2v_{甲} = 3v_{乙}$，$CB = 1800 \times \dfrac{2}{2+3} = 720$（米），从而可以求出甲、乙两人的速度：

$$v_{甲} = 720 \div 8 = 90（米/分）;$$

$$v_{乙} = 90 \div 3 \times 2 = 60（米/分）.$$

③ $v_{甲} \div v_{乙} = 10 \div 5 = 2$（米/秒）. 设 $v_{乙} = x$，$v_{甲} = x+2$，由题意得：$(4+2)x = 4(x+2)$，解得 $x = 4$，即乙的速度是每秒跑 4 米，那么甲的速度是每秒跑 6 米.

④ 由题意得 $v_{摩} \div v_{自} = 3$，从而推得，自行车队出发 12 分钟后，摩托车花 $12 \div (3-1) = 6$ 分钟追上自行车队. $v_{摩} = 9 \div 6 \times 60 = 90$（千米/时），$v_{自} = 90 \div 3 = 30$（千米/时）.

5 快车开完全程需 5 小时, 2 小时行驶全程的 $\dfrac{2}{5}$. 慢车开完

全程需 $5 \times \left(1 + \dfrac{1}{5}\right) = 6$ 小时, 2 小时行驶全程的 $\dfrac{1}{3}$. 所以全程为

$40 \div \left(1 - \dfrac{2}{5} - \dfrac{1}{3}\right) = 150(\text{km})$.

6 设已经出发了 x 小时. $4 \times \left(1 - \dfrac{x}{4}\right) = 1 - \dfrac{x}{6}$, 解得 $x =$

$\dfrac{18}{5} = 3\dfrac{3}{5}$. 他们已经出发了 3.6 小时.

7 设原计划速度为 v, 用

时为 t. 则 $vt = 1.2v(t - 10)$, 解

得 $t = 60$, $6 + \dfrac{4}{3}v\left(50 - \dfrac{6}{v}\right) =$

$60v$, 解得 $v = \dfrac{3}{10}$, 所以 $s =$

$vt = \dfrac{3}{10} \times 60 = 18(\text{千米})$.

第 7 题

8 设哥哥步行了 x 千米, 骑马则行 $(30 - x)$ 千米; 弟弟
正好相反, 步行 $(30 - x)$ 千米, 骑马 x 千米. 根据已知则有
方程:

$$\dfrac{x}{5} + \dfrac{30 - x}{10} = \dfrac{30 - x}{4} + \dfrac{x}{10},$$

解得 $\qquad\qquad x = 18.$

所以两人用的时间为

$$\dfrac{18}{5} + \dfrac{30 - 18}{10} = 4.8(\text{时}) = 4 \text{ 小时 } 48 \text{ 分钟}.$$

早晨 6 点动身, 经过 4 小时 48 分是上午 10 点 48 分.

9 解答此类题, 我们可采用作图法, 分别算出两人到达两端

的时间,如图

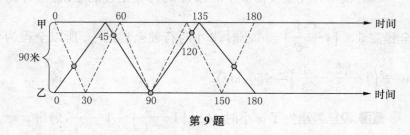

第 9 题

通过作图,我们可以看出,经过 180 秒钟(即 3 分钟)两人又回到初始状态,在这一周期中两人共相遇 5 次.所以在 12 分钟里两人共相遇了:

$$5 \times (12 \div 3) = 20(次).$$

⑩ 由题意知,乙 20 分钟($100 - 80$)的路程,甲步行要 $100 + 80 = 180$ 分钟,所以乙的速度是甲速度的 $180 \div 20 = 9$ 倍.甲行一个全程,乙可以行 9 个全程.乙行 9 个全程中 5 个是 B 到 A,4 个是 A 到 B,A 到 B 是乙追上甲,所以当甲到达 B 地时,乙追上甲 4 次.

⑪ $v_{和} = 900 \div 2 = 450(米 / 分)$,$v_{差} = 900 \div 18 = 50(米 / 分)$,$v_{较快者} = (450 + 50) \div 2 = 250(米 / 分)$,$v_{较慢者} = (450 - 50) \div 2 = 200(米 / 分)$.

⑫ 如图:

第 12 题

科技发明者提前出门,使得小汽车少行驶了 AB 这段路的 2 倍.比约定的时间提前 10 分钟到达会堂,那么小汽车行驶 AB 这段路程需要 $10 \div 2 = 5(分钟)$.所以汽车遇到他的时间比约定来接他的时间提前了 5 分钟,此时科技发明者已行走了 30 分钟,说明科技发明者提前了 $30 + 5 = 35$(分钟) 出门的.

科技发明者步行 30 分钟的路程,小汽车行驶只需 5 分钟,$30 \div 5 = 6$,即小汽车的速度是科技发明者步行速度的 6 倍.

13 平路长 $250 \times \dfrac{1}{5} = 50$(千米),那么上、下坡路长 $250 - 50 = 200$(千米),又已知上坡路与下坡路之比为 $2 : 3$,所以上坡路长 $200 \times \dfrac{2}{2+3} = 80$(千米),下坡路长 $200 - 80 = 120$(千米).

设汽车平路速度为 x 千米/时,上坡速度为 $(1 - 20\%)x$ 千米/时,下坡速度为 $(1 + 20\%)x$ 千米/时,根据已知有

$$\frac{50}{x} + \frac{80}{(1 - 20\%)x} + \frac{120}{(1 + 20\%)x} = 5,$$

解得 $$x = 50.$$

上坡速度为 $50 \times (1 - 20\%) = 40$(千米 / 时);
下坡速度为 $50 \times (1 + 20\%) = 60$(千米 / 时).
所以这辆汽车从 B 城返回 A 城要行:

$$50 \div 50 + 80 \div 60 + 120 \div 40 = 5\frac{1}{3}(\text{小时}).$$

14 甲、乙相遇时,乙比丙多行了 $(40 + 36) \times 3 = 228$(米),甲、乙相遇用时 $228 \div (38 - 36) = 114$(分钟),花圃的周长是 $(40 + 38) \times 114 = 8892$(米).

15 两车共行驶了 $360 \times 2 = 720$(米),两车相遇需要 $(720 + 60 \times 0.5) \div (40 + 60) = 7.5$(小时);货车行驶了 $40 \times 7.5 = 300$(千米),所以两车相遇时距离乙站还有 $360 - 300 = 60$(千米).

16 两人的跑步时间为 $2000 \div 150 = 13\frac{1}{3}$(分钟). 跑 600 米的路小刚用时:$600 \div 200 = 3$(分钟),小强用时:$600 \div 150 = 4$(分

钟),[3,4]＝12(分钟),12分钟时,两人在路的两端,即最远600 m. 如右图所示.

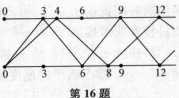

第16题

17 据题意,若两车同时出发,则相遇时两车的路程差为$1200 \times 2 = 2400$米$= 2.4$千米,可知两车的相遇时间为$2.4 \div (72 - 48) = 0.1$小时,从而A、B两地相距$0.1 \times (48 + 72) = 12$千米. 实际上客车走了$12 \div 2 - 1200 \div 1000 = 4.8$千米,行驶时间为$4.8 \div 72 \times 60 = 4$分钟;货车走了$12 \div 2 + 1200 \div 1000 = 7.2$千米,行驶时间为$7.2 \div 48 \times 60 = 9$分钟,可知客车晚出发了$9 - 4 = 5$分钟.

18 依题意可知慢车比快车先行了1小时,快车出发时,慢车已经行了40千米. 慢车最迟停下来即慢车和快车正好相距8千米,也就是说在快车出发后,快车要比慢车多行$40 - 8 = 32$(千米),快车每小时比慢车多行$56 - 40 = 16$(千米),所以快车比慢车多行32千米需$32 \div 16 = 2$(小时),$9 + 2 = 11$,所以慢车最迟应当在上午11时停下来让快车超车.

19 本题有两解. 甲车比乙车慢,如图①所示:

第19题图①

(1) AB两地相距:$(3 \times 50 + 50 + 20) \div 2 = 110$ km.

(2) 乙车的速度:$110 - 50 = 60$(km/h).

甲车比乙车快,如图②所示:

第19题图②

(1) AB 两地相距：$(50 \times 3 + 30) \div 2 = 90$(km).

(2) 乙车的速度：$90 - 50 = 40$(km/h).

❷⓿ 当 A 和 B 相遇时，A 已经跑出 $700 - 70 = 630$(米). 而相遇前 B 已经到达山顶，并且按两倍的速度向山下跑出 70 米，或者说按原速度已跑出 $700 + \dfrac{70}{2} = 735$(米). 这样 B 和 A 两人最初的速度比为 $\dfrac{735}{630} = \dfrac{7}{6}$，或者说 A 跑过 6 米，B 则跑过 7 米. 这样 B 到达山顶时，A 仅跑到上山 600 米处. 这时 B 与 A 的速度比为 $\dfrac{14}{6}$，这样 A 到达山顶（100 米远）与 B 下山的距离 S 的关系为：$6 : 100 = 14 : S$，$S = \dfrac{100 \times 14}{6} = \dfrac{700}{3}$，即 B 已跑过下山的三分之一路程. 这时 B 与 A 的速度比又变为 $\dfrac{14}{12}$，B 到达山底与 A 下山的距离 S 的关系为：$14 : \left(700 - \dfrac{700}{3}\right) = 12 : S_1$，$S_1 = \dfrac{\left(700 - \dfrac{700}{3}\right) \times 12}{14} = 400$(米)（$S_1$ 表示 B 到达山底时 A 下山的路程），所以 A 落后 B $700 - 400 = 300$(米).

讲

比和比例关系

1 原来共有学生 $44-4=40$（人），由男、女生人数之比为 $3:2$ 知，如果将人数分为 5 份，那么男生占 3 份，女生占 2 份. 由此求出，男生人数 $=40 \times \dfrac{3}{5}=24$（人），女生人数 $=40 \times \dfrac{2}{5}=16$（人）. 女生增加 4 人变为 $16+4=20$（人），男生人数不变，现在男、女生人数之比为 $24:20=6:5$.

2 师傅与徒弟的工作效率之比是 $\dfrac{1}{9}:\dfrac{1}{15}=5:3$. 工作时间相同，工作量与工作效率成正比，所以师傅与徒弟分别完成总量的 $\dfrac{5}{5+3}$ 和 $\dfrac{3}{5+3}$，师傅比徒弟多加工零件

$$400 \times \left(\dfrac{5}{5+3} - \dfrac{3}{5+3} \right) = 100（个）.$$

3 原来甲的钱数是总钱数的 $\dfrac{3}{4}$，现在甲的钱数是总钱数的 $\dfrac{2}{3}$，则有

$$0.6 \div \left(\dfrac{3}{4} - \dfrac{2}{3} \right) = 0.6 \div \dfrac{1}{12} = 7.2（元）.$$

4 如按 $7:5$ 的比例出售正好卖完，西瓜应卖 $\dfrac{40}{5} \times 7 = 56$（个），实际卖 50 个，实际卖的天数为 $36 \div (56-50) = 6$（天），所以原有西瓜数为：$50 \times 6 + 36 = 336$（个）.

5 由题意得,平路的长度为:$60 \div (1+2+3) \times 2 = 20(千米)$,走平路的时间为:$20 \div 5 = 4(小时)$,此人走完全程的时间为:$4 \div 4 \times (3+4+5) = 12(小时)$.

6
$$长:宽:高$$
$$4:3$$
$$5:4$$
$$20:15:12$$

设单位长度为 x,得
$$20x \times 15x \times 12x = 450,$$
$$3600x^3 = 450,$$
$$x^3 = 0.125,$$
$$x = 0.5.$$

长方体的长为 $20 \times 0.5 = 10(厘米)$,宽为 $15 \times 0.5 = 7.5(厘米)$,高为 $12 \times 0.5 = 6(厘米)$.

7 中间的白色三角形有一个角是直角.根据勾股定理,两个直角边的平方之和等于斜边的平方,所以小等腰直角三角形和大等腰直角三角形的面积之和等于正方形的面积(包含正方形中的圆).如果去掉和小等腰直角三角形面积相等的圆,正方形中的阴影面积就等于大等腰直角三角形的面积.所以正方形中的阴影面积与大等腰直角三角形面积的比值是 1.

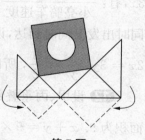

第 7 题

8 过 D 点作 $DE \perp BC$ 于 E,$DF \perp AB$ 于 F,则 $DE:EB = CD:BD = 5:3$.因为 $EB = DF$,所以 $DE:DF = 5:3$.又因为 $AB = BC$,所以 $S_{\triangle ABD}:S_{\triangle BDC} = 3:5$,$S_{\triangle DBC} = \dfrac{1}{2} \times 3 \times 5 = 7.5(\text{cm}^2)$.所以 $S_{\triangle ABD} = 7.5 \times$

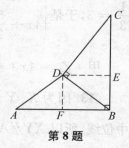

第 8 题

$\dfrac{3}{5} = 4.5$(平方厘米).

9 (1) 无论谁买,买后两人的钱数之和是一样的,因此我们设法把两个比的前项与后项之和也凑成一样. 因 $2:5 = 6:15$,且 $6+15 = 21 = 8+13$,由此知道买刀前小明与小强的钱数之比是 $8:15$. (2) 小明原有: $3÷(8-6)×8 = 12$(元).

10 平均每只动物有脚 $\dfrac{8}{3}$ 只,这个平均数比鸡的脚多 $\dfrac{2}{3}$,比兔的脚少 $\dfrac{4}{3}$,所以,鸡:兔 $= \dfrac{4}{3} : \dfrac{2}{3} = 2:1$,鸡有 $30×\dfrac{2}{1+2} = 20$(只),兔有 $30×\dfrac{1}{1+2} = 10$(只).

11 根据小明和小亮骑车和休息的关系,设小明休息时间为 x,小亮休息时间为 y,所以,小明骑车时间为 $4y$,小亮骑车时间为 $3x$,有: $\dfrac{\text{小明骑车速度}}{\text{小亮骑车速度}} = \dfrac{\text{小亮骑车时间}}{\text{小明骑车时间}} = \dfrac{3x}{4y}$. 而小明和小亮同时出发又同时到达,说明所用时间相等,即 $x+4y = y+3x$,即 $2x = 3y$, $\dfrac{x}{y} = \dfrac{3}{2}$,所以, $\dfrac{\text{小明骑车速度}}{\text{小亮骑车速度}} = \dfrac{3}{4} × \dfrac{3}{2} = \dfrac{9}{8}$.

12 设甲、丙重叠部分的面积为 x,乙、丙重叠部分为 y,丙的面积为 9. $x+y = 9×\dfrac{1}{9} = 1$,甲、乙的面积和为 $4x+\dfrac{5}{2}y = 9× \dfrac{1}{3} = 3$,于是 $\begin{cases} x+y = 1, \\ 4x+\dfrac{5}{2}y = 3, \end{cases}$ 解得 $x = \dfrac{1}{3}$, $y = \dfrac{2}{3}$.

甲:乙 $= 4x:\dfrac{5}{2}y = \left(4×\dfrac{1}{3}\right):\left(\dfrac{5}{2}×\dfrac{2}{3}\right) = 4:5$.

13 因为 X、Y 分别为 AB、CB 的中点,所以 XY 为 ABC 的中位线. 所以 $XY // AC$,且 $XY = \dfrac{1}{2}AC$. 所以 $AC = 20$,则 AG^2+

$CG^2 = AC^2$，所以 $\angle AGC = 90°$，$\angle XGY = 90°$. 因为 $S_{\triangle ACY}$：$S_{\triangle AXY} = \dfrac{1}{2}S_{\triangle ABC} : \dfrac{1}{4}S_{\triangle ABC} = 2 : 1$. 所以 $CG : XG = 2 : 1$，所以 $XG = 16 \div 2 = 8$，同理 $YG = 12 \div 2 = 6$，所以 $S_{\triangle GXY} = 8 \times 6 \div 2 = 24$.

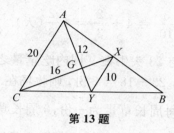
第 13 题

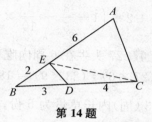
第 14 题

⑭ 连结 CE，则 $\dfrac{S_{\triangle BDE}}{S_{\triangle BCE}} = \dfrac{BD}{BC} = \dfrac{3}{7}$，$\dfrac{S_{\triangle BCE}}{S_{\triangle BCA}} = \dfrac{BE}{BA} = \dfrac{2}{8}$，

把上面两式相乘，得 $\dfrac{S_{\triangle BDE}}{S_{\triangle BCA}} = \dfrac{3}{28}$，所以 $\dfrac{S_{\triangle BDE}}{S_{ACDE}} = \dfrac{3}{25}$.

⑮ 甲种车的一半干 25 天，另一半干 15 天，相当于所有甲种车都干 20 天，所以甲、乙、丙三种车工作时间之比为

$$20 : 25 : 25 = 4 : 5 : 5,$$

相同时间内，三种车各一辆完成的工作量之比为

$$\dfrac{10 \times 6}{15} : \dfrac{7 \times 8}{14} : \dfrac{6 \times 9}{14} = 4 : 4 : \dfrac{27}{7} = 28 : 28 : 27,$$

甲、乙、丙三种车完成的工作量之比为

$$(28 \times 10 \times 4) : (28 \times 5 \times 5) : (27 \times 7 \times 5) = 32 : 20 : 27.$$

甲种车完成的工作量与总工作量之比是

$$32 : (32 + 20 + 27) = 32 : 79.$$

⑯ 师徒两人合作 2 天完成全部的任务的 $\dfrac{3}{5}$，合作 1 天完成

任务的 $\frac{3}{10}$，即师徒工作效率之和为 $\frac{3}{10}$，师徒工作效率之比为 2：

1，那么师傅的工作效率为 $\frac{3}{10} \times \frac{2}{2+1} = \frac{1}{5}$；徒弟为 $\frac{1}{10}$，所以完

成这一任务前后一共用的天数为：

$$2+2+\left(1-\frac{3}{5}-\frac{1}{10}\times 2\right)\div\frac{3}{10}=4+\frac{2}{3}=4\frac{2}{3}(\text{天}).$$

17 27 头牛在 6 周内吃草量与 23 头牛在 9 周内吃草量之比

是：$(27\times 6):(23\times 9)=18:23$，$23-18=5$ 份，则牧场在 $9-$

$6=3$（周）内长草量为 5 份，所以每周长草量为 $\frac{5}{3}$ 份，6 周长草量

为 10 份，牧场原有草量为 $18-10=8$（份）. 21 头牛每周吃草量为

$\frac{18}{6}\times\frac{21}{27}=\frac{7}{3}$（份），其中 $\frac{7}{3}-\frac{5}{3}=\frac{2}{3}$（份）吃的是原有草，故可

吃周数是 $8\div\frac{2}{3}=12$（周）.

18 设乙班速度为 3，甲班速度为 4，车速为 24，如图所示：

设乙班走 3 份，即 $AB=3$，则 $BC=(24-3)\div 2=10.5$. 根

据甲班步行期间，车与甲班行的路程可列比例式 $CD:(10.5\times 2+$

$CD)=4:24$，解得 $CD=$

$\frac{21}{5}$，甲、乙两班步行的路程

比为 $\frac{21}{5}:3=7:5$.

第18题

19 以六年级学生人数为 1，则五年级学生人数为 $\frac{1}{2}\div\frac{2}{5}=$

$\frac{5}{4}$，四年级学生人数为 $\frac{1}{3}\div\frac{2}{7}=\frac{7}{6}$. 各年级人数比为

六年级：五年级：四年级 $=1:\frac{5}{4}:\frac{7}{6}=12:15:14$.

按比例分配得到

六年级学生人数 $= 697 \times \dfrac{12}{12+15+14} = 204$（人），

五年级学生人数 $= 697 \times \dfrac{15}{12+15+14} = 255$（人），

四年级学生人数 $= 697 \times \dfrac{14}{12+15+14} = 238$（人）．

❷⓪ 一队与二队的工作效率之比为 $(3 \times 5):(4 \times 4) = 15:16$；一队干前一个工程需要 $9 \div \dfrac{1}{16} = 144$（天）．新一队与新二队的工作效率之比为：

$$\left(3 \times \dfrac{2}{3} \times 5 + 4 \times \dfrac{1}{3} \times 4\right):\left(3 \times \dfrac{1}{3} \times 5 + 4 \times \dfrac{2}{3} \times 4\right) = 46:47,$$

新一队干完一个工程需 $6 \div \dfrac{1}{47} = 282$（天），一队与新一队的工作效率之比为

$$15:\left(3 \times \dfrac{2}{3} \times 5 + 4 \times \dfrac{1}{3} \times 4\right) = 45:46,$$

所以一队干完一个工程需 $282 \times \dfrac{46}{45}$．前后两次工程的工作量之比是

$$144:\left(282 \times \dfrac{46}{45}\right) = (144 \times 45):(282 \times 46) = 540:1081.$$

第 12 讲

圆的周长和面积

1 将原图从中间截开,拼成如下左图,因此原阴影部分的面积总和实质是一个边长为 5 厘米的正方形的面积:$5 \times 5 = 25$(平方厘米).

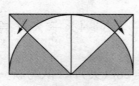

第 1 题

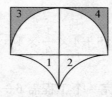

第 2 题

2 如图,面积 1 + 面积 2 = 面积 3 + 面积 4.
所以 $S = (214 \times 2)^2 + 214^2 \times 2 = 274\,776$.

3 如右图,连接各个小圆圆心,得到一个正六边形. 于是得到大圆半径为 $1 \times 3 = 3$ 厘米.
$S_{阴} = \pi \times 3^2 - \pi \times 1^2 \times 6 = 3\pi = 3 \times 3.14 = 9.42$(平方厘米).

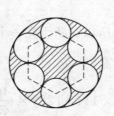

第 3 题

4 大圆直径为小圆直径的 3 倍,小圆半径为 $12 \div 3 = 4$(厘米).

5 扫过的区域如图阴影所示,由一个半圆环,两个直角扇形以及一个长方形构成,分别求出其面积,再相加即可. $3.14 \times (4^2 - 2^2) \div 2 + 3.14 \times 2^2 \div 2 + 4 \times 2 = 33.12$.

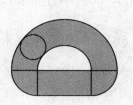
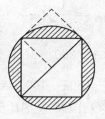

第 5 题　　　　　　　　　　第 6 题

6 圆的半径平方如图所示,是 $50 \div 2 = 25$. 所以阴影部分的面积是 $3 \times 25 - 50 = 25$(平方厘米).

7 小正方形的面积为:$3^2 + 5^2 = 34$. 而小正方形与圆的面积比为:$4 : \pi$. 所以,$S_{阴} = 34 \times \dfrac{4 - \pi}{4} = 7.31$.

8 图中三个圆的面积由小到大依次为 π、2π、4π,三个正方形的面积由小到大依次为 2、4、8. 而阴影部分的面积总和可以看成三个圆的总面积减去三个正方形的总面积,即阴影部分为 $7\pi - 14 = 22 - 14 = 8$(平方厘米).

9 右图中阴影可拼作两个 $\dfrac{2}{3}$ 的圆,

即共有 $\dfrac{2}{3} \times 2 = \dfrac{4}{3}$(个) 半径为 10 厘米的

圆,所以总面积为:$\pi r^2 \times \dfrac{4}{3} = 3 \times 10^2 \times \dfrac{4}{3} =$

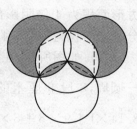

第 9 题

400(平方厘米).

10 半径的平方是 $5 \times 2 = 10$,所以阴影部分的面积是:

$3.14 \times 10 \times \dfrac{1}{4} - 5 = 2.85$(平方厘米).

11 $\triangle ABC$ 的面积 $= 3.14 \times 4^2 \div 4 - 6.56 = 6$(平方厘米),

BC 的长度 $= 6 \times 2 \div 4 = 3$(厘米),梯形 $ABCD$ 的面积 $=$

$(4 + 3) \times 4 \div 2 = 14$(平方厘米).

12 $S_{半圆} = \dfrac{1}{2} \times \pi \times 10 \times 10 = 50\pi（平方厘米）$，

$S_{弓形} = \dfrac{1}{4} \times \pi \times 200 - 10 \times 10 = 50\pi - 100（平方厘米）$，

$S_{阴影} = 50\pi - (50\pi - 100) = 50\pi - 50\pi + 100 = 100（平方厘米）$.

13 过 O 作 $OC \perp AB$ 于 C. 因为 $OB^2 - OC^2 = CB^2$，圆环面积等于 $\pi(OB^2 - OC^2) = \pi \times CB^2 = \pi \times \left(\dfrac{AB}{2}\right)^2 = \dfrac{1}{4}\pi AB^2$，以线段 AB 为直径的圆面积是 $\dfrac{1}{4}\pi AB^2$. 所以两个图形阴影部分的面积一样大.

14 因为每一条弦都把圆分割成面积比为 $1:3$ 的两个部分，可知圆面积可看成 4 倍斜线区域面积、4 倍灰色阴影部分区域面积与正方形区域面积的和，且两条横弦之间的 3 块区域的面积与两条横弦上方与下方的 6 块区域的面积和相等. 因此得正方形面积为 4 倍阴影部分区域面积，即阴影部分区域面积为 $100 \div 4 = 25$（平方厘米）.

第 14 题

15 如图所示，在圆心经过的路径中，有 4 段半径为 1 厘米的 $\dfrac{1}{4}$ 圆周，8 段 9 厘米的线段，4 段 8 厘米的线段，总长度为 $2 \times 3.14 \times 1 + 9 \times 8 + 8 \times 4 = 110.28$（厘米）.

第 15 题

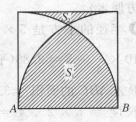

第 16 题

⑯ 如图所示,设空白部分面积为 S,则 $S_1 + S_2 + S = 1$,$S_1 + \dfrac{S}{2} = \dfrac{\pi}{4}$,所以 $S_1 - S_2 = 2S_1 + S - (S_1 + S_2 + S) = \dfrac{\pi}{2} - 1 = 0.57$(平方分米).

⑰ 完全位于圆内的小方格共有 $4 \times 8 = 32$ 个,于是该圆所经过的小方格在圆内部分的面积之和为 $\pi \times 4^2 - 32 \times 1^2 = 18.24$(平方厘米).

注意到关于正方形方格纸两对边中点连线对称的两个小方格颜色不同,从而圆经过的所有黑色小方格在圆内部分的面积之和与所有白色小方格在圆内部分的面积之和相等,故所求面积为 $18.24 \div 2 = 9.12$(平方厘米).

⑱ 神湖周长是按 2^0, 2^1, 2^2, 2^3, $\cdots$,依次变化,在每个周长要跳的次数见下表:

周长(米)	2^0, 2^1, 2^2, 2^3, 2^4, 2^5, 2^6, 2^7, $\cdots$
跳的次数	2^2, 2^3, 2^4, 2^5, 2^6, 2^7, 2^8, 2^9, $\cdots$

因为 $2^2 + 2^3 + 2^4 + 2^5 + 2^6 + 2^7 + 2^8 + 2^9 = 2^{10} - 2^2 = 1020 > 1000$,所以神湖周长是 $2^7 = 128$(千米).

⑲ 大圆的面积 $S_{大圆} = 3.14 \times 20^2 = 1256$(平方厘米);中正方形面积 $S_{中正方形} = 20 \times 20 \div 2 \times 4 = 800$(平方厘米);小圆的面积 $S_{小圆} = 3.14 \times (800 \div 4) = 628$(平方厘米);小正方形面积 $S_{小正方形} = 800 \div 2 = 400$(平方厘米).阴影部分面积 $S_{阴影} = (S_{大圆} - S_{中正方形}) + (S_{小圆} - S_{小正方形}) = (1256 - 800) + (628 - 400) = 684$(平方厘米).

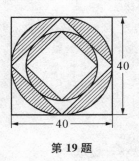

第 19 题

⑳ 方法一:可知阴影部分的四个半月形面积之和即为四个

以正方形边长为直径的半圆减去四个弓形面积,而四个以正方形边长为直径的半圆面积之和等于正方形外接圆的面积,所以阴影部分的四个半月形面积之和等于正方形的面积,即 $\frac{1}{2} \times 10 \times 10 =$ 50(平方厘米).

方法二:可知阴影部分的四个半月形面积之和即为四个以正方形边长为直径的半圆与正方形的面积和减去直径为 10 厘米的圆的面积.因正方形内接于直径为 10 厘米的圆内,故正方形的对角线为 10 厘米,即正方形的面积为 $\frac{1}{2} \times 10 \times 10 = 50$(平方厘米).令正方形的边长为 a,则四个以正方形边长为直径的半圆的面积和为 $4 \times \frac{1}{2} \times \pi \times \left(\frac{a}{2}\right)^2 = \frac{1}{2}\pi a^2$. 由勾股定理可知 $2a^2 = 100$,故四个以正方形边长为直径的半圆的面积和为 $\frac{1}{2}\pi a^2 = 25\pi$. 而直径为 10 厘米的圆的面积为 25π,故阴影部分的四个半月形面积之和为 $50 + 25\pi - 25\pi = 50$(平方厘米).

第13讲

扇 形

1 $\frac{1}{2} \times 4^2 - 2 \times \left(\frac{1}{4} \times \pi \times 2^2 - \frac{1}{2} \times 2 \times 2 \right) = 5.72$(平方厘米).

2 $\frac{1}{4} \times 2 \times 4 \times \pi + \frac{1}{4} \times 2 \times 5 \times \pi + (5-4) \times 2 = 16.13$(厘米);$\frac{1}{4} \times 4^2 \pi + \frac{1}{4} \times 5^2 \pi - 4 \times 5 = 12.185$(平方厘米).

3 $\frac{1^2 \pi}{4} + \frac{(2^2 - 1^2)\pi}{6} + \frac{(3^2 - 2^2)\pi}{9} + \frac{(4^2 - 3^2)\pi}{12} = \frac{9\pi + 18\pi + 20\pi + 21\pi}{36} = \frac{68\pi}{36} = \frac{17}{9}\pi \approx 5.93$(平方厘米).

4 如右图,因为:AB 与 CD 平行,得到蝶形,则 $S_{\triangle AOD} = S_{\triangle COB}$. 图中阴影部分的面积就等于扇形 BCD 的面积,为 $\frac{1}{4}\pi \times 15^2 = 168.75$(平方厘米).

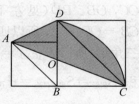

第4题

5 阴影部分面积 = 半圆面积 + 扇形面积 - 直角三角形面积 = $\frac{1}{2} \times 3.14 \times 5^2 + \frac{1}{8} \times 3.14 \times 10^2 - \frac{1}{2} \times 10^2 = 28.5$(平方厘米).

6 如图,显然三角形 EBC 是等边三角形,所以周长是 $\frac{60}{180} \times \pi \times 1 \times 2 + 1 \approx 3.09$(厘米).

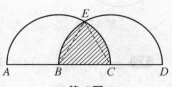

第6题

7 $AC = CD = DB = \dfrac{1}{3}$，$S_{阴影} = K\pi = \pi \times \left(\dfrac{1}{3}\right)^2 - \pi \times$

$\left(\dfrac{1}{6}\right)^2 = \dfrac{1}{12}\pi$，所以 $K = \dfrac{1}{12}$.

8 阴影部分的面积 $= \dfrac{90}{360} \times 3.14 \times (1^2 + 2^2 + 3^2 + 4^2) =$

23.55(平方厘米)，阴影部分的外周长 $= \dfrac{90}{360} \times 2 \times 3.14 \times$

$(1 + 2 + 3 + 4) + 4 = 19.7$(厘米).

9 如图，$\dfrac{45}{360} \times 3.14 \times 4^2 - 4^2 \div 4 =$

2.28(平方分米).

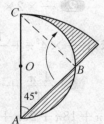

第9题

10 由于两个阴影部分面积相等，图中长方形的面积等于半圆的面积，因此 $OO' =$
$3.14 \times 2^2 \div 2 \div 2 = 3.14$(厘米).

11 如图，D 为 OA 与圆 O 的交点，连结
OC，OB，BD(见左下图). 因为 $CB \parallel OD$，
$CB = OD = 3$，所以四边形 $CBDO$ 是平行四边形，$\triangle COB$ 是等边
三角形. 所以 $S_{\triangle CAB} = S_{\triangle COB}$. 所以阴影面积等于扇形 COB 的面
积，$S_{阴影} = S_{扇形COB} = r^2 \pi \times \dfrac{60}{360} = 3^2 \times 3.14 \times \dfrac{1}{6} = 4.71$.

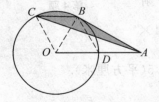

第11题

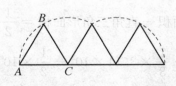

第12题

12 $\dfrac{240}{360} \times 2 \times 3.14 \times 1 = 4\dfrac{14}{75}$(厘米).

13 设 $\angle CAB = x°$，半圆半径为 r，则 $\dfrac{x}{360} \times \pi \times (2r)^2 =$

$\dfrac{1}{2} \times \pi \times r^2 \times 1\dfrac{1}{3}$，解得 $x = 60$.

14 正五边形的各个内角为 $180° \times (5-2) \div 5 = 108°$. 所求面积是 5 个半径为 5 厘米，圆心角为 $108°$ 的扇形面积之和，等于

$\dfrac{108 \times 5}{360} \times 3.14 \times 5^2 = 117.75$（平方厘米）.

15 五边形的各个内角为 $180° \times (5-2) \div 5 = 108°$（如图）. $7^2 \times \pi \times \dfrac{360° - 108°}{360°} +$

$4^2 \times \pi \times \dfrac{180° - 108°}{360°} \times 2 + 1^2 \times \pi \times$

$\dfrac{180° - 108°}{360°} \times 2 = 129.054$（平方米）.

第 15 题

16 以 AB 长为 1，则 $AC = 3$，$AD = 6$，$AE = 10$，$BE = 9$，$CE = 7$，$DE = 4$.

上面阴影部分的面积为：$\left[\left(\dfrac{AE}{2} \right)^2 - \left(\dfrac{AD}{2} \right)^2 + \left(\dfrac{DE}{2} \right)^2 \right] \times$

$\pi \div 2 = (5^2 - 3^2 + 2^2) \times \pi \div 2 = 10\pi$.

下面阴影部分的面积为：$\left[\left(\dfrac{AC}{2} \right)^2 - \left(\dfrac{AB}{2} \right)^2 + \left(\dfrac{BE}{2} \right)^2 - \right.$

$\left. \left(\dfrac{CE}{2} \right)^2 \right] \times \pi \div 2 = (1.5^2 - 0.5^2 + 4.5^2 - 3.5^2) \times \pi \div 2 = 5\pi$.

上、下阴影部分的面积比为 $10\pi : 5\pi = 2 : 1$，所以下面阴影部分的面积为 $100 \div 2 = 50$（平方厘米）.

17 因为甲与乙面积相等，所以扇形 AEF 与三角形 ABC 面积相等，都是 $10^2 \div 2 = 50$（平方厘米）. $\angle A = 45°$，所以扇形面积是所在圆的面积的 $\dfrac{1}{8}$，所求圆面积是 $50 \times 8 = 400$（平方厘米）.

18 将图形 I 移补到图形 II 的位置，则阴影部分为一圆环的

$\frac{1}{3}$. 面积为: $\frac{1}{3} \times (AB^2 - BC^2)\pi = \frac{1}{3} \times (10^2 - 5^2)\pi = \frac{1}{3} \times 75 \times 3.14 = 78.5$(平方厘米).

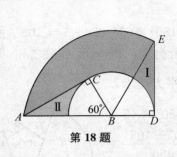

第 18 题

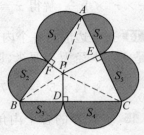

第 19 题

19 连结 AP, BP, CP. 则 $AF^2 + BD^2 + CE^2 = (AP^2 - PF^2) + (BP^2 - PD^2) + (CP^2 - PE^2)$.

$BF^2 + CD^2 + AE^2 = (BP^2 - PF^2) + (CP^2 - PD^2) + (AP^2 - PE^2) = BP^2 - PF^2 + CP^2 - PD^2 + AP^2 - PE^2 = AP^2 - PF^2 + BP^2 - PD^2 + CP^2 - PE^2 = (AP^2 - PF^2) + (BP^2 - PD^2) + (CP^2 - PE^2)$.

所以, $AF^2 + BD^2 + CE^2 = BF^2 + CD^2 + AE^2$, 两边同乘 $\frac{\pi}{2 \times 4}$

得: $\frac{\pi}{2}\left(\frac{AF}{2}\right)^2 + \frac{\pi}{2}\left(\frac{BD}{2}\right)^2 + \frac{\pi}{2}\left(\frac{CE}{2}\right)^2 = \frac{\pi}{2}\left(\frac{BF}{2}\right)^2 + \frac{\pi}{2}\left(\frac{CD}{2}\right)^2 + \frac{\pi}{2}\left(\frac{AE}{2}\right)^2$, 也就是 $S_1 + S_3 + S_5 = S_2 + S_4 + S_6$. $S_4 - S_3 = S_1 - S_2 + S_5 - S_6 = 1 + 2 = 3$.

20 连结 DO, 因为 $\angle EOB = 45°$, $\angle DEO = 45°$, 所以 $\angle DOE = 90°$, 所以三角形 DOE 是等腰直角三角形. 整个图形(除去弓形 DE)的面积可以用三角形 DOE 和三角形 DOE 左右两个圆心角为 $45°$ 的扇形构成, 它的面积是 $2^2 \div 2 + \frac{\pi \times 2^2 \times 45}{360} \times 2 = 2 +$

第 20 题

3.14 = 5.14(平方厘米). 由图可知,小半圆的 r^2 与等腰直角三角形的面积大小相等,所以小半圆的面积是 $\frac{1}{2} \times 3.14 \times (2^2 \div 2) =$ 3.14(平方厘米),所以阴影部分的面积是 5.14 − 3.14 = 2(平方厘米).

第 **14** 讲

圆柱和圆锥

1 $(3.14 \times 0.1^2 - 0.2 \times 0.2 \div 2) \times 2 = 0.0228$(立方米).

2 $3.14 \times 10^2 \times (9 - 7) = 628$(立方厘米).

3 设长方形的长为 a, 宽为 b.

$$\begin{cases} \dfrac{\pi \left(\dfrac{b}{2\pi}\right)^2 a}{\pi \left(\dfrac{a}{2\pi}\right)^2 b} = \dfrac{5}{8}, \\ a + b = (114 - 6 \times 6) \div 6, \end{cases}$$
解得 $a = 8, b = 5$. 所以长方形的面积为 $5 \times 8 = 40$.

4 我们知道侧面积 $= 2 \times 3.14 \times r \times h = 157$(平方厘米). 增加的表面积就是 $r \times h \times 2$, 所以表面积比原来增加 $157 \div 3.14 = 50$(平方厘米).

5 $5 \times 5 \times 4 + 2 \times 3.14 \times 2 \times 5 + (5 \times 5 - 3.14 \times 2 \times 2) \times 2 = 187.68$(平方厘米).

6 由条件知, 乙的底面直径是甲的高的 $1 - \dfrac{1}{3} = \dfrac{2}{3}$, 所以甲的高是乙的底面直径的 $\dfrac{3}{2}$. 如果乙的底面直径变成和甲的高一样长, 则乙的底面面积及体积都将变为原来的 $\left(\dfrac{3}{2}\right)^2$ 倍, 比原来增加 $\left(\dfrac{3}{2}\right)^2 - 1 = \dfrac{5}{4}$ 倍.

7 设上方圆锥体的高为 h_1, 下方圆锥体的高为 h_2, 显然 $h_1 + h_2 = 90$, 所以组合体的体积是: $\dfrac{1}{3}\pi r^2 h_1 + \dfrac{1}{3}\pi r^2 h_2 =$

$$\frac{1}{3}\pi r^2(h_1+h_2)=\frac{1}{3}\times 3.14\times 20^2\times 90=37\,680(\text{cm}^3).$$

8 因为高度相同,形变后高度不变,只要考察形变后形体的底面积. 正方体做成一个最大的圆柱,底面积是原来的

$$\frac{\pi\times\left(\frac{a}{2}\right)^2}{a^2}=\frac{\pi}{4},$$ 圆柱做成一个最大的长方体,面积是原来的

$$\frac{\frac{1}{2}\times(2r)^2}{\pi\times r^2}=\frac{1}{2\pi},$$ 故比值为 $\frac{\pi}{4}:\frac{1}{2\pi}=\pi^2:8.$

9 设铜版纸的宽度为 l 厘米,则铜版纸的体积为

$$\left[\left(\frac{180}{2}\right)^2-\left(\frac{50}{2}\right)^2\right]\pi\times l=7475l\pi.$$

铜版纸的总长度是

$$7475l\pi\div 0.025l=938\,860(\text{厘米})=9388.6(\text{米}).$$

10 不妨设圆柱体的高为 3,底面半径为 1,切割后的表面积为 $4\times(\pi\times 1^2)+2\times\pi\times 1\times 3=10\pi$,按 $1:3$ 分,小圆柱表面积为 2.5π,大圆柱表面积为 7.5π,小圆柱的高为 $[2.5\pi-2\times(\pi\times 1^2)]\div(2\times\pi\times 1)=0.25$,所以大圆柱的高为 $[7.5\pi-2\times(\pi\times 1^2)]\div(2\times\pi\times 1)=2.75$,大圆柱体是小圆柱体的体积的 $2.75\div 0.25=11$ 倍.

11 前后两个面的面积:$\left[100\times(50-30)+60\times 30-3.14\times 20^2\times\frac{1}{2}\right]\times 2=6344(\text{平方厘米})$;工件的侧面积:$\left[(100+50)\times 2-20\times 2+2\times 3.14\times 20\times\frac{1}{2}\right]\times 30=9684(\text{平方厘米})$,工件的总面积:$6344+9684=16\,028(\text{平方厘米}).$

12 (1) 图中阴影部分的面积是

$$3.14 \times 5^2 \times \frac{3}{4} = 58.875 \text{(平方厘米)};$$

（2）该物体的侧面积是

$$\left(2 \times 3.14 \times 5 \times \frac{3}{4} + 5 \times 2\right) \times 12 = 402.6 \text{(平方厘米)};$$

（3）它的体积是 $3.14 \times 5^2 \times 12 \times \frac{3}{4} = 706.5 \text{(立方厘米)}.$

13 设半圆柱的高是 h，则由圆和长方形面积公式，$a = \pi r^2 + \pi rh + 2rh$，所以 $h = \frac{a - \pi r^2}{r(\pi + 2)}$. 因此，半圆柱的体积是：

$$\frac{1}{2} \pi r^2 \times \frac{a - \pi r^2}{r(\pi + 2)} = \frac{\pi r(a - \pi r^2)}{2(\pi + 2)}.$$

14 假设能把圆柱展开压平，如右图. 根据勾股定理，有：$c^2 = a^2 + b^2 = 9 + 16 = 25 \text{(米)}$，$c = 5 \text{(米)}$，绳长 $4 \times 5 = 20 \text{(米)}$.

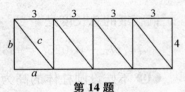

第 14 题

15 金属零件的体积为：$(2 \div 2) \times \pi \times (3 + 2) \div 2 = \frac{5}{2} \pi \text{(立方厘米)}$ 零件放入容器中水位上升高度为：$\frac{5}{2} \pi \div \left[(4 \div 2)^2 \times \pi\right] = \frac{5}{8} \text{(厘米)}.$

16 圆锥部分的容积相当于圆柱中 $6 \div 3 = 2 \text{(厘米)}$ 高的容积，所以倒置后的液面高是 $6 + (7 - 2) = 11 \text{(厘米)}.$

17 甲容器的容积为：$\left(\frac{1}{2}\right)^2 \pi \times 1 \times \frac{1}{3} = \frac{\pi}{12} \text{(立方分米)}$，乙容器的容积为：$1^3 \pi \times \frac{4}{3} \div 2 = \frac{2\pi}{3} \text{(立方分米)}$，至少要注水：$\frac{2\pi}{3} \div \frac{\pi}{12} = 8 \text{(次)}.$

18 设三角形 BCO 以 CD 为轴旋转一周所得到的立体的体积是 V，V 等于高为 10 厘米、底面半径是 6 厘米的圆锥的体积减去 2 个高为 5 厘米、底面半径是 3 厘米的圆锥的体积. $V = \frac{1}{3} \times$ 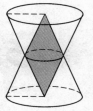 $6^2 \times 10 \times \pi - 2 \times \frac{1}{3} \times 3^2 \times 5 \times \pi = 90\pi$，$2V = 180\pi = 565.2$（立方厘米）.

第 18 题

19 由第二种情况的空闲体积为：$20 \times 20 \times \left(1 - \frac{1}{8}\right) \times 8 = 2800$（立方厘米）. 由两情况下空闲体积相等得到，第一次空下的长方体高为 $\frac{2800}{20 \times 20} = 7$（厘米）. 则余下的圆柱体的高为：$20 - 7 = 13$（厘米），其体积为：$20 \times 20 \times \frac{1}{8} \times 13 = 650$（立方厘米）.

20 由于水恰好没过长方体铁块的顶面，18 分钟灌满容器剩下的 30 厘米高度的水量，根据容器底面积一定，圆柱水量与高度成正比例关系，可知灌满 20 厘米高度的水量应该用 $18 \times \frac{20}{30} = 12$（分钟）. 可是实际一开始水面升到 20 厘米时仅用了 3 分钟，这说明：容器底面没被长方体盖住的部分只占容器的 $3 \div 12 = \frac{1}{4}$，所以长方体的底面与容器底面积的比是 $1 - \frac{1}{4} = \frac{3}{4}$，即 $3 : 4$.

第15讲

加法原理和乘法原理

1 21 世纪的年份形如 $20xy$，x 有 8 种可能，y 有 7 种选择，所以有 $7 \times 8 = 56$（个）.

2 符合条件的三位数的个位上数字必须是 3、5、7，所以个位数字有 3 种取法；百位、十位可从余下的数字中选取，分别有 5 和 4 种，所以共有 $5 \times 4 \times 3 = 60$（个）不同的三位奇数.

3 共有五种不同的币值，一角币、二角币、五角币各有拿与不拿两种情况；一元币有不拿与拿 1 张、2 张、3 张这 4 种拿法，同样五元币有 3 种拿法，所以共可以组成 $2 \times 2 \times 2 \times 4 \times 3 - 1 = 95$（种）不同的币值，其中要减去这五种币一种也不拿的这一种.

4 这是从 8 只狗中任选 2 只的组合问题. $C_8^2 = 8 \times 7 \div 2 = 28$（种）.

5 情况 1：有一条边在 AC 上，则 $C_3^2 \times 3 = 9$（种）；情况 2：有一条边在 DF 上，则 $C_3^2 \times 3 = 9$（种）. 所以能组成 $9 + 9 = 18$（个）三角形.

6 第一行要么有 1 个小球，要么有 3 个小球. 第一行有 1 个小球的放法有 $C_4^1 = 4$（种），第一行有 3 个小球的放法有 $C_4^3 = 4$（种）. 而第一行放好后，第二行的小球位置就确定了. 所以一共有 $4 + 4 = 8$（种）符合要求的放法.

7 按 A, B, C, D, E 的顺序，分别有 4，3，2，2，2 种颜色可选，所以不同颜色着色方法共有 $4 \times 3 \times 2 \times 2 \times 2 = 96$（种）.

8 由于从 5 时到 6 时这段时间内，表示小时的数字只能是 5，所以只需考虑其他的 4 个数字. 表示分和表示秒的 2 个两位数都应该在 00，01，02，…，59 之间，它们的十位可能为 0，1，2，3，

4；个位可能为 0～9 中的一个．那么，两个表示十位的数字不同，有 5×4 种可能；十位选定后，两个表示个位的数字不能与它们相同，也不能为 5，可能有 7×6 种情况，根据乘法原理，共有 $5 \times 4 \times 7 \times 6 = 840$ 种满足条件的情况．

9 从 A 到 B、C、D 分别有 3 种走法；从 B、C、D 分别走 2 条线段到 A 点各有 2 种走法；走 3 条线段到 A 点也各有 2 种走法，一共有 $3 \times (2+2) = 12$（种）走法．

10 由标数法按条件 A 到路口 C 有 20 种走法，A 到路口 B 有 35 种走法，因此该生通过路口 C 的可能性为 $\dfrac{20}{35}$ 即 $\dfrac{4}{7}$．

11（1）$5 \times 4 \div 2 = 10$（个）；（2）$5 \times 4 = 20$（个）．

12 奇数×奇数＝奇数

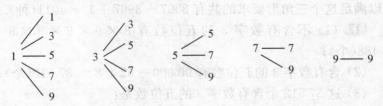

第 12 题

一共有奇数积：$5+4+3+2+1 = 15$ 个，则有偶数积：$45 - 15 = 30$ 个．共有 $C_{15}^2 + C_{30}^2 = 105 + 435 = 540$ 种不同的取法．

13（1）$3 \times 2 \times 1 = 6$（种）．（2）若甲拿到自己的作业本，另外三人只有 2 种不同的拿法．所以有 $4 \times 2 = 8$（种）．（3）四人随意拿作业本，共有 $4 \times 3 \times 2 \times 1 = 24$（种）不同的拿法，去掉其中一种每人都拿到自己作业本的情况，所以共有 $24 - 1 = 23$（种）情况．（4）第一人去拿只有 3 种拿法，被第一个拿掉本子的人去拿也有 3 种拿法，剩下两人只有唯一一种拿法．所以共有 $3 \times 3 = 9$（种）拿法．

14 ① $C_3^1 C_{15-3}^4 = \dfrac{3}{1} \times \dfrac{12 \times 11 \times 10 \times 9}{4 \times 3 \times 2 \times 1} = 1485$（种）；

② $C_{15}^5 - C_{15-3}^2 = \dfrac{15 \times 14 \times 13 \times 12 \times 11}{5 \times 4 \times 3 \times 2 \times 1} - \dfrac{12 \times 11}{2 \times 1}$

$= 2937$(种).

15 若选择顺时针方向行走:从 A 所在的小线段走到下一根小线段上,有 2 种走法(走外圈或内圈);从第 2 根小线段走到第 3 根小线段上,有 2 种走法(走外圈或内圈);从第 3 根小线段走到第 4 根小线段上,有 2 种走法;……可见顺时针共 $2^8 = 256$ 种走法. 同理,逆时针也有 $2^8 = 256$ 种走法;共 $256 \times 2 = 512$ 种走法. 但在 A 点两侧的小段中,不能同时走内圈. 所以需要减去 128 种. 共有 $512 - 128 = 384$ 种走法.

16 三角形任意两边之和大于第三边. 第三条边最小是 $6002 - 2006 + 1 = 3997$,第三条边最大是 $6002 + 2006 - 1 = 8007$,所以满足这个三角形要求的共有 $8007 - 3997 + 1 = 4011$(种).

17 (1) 不含有数字 3 的五位数有 $8 \times 9 \times 9 \times 9 \times 9 = 52\,488$(个);

(2) 含有数字 3 的五位数有 $90\,000 - 52\,488 = 37\,512$(个);

(3) 这 37 512 个含有数字 3 的五位数是:

10 003、10 013、$\boxed{10\ 023}$、10 030、10 031、$\boxed{10\ 032}$、10 033、10 034、$\boxed{10\ 035}$、10 036、10 037、$\boxed{10\ 038}$、10 039、10 043、$\boxed{10\ 053}$、10 063、10 073、$\boxed{10\ 083}$、10 093、10 103、$\boxed{10\ 113}$、…

可见能被 3 整除且含有数字 3 的五位数有 $37\,512 \div 3 = 12\,504$(个).

18 等式成立时有 $1793 = 2011 - 169 - 49 \leqslant \overline{前程似锦} \leqslant 2011 - 160 - 40 = 1811$. 进而得到,前 $= 1$,程 $= 7$ 或 8. (1)当程 $= 8$ 时,共 72 种情况. $10 \times$ 似 $+$ 锦 $+$ 日 $+$ 月 $= 2011 - 1800 - 160 - 40 = 11$. ①似 $= 1$ 时,锦,月,日中有一个为 1,其他为 0,共 3 种情况. ②似 $= 0$ 时,锦 $+$ 月 $+$ 日 $= 11$,锦 $= 0$,月 $+$ 日 $= 11$ 有 8 种情形;锦 $= 1$,月 $+$ 日 $= 10$ 有 9 种情形;锦分别为 2,3,…,9 时,对应的情形为 10,9,…,3,计 52 种情形;(2)当程 $= 7$ 时,共 28 种情

况. $10 \times$似＋锦＋日＋月 $= 2011 - 1700 - 160 - 40 = 111$. 不可能有似$<9$的情况, 否则需要: 锦＋月＋日$>30$, 所以似$=9$. 此时, 锦＋月＋日$=21$, 锦不能小于3, 否则要求: 月＋日$>18$. 锦分别为 $3, 4, \cdots, 9$ 时, 对应的情形为 $1, 2, \cdots, 7$, 计 28 种情形. 综合上述讨论, 满足要求的不同算式共有 100 种.

⑲ $1 \sim 7$ 中有 4 个奇数, 3 个偶数, 可以有如下图三种放置, 使得每行、每列中既有奇数, 又有偶数.

第 19 题

放置奇数的方框有 $4 \times 3 \times 2 \times 1 = 24$(种) 填法, 放置偶数的方框有 $3 \times 2 \times 1 = 6$(种) 填法, 根据乘法原理, 共有 $24 \times 6 \times 3 = 432$(种) 不同的填法.

⑳ 将算式转化成如下:

不难看出四位数最高位一定是 1, 百位是 0, 三位数的最高位是 9. 从这个竖式知, 个位有进位和不进位的情况, 十位必进位.

$$
\begin{array}{r}
9\ a\ b \\
+\ \ \ c\ d \\
\hline
10\ \cdots
\end{array}
$$

(1) 个位不进位:

$b = 0, d = 0, 1, 2, \cdots, 9,$ 10 种

$b = 1, d = 0, 1, 2, \cdots, 8,$ 9 种

...
$b = 9, d = 0,$ 　　　　　　　　　　　1 种

共$(1 + 10) \times 10 \div 2 = 55$(种)

同时:(十位进位)

$a = 1, c = 9$ 　　　　　　　　　　　1 种

$a = 2, c = 8, 9$ 　　　　　　　　　　2 种

···　　　　　　　　　　　　　　　　···

$a = 9, c = 1, 2, 3, \cdots, 9,$ 　　　　9 种

共$(1 + 9) \times 9 \div 2 = 45$(种)

(2) 个位进位:

b, d 的情形同以上 a 和 c 情况一样有 45 种;同时:

$a = 0, c = 9$ 　　　　　　　　　　　1 种

$a = 1, c = 8, 9$ 　　　　　　　　　　2 种

···　　　　　　　　　　　　　　　　···

$a = 8, c = 1, 2, 3, \cdots, 9$ 　　　　9 种

$a = 9, c = 1, 2, 3, \cdots, 9$ 　　　　9 种

共有$(1 + 9) \times 9 \div 2 + 9 = 54$(种)

所以一共有 $55 \times 45 + 45 \times 54 = 4905$(种).

第16讲

递推的方法

1 这列数的规律是第 n 个数为 $(n+1)^2-1$. 所以第 36 个数是 $(36+1)^2-1=1368$.

2 观察知区域中的数字代表该区域曲边的个数(曲边即连接两顶点的线为非直线),故阴影处填 5.

3 设第一个数是 x,第二个数是 y,则八个数依次为 x,y,$x+y$,$x+2y$,$2x+3y$,$3x+5y$,$5x+8y$,$8x+13y$. 由 $\begin{cases} 2x+3y=7, \\ 8x+13y=30, \end{cases}$ 解得 $x=\dfrac{1}{2}$,$y=2$. 所以第一个数是 $\dfrac{1}{2}$.

4 由所列树形图,共有 6 种路线.

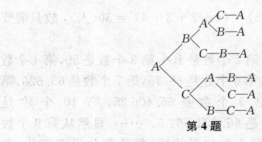

第 4 题

5 $45\times2+G=$ 中间数 $\times7$,(1)$G=8$,中间数 $=14$;(2)$G=15$,中间数 $=15$;(3)$G=22$,中间数 $=16$,经试验 $G=15$ 是符合题目要求的.

6 考虑绳子被对折后形成的弯.绳子对折 3 次,绳子共折成 8 段,其中弯有 7 个弯.绳子被剪 6 刀,即每段绳子被剪成 7 段,这样绳子共被剪成 56 段,由于有 7 个弯,把两段绳子连在一起,所以原来的绳子被剪成 $56-7=49$(段).

7 在 10 个点中任意取一点,与四边形的四个顶点构成 4 个三角形.再在剩下的 9 个点中任意取一点,它必定落在某一个三角形中,只能与三角形的三个顶点构成三个三角形,即增加 2 个三角形.以后各点情况都与此相同.除了第一点增加 4 个三角形外,其余各点都只增加 2 个三角形.所以共可以剪出 $4+(10-1)\times 2=22$(个)三角形.

8 三角形内角和是 $180°$,长方形(也就是凸四边形)可分为 2 个三角形,故内角和为 $180°\times 2$,凸五边形可分为 3 个三角形,故内角和为 $180°\times 3$,…,所以凸 n 边形的内角和为 $(n-2)\times 180°$.凸十边形的内角和是 $(10-2)\times 180°=1440°$.

9

站　　次	起点	2	3	4	5	6	7	8	9	10	终点
上车(最少)	10	9	8	7	6	5	4	3	2	1	/
下车(人)	/	1	2	3	4	5	6	7	8	9	10

$(10+9+8+7+6)-(1+2+3+4)=30$(人),故只需要 30 个座位.

10 第 1 个数是 0,第 2 个数是 100,第 3 个数是 50,第 4 个数是 75,第 5 个数是 62.5,第 6 个数是 68.75,第 7 个数是 65.625,第 8 个数是 67.1875,第 9 个数是 66.40625,第 10 个数是 66.796 875,第 11 个数是 66.601 562 5,……,显然从第 9 个数开始,每个数都是前面两个数的平均数,整数部分没有变化,变化的只是前面两个数小数部分的平均数.所以第 2013 个数的整数部分是 66.

11 从第 1 页编到 999 页共用去 $9+180+2700=2889$(个)数码,剩下的 $7825-2889=4936$(个)数码编四位数,能编 $4936\div 4=1234$(个)四位数码,所以这本书共有 $999+1234=2233$(页).

12

第 n 次传球	传球共有的方式	不在甲手中的方式	在甲手中的方式
1	4	4	0
2	16	12	4
3	64	52	12
4	256	204	52

所以共有 52 种传球方式.

13 一个长方形能把平面分成 2 部分. 当第二个长方形与第一个长方形边与边相交,可以有 8 个交点,增加了 8 个部分,所以两个长方形能把平面分成 $2+8=10$ 部分. 当第三个长方形与平面上两个长方形相交,最多有 16 个交点,可以增加 16 部分,所以三个长方形能把平面分成 $10+16=26$ 部分.

14 第一个月:只有一对小兔. 第二个月:一对小兔长大,但不会生殖. 仍只有一对兔子. 第三个月:这对大兔生了一对小兔,这时共有 2 对兔子. 第四个月:大兔子又生了一对小兔,而上月生的小兔不会生殖,所以这时有 3 对兔子. 第五个月:这时已经有 2 对兔子可以生殖,于是生了 2 对小兔,此时共有 5 对兔子. ……把推算结果列表.

月份数	1	2	3	4	5	6	7	8	9	10	11	12
兔对数	1	1	2	3	5	8	13	21	34	55	89	144

所以满一年时共有 144 对兔子.

15 设图中三角形 2 的边长为 x,则三角形 3 的边长为 $x+1$,三角形 4 的边长分别为 $x+2$,三角形 5 的边长为 $x+3$,又为 $2x$. 所以有 $2x=x+3,x=3$,即三角形 2、3、4、5 的边长分别是 3,4,5,6. 六边形的周长 $=3+3+4+4+5+5+6=30$.

16 每次"生长"周长增加了 1,即变为原来的 $\frac{4}{3}$ 倍,两次生长

$$9 \times 3 \times \frac{4}{3} \times \frac{4}{3} = 48;$$

五次生长 $9 \times 3 \times \frac{4}{3} \times \frac{4}{3} \times \frac{4}{3} \times \frac{4}{3} \times \frac{4}{3} = \frac{1024}{9}$.

17 五局的总分中得分含有几个 13 分来分类计算：

每局都没得 13 分的有 10、11、12、13、14、15 共 6 个；

有一局得 13 分的有 21、22、23、24、25 共 5 个；

有二局得 13 分的有 32、33、34、35 共 4 个；

有三局得 13 分的有 43、44、45 共 3 个；

有四局得 13 分的有 54、55 共 2 个；

五局都得 13 分的有一个 65 分.

可取的分共有 $1+2+3+4+5+6 = 21$(个)，不可取的分是 $65-9-21 = 35$(个).

18 设 $a, b, c, d, e, f, g, h, i$ 分别表示九个小朋友所想的数，则：

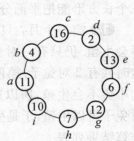

第 18 题

$a = 2 \times 4 - c = 8 - c,$

$b = 2 \times 16 - d = 32 - d,$

$c = 2 \times 2 - e = 4 - e,$

$d = 2 \times 13 - f = 26 - f,$

$e = 2 \times 6 - g = 12 - g,$

$f = 2 \times 12 - h = 24 - h,$

$g = 2 \times 7 - i = 14 - i,$

$h = 2 \times 10 - a = 20 - a,$

$i = 2 \times 11 - b = 22 - b,$

$a = 8 - c = 8 - 4 + e = 4 + e = 4 + 12 - g = \cdots = 14 - a.$

从而 $a = 14 - a, a = 7.$

所以报 11 的人想的数是 7.

19 这列数中 5 的倍数是第 2，7，12，17，…个数，它们是 $15, 15+1 \times 7 \times 5, 15+2 \times 7 \times 5, 15+3 \times 7 \times 5, \cdots$，其中第一个被 5^3 整除的数，经试算是 $15+21 \times 7 \times 5 = 750$，8，<u>15</u>，22，29，

36，43，50，57，64，71，78，85，…，750，…

n 的最小值是 $(750-1) \div 7 = 107$.

❷⓪ 3 和 4 的最小公倍数为 12. 每 12 个同学中，必然有 3 个同学报同一个数. 60 以内（不包括 60）最大的 12 的倍数是 48，所以有 $48 \div 12 = 4$（组）顺序完全相同的组. 这 48 个同学共有 $3 \times 4 = 12$（个）同学报同一个数. 所以其他同学一共有 $15 - 12 = 3$（名）同学报同一个数. 于是题目就转换为：有 11 个以内的同学，排成一排，先从左至右 1，2，3，4，1，2，3，4 报数，再从右至左 1，2，3，1，2，3 报数，两次报同一个数的同学有 3 名. 问一共有几个同学？假如从左向右报的时候，最后一个同学报 4，则可能有 4 或 8 人，两次报同一个数的人数分别为 1 或 2. 假如从左向右报的时候，最后一个同学报 3，则可能有 3、7 或 11 人，两次报同一个数的人数分别为 1、2 或 3. 假如从左向右报的时候，最后一个同学报 2，则可能有 2、6 或 10 人，两次报同一个数的人数分别为 0、1 或 2. 假如从左向右报的时候，最后一个同学报 1，则可能有 1、5 或 9 人，两次报同一个数的人数分别为 0、2 或 3. 所以本题的答案是：$48 + 11 = 59$（人）或 $48 + 9 = 57$（人）.

第17讲

重 叠 问 题

1 如右图，至少有一种琴的人数 $(a+c+b)$ 是 $46-14=32$（人），只有小提琴的人数 (c) 是 $32-22=10$（人），两种琴都有的人数 (b) 是 $10\div5\times3=6$（人），只有电子琴的人数 (a) 是 $22-6=16$（人）.

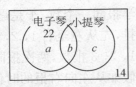

第 1 题

2 只复习数学的占 $48\%\times50\%=24\%$，两门功课都复习了的人数占总数的 $1-48\%-24\%=28\%$.

3 设栅栏 A、B、C 的宽度分别为 a、b、c，则 $a+b=15$，$b+c=14$，$c+a=13$. 故 $2a=(a+b)+(c+a)-(b+c)=14$，解得 $a=7$，同理，可得到 $b=8$，$c=6$.

4 两个正方形的面积分别为 100 平方厘米和 49 平方厘米，把两个正方形面积加起来等于空白算了 1 次，阴影算了 2 次. 所以阴影部分的面积是 $(100+49-87)\div2=31$ 平方厘米.

5 大正方形中阴影部分面积与空白部分面积的比值是 $\frac{6}{7}\div\left(1-\frac{6}{7}\right)=6$，小正方形中阴影部分面积与空白部分面积的比值是 $\frac{3}{4}\div\left(1-\frac{3}{4}\right)=3$. 又两个正方形具有相同的空白部分，因此所求的两个阴影部分面积之比即为 $3:6=1:2$.

6 设甲的面积为 x，乙的面积为 y，由题意有 $\dfrac{x}{3}+\dfrac{y}{2}=\dfrac{1}{4}\times\dfrac{5}{3}\times(x+y)$，解得 $x:y=1:1$. 所以甲、乙两圆面积之比是 $1:1$.

7 不会游泳、不会骑自行车、不会打乒乓球的人分别有 22

人、17 人、10 人,至少有一项不会的人最多为 22 + 17 + 10 = 49(人). 由此这个班至少有 52 - 49 = 3(人) 这三项运动都会.

8 两科都参加的总人数 = (120 + 80) + (120 + 80) - 260 = 140(人),两科都参加的女生人数 = 140 - 75 = 65(人),只参加数学竞赛的女生人数 = 80 - 65 = 15(人).

9 按报名表计算,参加人数为:15 + 13 + 14 - (4 + 6 + 5) + 2 = 29(人),与实际 28 人参加,矛盾. 所以这个报名表一定有错误.

10 由本讲中例 1 可知,分母是 1001 的最简分数的个数是 720. 又真分数 $\frac{a}{1001}$ 和真分数 $\frac{1001-a}{1001}$(a 与 1001 互质)是成对出现的,故上述 720 个真分数可以分成 360 对,每一对之和为 1,故上述 720 个分母是 1001 的真分数之和为 360. 所以所有小于 1001 且与 1001 互质的数之和为 360 × 1001 = 360 360.

11 因为 $105 = 3 \times 5 \times 7$,所以本题相当于求前 105 个自然数中,不能被 3,5,7 中任何一个整除的个数. $105 - \left(\left[\frac{105}{3}\right] + \left[\frac{105}{5}\right] + \left[\frac{105}{7}\right] - \left[\frac{105}{3 \times 5}\right] - \left[\frac{105}{3 \times 7}\right] - \left[\frac{105}{5 \times 7}\right] + \left[\frac{105}{3 \times 5 \times 7}\right]\right) = 105 - (35 + 21 + 15 - 7 - 5 - 3 + 1) = 105 - 57 = 48(个).$

12 75 + 83 + 65 - 130 - 10 = 83(人).

13 爱打乒乓球的有 $60 \times \frac{2}{3} = 40$(人),爱踢足球的有 $60 \times \frac{3}{4} = 45$(人),爱打篮球的有 $60 \times \frac{4}{5} = 48$(人),减去三项运动都爱好的 22 人,还分别有 18,23,26 人. 这些人同时爱好两项运动的人越少,三项运动都不爱好的人才能越多. 由 (18 + 23 + 26) ÷ 2 = 32……1 知,爱好三项运动之一的人至少有 22 + 32 + 1 = 55(人),

所以三项运动都不爱好的最多有 5 人.

14 $156 + (156 + 40) + (156 - 26) - 74 - 80 - 80 \div 2 + 30 = 318$(人).

15 设同时得到第一、二、三名次的有 x 人，根据题意有 $x + (10 - x) + (9 - x) + (x - 1) + 8 + 2x + (17 - x) = 50$，解得 $x = 7$，即同时得到第一、二、三名次的有 7 人.

16 （1）因为没有会三项运动的人，因此假使会这三项运动之一的人都会两项，也要 $(17 + 13 + 8) \div 2 = 19$(人)，这些人数学都及格了，再加上数学不及格的 6 人，正好是 25 人，所以没有人数学优秀.

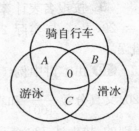

第 16 题

（2）如图：$A + B = 17$，$B + C = 8$，$A + C = 13$；$C = (13 + 8 - 17) \div 2 = 2$. 所以全班有 2 人既会游泳又会滑冰.

17 盖住桌子的总面积是：$120 \times 3 - 40 - 65 - 45 + 32 = 242$(平方厘米).

18 两个半圆的面积减去直角三角形 ABC 的面积就是阴影部分的面积，如图所示.

$$S_{\text{大半圆}} = S_1 + S_2 + S_4, \quad S_{\text{小半圆}} = S_2 + S_3 + S_5, \text{于是}$$

$$\begin{aligned}
S_{\text{大半圆}} + S_{\text{小半圆}} &= (S_1 + S_2 + S_4) + (S_2 + S_3 + S_5) \\
&= (S_1 + S_2 + S_3) + (S_2 + S_4 + S_5) \\
&= S_{\text{阴影}} + S_{\triangle ABC}.
\end{aligned}$$

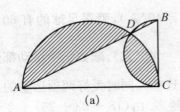

(a)

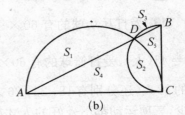

(b)

第 18 题

所以 $S_{阴影} = S_{大半圆} + S_{小半圆} - S_{\triangle ABC}$

$$= \frac{1}{2} \times \pi \times 2^2 + \frac{1}{2} \times \pi \times 1^2 - \frac{1}{2} \times 4 \times 2$$

$$= \frac{5}{2} \times \pi - 4 = 3.85 (平方厘米).$$

19 设参加竞赛的总人数有 x 人,那么参加数学竞赛的有 $\frac{2}{3}$ x 人,参加语文竞赛的有 $\frac{3}{4}x$ 人,根据已知有 $\frac{2}{3}x + \frac{3}{4}x - x = 45$.

解得 $x = 108$;$\frac{2}{3}x = \frac{2}{3} \times 108 = 72, 72 - 45 = 27$(人),所以参加数学竞赛而未参加语文竞赛的有 27 人.

20 设全年级共有 x 人,则参加竞赛的人数为 $\frac{2}{5}x$ 人,参加跳高的人数为 $\frac{2}{5}x \times \frac{2}{5} = \frac{4}{25}x$,参加跳绳的人数为 $\frac{2}{5}x \times \frac{3}{4} =$

$\frac{3}{10}x$. 根据已知有 $\left(\frac{4}{25} + \frac{3}{10} - \frac{2}{5}\right)x = 12$,解得 $x = 200$. 所以

参加跳高的人数有 $\frac{4}{25}x = \frac{4}{25} \times 200 = 32$(人),参加跳绳的人数

有 $\frac{3}{10}x = \frac{3}{10} \times 200 = 60$(人).

第18讲

钟面上的数学问题

❶ 3 点时,分针落后时针 15 格,当分针与时针在一条直线上,而且指向相反时,分针超过时针 30 格,所以经过时间:$(15 + 30) \div \left(1 - \dfrac{1}{12}\right) = 49\dfrac{1}{11}$(分钟),所以这时刻是 3 点 $49\dfrac{1}{11}$ 分.

❷ 3 时整,分针与时针之间的夹角 $360 \div 12 \times 3 = 90$(度).

重合时分针比时针多旋转 90 度,所以经过 $90 \div (6 - 0.5) = 16\dfrac{4}{11}$(分),钟面上 3 时 $16\dfrac{4}{11}$ 分时,分针和时针重合.

❸ 分两种情况考虑:

(1) 在顺时针方向,分针与时针相交成 270 度.

分针落后于时针 $270 \div 6 = 45$ 格,而 10 点整时分针落后于时针 50 格,所以分针要比时针多走 5 格,而分针每分钟比时针多走 $1 - \dfrac{1}{12} = \dfrac{11}{12}$(格).到这时刻所用的时间为:

$$5 \div \left(1 - \dfrac{1}{12}\right) = 5\dfrac{5}{11} \text{(分钟)}.$$

(2) 在顺时针方向,分针与时针成 90 度角时,分针落后于时针 90 度,即落后 15 格.

所以到达这一时刻所用时间为:

$$(50 - 15) \div \left(1 - \dfrac{1}{12}\right) = 38\dfrac{2}{11} \text{(分钟)}.$$

所以在 10 点 $5\dfrac{5}{11}$ 分和 10 点 $38\dfrac{2}{11}$ 分,时针与分针垂直.

4 2 点 15 分,分针已经超过时针,所以一定在 3 点多分针才能与时针第一次重合. 当作现在是 3 点,经过 $15 \div \left(1 - \dfrac{1}{12}\right) = 16\dfrac{4}{11}$(分),两针重合. 所以从 2 点 15 分到 3 点 $16\dfrac{4}{11}$ 分,需经过 $61\dfrac{4}{11}$ 分钟.

5 设现在是 10 点 x 分,得 $60° - 0.5° \times (x - 3) + 6° \times x + 6° \times 6 = 180°$,$x = 15$,现在是 10 点 15 分.

6 在 7 点时,分针落后时针 35 格.(1)当两针之间的夹角为 120 度时,分针落后于时针 20 格,这时:$(35 - 20) \div \left(1 - \dfrac{1}{12}\right) = 16\dfrac{4}{11}$(分). 所以此时是 7 点 $16\dfrac{4}{11}$ 分. (2)当分针超前时针 20 格时,分针与时针的夹角也是 120 度. 这时:$(35 + 20) \div \left(1 - \dfrac{1}{12}\right) = 60$(分). 所以此时正好是 8 点整.

7 一个标准钟时针与分针应该是 $65\dfrac{5}{11}$ 分钟重合一次,根据题意,标准时间走 66 分钟,老式钟需走 $65\dfrac{5}{11}$ 分钟. 时针与分针每重合一次,老式钟慢 $\dfrac{6}{11}$ 分钟. 所以一昼夜慢:

$$\dfrac{6}{11} \times (24 \times 60 \div 66) = 11\dfrac{109}{121}\text{(分钟)}.$$

8 4:00 时,时针和分针所夹的角度为 $120°$. 因分针每分钟转动 $6° \left(= \dfrac{360°}{60}\right)$,时针每分钟转动 $0.5° \left(= \dfrac{30°}{60}\right)$,其分针每分钟比时针多走了 $6° - 0.5° = 5.5°$. 因分针必须比时针多走 $110° (= 120° - 10°)$,故需 $\dfrac{110°}{5.5°} = 20$(分钟). 因此在 4:20 时针和分针首次

夹角为 $10°$.

9 假设在 3 点 x 分时满足题意,此时时针以顺时针方向转动 $\frac{1}{2}x°$,即时针以逆时针转到刻度 12 的距离为 $90°+\frac{1}{2}x°$. 分针以顺时针方向转动 $6x°$,即分针以顺时针转到刻度 12 的距离为 $360°-6x°$. 故可得知 $90°+\frac{1}{2}x°=360°-6x°$,即 $\frac{13}{2}x=270$,故知 $x=\frac{540}{13}=41\frac{7}{13}$,即 3 点 $41\frac{7}{13}$ 分时针以逆时针转到刻度 12 的距离等于分针以顺时针转到刻度 12 的距离.

10 从 10 点到 10 点半这段时间内,电子表表示小时的两位只能是 1 与 0. 由于六个数字都不相同,表示分钟的十位数字只能为 2,表示秒钟的十位数字可能为 3,4,5 有三种可能. 表示分钟的个位上就有六种选择,最后表示秒钟的个位就有五种选择. 根据乘法原理可得 10 点到 10 点半之间,电子表上六个数字都不相同的时间有 $3×5×6=90$ 个.

11 可知 2 时、12 时、20 时至 23 时这 6 个小时里表面都必有 2,而其他 18 个小时里每小时内仅有 2 分、12 分、20 分至 29 分、32 分、42 分、52 分共 15 个分钟时刻表面有 2,因此总共有 $60×6+18×15=630$ 分钟表面上显示有数码 2.

12 由 A 地中午 12 时为 B 地当地时间当日下午 3 时,可知 A 地时间下午 7 时为 B 地当地时间当日下午 10 时,因此飞机由 A 地起飞至 B 地需 10 小时. 因飞机往返所需的飞行时间相同,所以上午 9 时由 B 地起飞的飞机将于 B 地当地时间 19 时(下午 7 时)抵达 A 地,即于 A 地时间 16 时(下午 4 时)抵达.

第 13 题

13 分针一分钟走 $360°÷60=6°$,时针每分钟走 $360°÷12÷60=0.5°$. 因下午四点时两针夹角 $240°$,且因修表师傅只弄错分针的转向而导致分针与时针的方向恰相反,所

以两针会在经过 $240° \div (6° + 0.5°) = \dfrac{480°}{13} = 36\dfrac{12}{13}$ 分钟后相遇,

但因分针的转动方向为逆时针,所以 $36\dfrac{12}{13}$ 分钟后的分针位于钟

面上 $60 - 36\dfrac{12}{13} = 23\dfrac{1}{13}$ 分处,即两针重合时所显示的时刻为 4

时 $23\dfrac{1}{13}$ 分.

14 设北京时间为标准时间,依题意有:1 北时 = 1 标时,

$v_{北} = 1$ 格 / 标时,23 钟时 = 24 标时,1 钟时 = $\dfrac{24}{23}$ 标时,$v_{钟} = \dfrac{23}{24}$

格 / 标时,25 表时 = 24 钟时,1 表时 = $\dfrac{24}{25}$ 钟时 = $\dfrac{24 \times 24}{23 \times 25}$ 标时,

$v_{表} = \dfrac{23 \times 25}{24 \times 24}$ 格 / 标时. 显然 $v_{钟} < v_{表} < v_{北}$. 设北京时间追表的周

期为:$T_{(北 \to 表)}$;表追钟的周期为:$T_{(表 \to 钟)}$,则:

$$T_{(北 \to 表)} = 12 \div \left(1 - \dfrac{23 \times 25}{24 \times 24}\right) = 12 \times 24 \times 24 (标时),$$

$$T_{(表 \to 钟)} = 12 \div \left(\dfrac{23 \times 25}{24 \times 24} - \dfrac{23}{24}\right) = 12 \times 24 \times 24 \div 23 (标时),$$

$$[12 \times 24 \times 24, 12 \times 24 \times 24 \div 23] = 12 \times 24 \times 24 (标时) = 288 (标天).$$

所以再过北京时间 288 天,小黄家的钟、小黄的表再次与北京
时间都同时指向 12 的位置.

15 由于表有的比准确时间快,有的比准确时间慢,所以准确
时间只可能是 8:20 和 8:24. 如果准确时间是 8:20,那么慢表是
8:08. 与准确时间相差 12 分钟,说明对准时间后走了 $12 \div 2 = 6$(小时),快表应当快 $3 \times 6 = 18$ 分钟,显示 8:38,与题意不符;如
果准确时间是 8:24,那么快表是 8:48. 与准确时间相差 24 分钟,
说明对准时间后走了 $24 \div 3 = 8$(小时),慢表应当慢 $2 \times 8 = 16$ 分
钟,显示 8:08,与题意相符. 准确时间是 8:24.

16 设 8 点 x 分,两针重合. 得 $\dfrac{1}{12}x = x - 40$,$x = 43\dfrac{7}{11}$,即

8 点 43 $\frac{7}{11}$ 分,同理可知是 2 点 43 $\frac{7}{11}$ 分回家,外出了 6 个小时.

17 设他 6 点 x 分外出,6 点 y 分回家,得 $\left(180+\frac{x}{2}\right)-6x=$

110 和 $6y-\left(180+\frac{y}{2}\right)=110$,得 $6(y-x)-\frac{1}{2}(y-x)=220$,即

$y-x=40$,他外出了 40 分钟.

18 9 点整到 11 点半,标准时间间隔 2 小时 30 分,是 2.5 小时.闹钟每小时快 2 分钟,2.5 小时快 $2\times2.5=5$(分钟),所以小玲应把闹钟定在 11 点 35 分响铃.

19 小张在 12 点 10 分上发条后到下班回到家 9 点钟,共用了 8 小时 50 分钟.其中有 8 小时是上班时间,还有提前到工厂的10 分钟,所以小张上班和下班在路上所用的时间是 40 分钟,家到工厂路程需要 $40\div2=20$(分钟).小张是 2 点 50 分到工厂的,所以他离开家门的时间 2 点 30 分(也就是上发条的时间).时钟是 12 点10 分停的,所以此时已经停了 2 小时 20 分.

20 标准时间从下午 6:00 到晚上 9:00,过了 3 个小时也就是时针本该走 $30°\times3=90°$,但是这个闹钟的时针实际走的角度为 $30°\times2+30°\times\frac{45}{60}=82.5°$,时针与实际时间的时针走的速度之比为:82.5°:90°,现在闹钟的时间为早上 6:17,那么时针走的角度为$360°+30°\times\frac{17}{60}=368.5°$,则实际时间时针走过的角度为 $368.5°\times$

$\frac{90}{82.5}=402°$,实际已过的时间为 $402°\div30°=13.4$(小时)$=13$小时 24 分,故此时北京时间为早晨 7:24.

第19讲

上楼梯问题

1 小明共走了 $48 \div 16 = 3$（层）楼梯，所以他家住在 $3 + 1 = 4$（层）.

2 从一楼走到五楼，走了四层楼梯，所以走一层楼梯要用时 $36 \div 4 = 9$（秒）. 从二楼走到七楼要走 5 层楼梯，所以用时 $9 \times 5 = 45$（秒）.

3 小英要走 $240 \div (17 - 1) \times (6 - 1) = 75$（级）楼梯.

4 李明共走了 $4 - 1 + 4 - 2 = 5$（层）楼梯，每层楼梯要走 16 级台阶，所以他共走了 $16 \times 5 = 80$（级）台阶.

5 甲跑 3 层，乙跑 2 层. 所以甲跑了 15 层，乙可以跑 $(16 - 1) \div (4 - 1) \times (3 - 1) = 10$（层）楼梯，所以乙这时跑到了 $10 + 1 = 11$（层）.

6 首先我们先要计算出小明从下面走到上面，向上走了几次，向下走了几次，然后算出小明共走了多少级台阶.

我们把小明上、下一次，能向上走 1 级，这样走了 7 次，小明此时已经走到了第 7 级台阶上，最后他向上走 3 级台阶就到了最上面. 这样小明向上走了 8 次，向下走 7 次，所以他共走了 $(2 + 3) \times 7 + 3 = 38$（级）台阶.

7 上、下一个来回共走了 192 级台阶，因为上下楼梯级数是一样的. 所以他走到最上面一层楼要走 $192 \div 2 = 96$（级）台阶. 由于一层楼梯有 16 级，所以这幢楼共有 $96 \div 16 + 1 = 7$（层）.

8 从一楼走到五楼，走了四层楼梯，所以走一层楼梯要用时 $68 \div 4 = 17$（秒）. 从一楼走到十楼要走 9 层楼梯，所以共用时 $17 \times 9 = 153$（秒）.

9 9:00 到 9:12 是 12 分,办事用 10 分,乘电梯上下用 12−10 = 2(分),2 分 = 120 秒,120÷(3+2)+1 = 25(层).

10 小李上、下一个来回共走了 96 级台阶,所以他上楼要走 96÷2＝48(级)台阶.由于一层楼梯有 16 级,所以他走了 48÷16＝3(层)楼梯,所以小李到第四层办事.

11 佳佳走 8 层楼梯用时 4 分钟,走每层楼梯用时 4÷8＝0.5(分).假设佳佳返回时走到底层,还需要用时 0.5×2＝1(分).这样佳佳上下共用时 10+1＝11(分),佳佳走到最上面用时:11÷2＝5.5(分).她这时走到 5.5÷0.5+1＝12(层).所以佳佳又向上走了 12−9＝3(层)楼梯.

12 $10 \div \left[\left(1-\dfrac{1}{10}\right) \times \left(1-\dfrac{1}{9}\right) \times \cdots \times \left(1-\dfrac{1}{2}\right)\right] \div 20 + 1 = 6$(层).

13 可知楼梯数同时为 3 的倍数加 2,4 的倍数加 3 和 5 的倍数加 4.换言之,即为 3 的倍数减 1,4 的倍数减 1 和 5 的倍数减 1.因 3、4、5 的最小公倍数是 60,所以楼梯数可能为 60−1,60×2−1,….已知这座高塔大约有 100 ~ 150 阶楼梯,所以楼梯数为 60×2−1 = 119 阶.

14 将这题看作有 12 级楼梯,每次走 1 级或 2 级,要登上第 12 级共有多少种不同的走法.不难得到 1,2,3;5,8,13,21,34,55,89,144,233.这只青蛙从河的一岸跳到对岸共有 233 种不同跳法.

15 将这题看作有 10 级楼梯,每次走 2 级或 3 级,要登上第 10 级共有多少种不同的走法.不难得到 0,1,1,1,2,2,3,4,5,7,….共有 7 种不同走法.

16 根据例 4,我们得到登上各级台阶的不同走法:1,2,4,7,13,24.所以从下面走到上面共有 24 种不同的走法.

17 这样把问题转化成有 10 级楼梯,每次走 1 级、2 级、或 3 级,从第 1 级要登上第 10 级共有多少种不同的走法.

不难得到小明登上各级楼梯的方法数依次为 1，2，4，7，13，24，44，81，149，274 种不同的方法. 因此，小明吃完这些糖共有 274 种不同的方法.

18 13 层高楼有 $13-1=12$（层）楼梯，由没走的是已走的 $1+\dfrac{2}{5}=\dfrac{7}{5}$ 可知，没走的楼梯是全部楼梯的 $\dfrac{7}{5+7}=\dfrac{7}{12}$，即 $12\times\dfrac{7}{12}=7$（层），所以她在 $12-7+1=6$（层）.

19 设男孩到达顶部所需要的时间为 t，那么在这段时间内扶梯上升 a 级，男孩到达顶部时女孩只能走 $27\div2=13.5$（级），而女孩走了 18 级，还需要走 $18-13.5=4.5$（级）. 所以还要用时 $(4.5\div13.5)t=\dfrac{1}{3}t$，在这段时间内扶梯又上升 $\dfrac{1}{3}a$ 级. 根据自动扶梯的可见长度相等，所以有 $27+a=18+\left(1+\dfrac{1}{3}\right)a$，解得 $a=27$，所以自动扶梯可见部分有 $27+27=54$（级）.

20 从 A 点走到 B 点共有（如图所示）132 种不同走法. 每种走法都要走 10 个单位长度，相当于要登 10 级台阶，每步只能登 1 级、2 级或 3 级，都有 274 种不同走法. 所以从 A 点到 B 点共有 $132\times274=36\,168$（种）不同的走法.

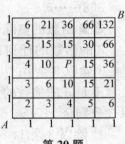

第 20 题

第**20**讲

同余问题

❶ 设被除数为 a，商为 b，依题意得：$a = 23b + 2$，被除数扩大 4 倍得：$4a = 92b + 8$，$8 < 23$，所以余数是 8.

❷ 设被除数为 a，商为 b，依题意得：

$$a \div 11 = b \cdots\cdots 3，即 a = 11b + 3，\qquad ①$$
$$(a + 11) \div 13 = b，即 13b = a + 11，\qquad ②$$

把 ① 代入 ② 得：$13b = 11b + 3 + 11$，$b = 7$，所以 $a = 11b + 3 = 11 \times 7 + 3 = 80$.

❸ $390 - 369 = 21$，$425 - 390 = 35$，$(21, 35) = 7$，$2581 \div 7 = 368 \cdots\cdots 5$.

❹ 由数的整除性质和同余性质可推知：

3 的倍数的任何次方（0 除外）除以 3 的余数为 0，可知 $3^3 + 6^6 + 9^9$ 除以 3 余 0；

不是 3 的倍数的偶次方除以 3 的余数为 1，可知 2^2、4^4、8^8 除以 3 分别余 1；

1^1 除以 3 余 1，5^5 与 2^5 对于 3 同余，它们除以 3 余 2；

7^7 与 1^7 对于 3 同余，它们除以 3 余 1.

因为 $(1 + 1 + 1 + 2 + 1 + 1) \div 3 = 2 \cdots\cdots 1$，所以 $1^1 + 2^2 + 3^3 + 4^4 + 5^5 + 6^6 + 7^7 + 8^8 + 9^9$ 除以 3 的余数是 1.

❺ $2001 - 1000 = 1001 = 7 \times 11 \times 13$，$1000 - 967 = 33 = 3 \times 11$. 由数的整除性质和同余性质可推知：这个整数是 11.

❻ $(1186 - 1)$，$(2609 - 2)$，$(4263 + 3)$ 一定能被某数整除.

于是 $2607 - 1185 = 1422 = 2 \times 3 \times 3 \times 79$，

$\qquad 4266 - 2607 = 1659 = 3 \times 7 \times 79$，

这个数最大是 $3 \times 79 = 237$.

7 我们把 1 到 30 共 30 个自然数根据除以 7 所得余数不同情况分为七组.例如,除以 7 余 1 的有 1,8,15,22,29 这五个数,除以 7 余 2 的有 2,9,16,23,30 五个数,除以 7 余 3 的有 3,10,17,24 四个数……要使取出的数中任意两个不同的数的和都不是 7 的倍数,那么能被 7 整除的数只能取 1 个,取了除以 7 余 1 的数,就不能再取除以 7 余 6 的数;取了除以 7 余 2 的数,就不能再取除以 7 余 5 的数;取了除以 7 余 3 的数,就不能再取除以 7 余 4 的数.为了使取出的个数最多,我们把除以 7 分别余 1、余 2、余 3 的数全部取出来连同 1 个能被 7 整除的数,共有 $5 + 5 + 4 + 1 = 15$(个),所以,最多能取出 15 个数.

8 四个运动员的号码的和被 3 除所得的余数分别是 2、0、2、1.所以 126 号运动员打的盘数最多,打了 $2 + 2 + 1 = 5$(盘).

9 这个四位数加上 1 后,能全部被除尽,而 2,3,…,9,10 的最小公倍数是 2520,所以该数是 $2520 \times k - 1$,而该数是四位数,只有当 $k = 1$、2、3 时,即分别为 2519、5039、7559 时满足条件.

10 这个三位数可以写成:$37 \times 商 + 17 = 36 \times 商 + (商 + 17)$.根据"被 36 除余 3",(商 + 17)被 36 除要余 3,商只能是 22(如果商更大的话,与题目条件"三位数"不符合).因此,这个三位数是 $37 \times 22 + 17 = 831$.

11 393 减 8,那么差一定能被两位数整除.因为 $393 - 8 = 385$,且 $385 = 5 \times 7 \times 11 = (5 \times 7) \times 11 = (5 \times 11) \times 7 = (7 \times 11) \times 5$,故能整除 385 的两位数有 4 个,分别为:11,35,55,77.

12 被 3 除余 2 的数有 2,5,8,11,…其中 8 被 5 除余 3,并且是满足此条件的最小数,而 $[3, 5] = 15$,所以 $8 + 15 = 23$,$23 + 15 = 38$,$38 + 15 = 53$…都满足被 3 除余 2 且被 5 除余 3.而 53 又满足了被 7 除余 4 这个条件,并且是最小的,因此所求的最小自然数是 53.

13 5 和 7 的公倍数从 105 起:105,140,175,210,245,

280，315，350，385，420，455，490，…

这一行被 11 除的余数分别是：6，8，10，1，3，5，7，9，0，2，4，…并以此 11 个数为周期循环出现，这 11 个数的和 55 正好是 11 的倍数．因为 $2000 \div 11 = 181 \cdots\cdots 9$，而前 9 个数的和 $6+8+10+1+3+5+7+9+0=49$，49 被 11 除的余数是 5，所以这 2000 个数的和被 11 除的余数是 5．

14 每 9 个连续自然数分别除以 9，余数和为 $1+2+3+\cdots+8 = 36$，因为 $1994 \div 9 = 221 \cdots\cdots 5$，所以 $36 \times 221 + (1+2+3+4+5) = 7971$．

15 设 $n \div 9 =$ 商$\cdots\cdots r$，那么 $9 \mid (n-r)$，$n-r =$ 商$\times 9$，根据一个整数与它的各位数字之和对于模 9 同余得：

$$n = \underbrace{19191919\cdots19191919}_{1919\text{个}1919} \equiv 1919 \times (1+9+1+9)$$

$$\equiv 1919 \times 20 \equiv 2 \times 2 \equiv 4 \pmod 9.$$

所以 $9 \mid (n-4)$，即 $n-4 =$ 商$\times 9$，又因为 $n-4$ 的个位数字是 5，所以 n 被 9 除所得商的个位数是 5．

16 设这个五位数为 a，a 除以 1 的余数为 0；因为 a 分别除以 1、2 的余数互不相同，所以 a 除以 2 的余数为 1；因为 a 分别除以 1、2、3 的余数互不相同，所以 a 除以 3 的余数为 2；依次递推可得 a 除以 1，2，3，…，11 的余数分别为 0，1，2，…，10．满足这个条件的自然数可以表示成：$[1，2，3，4，5，6，7，8，9，10，11]a-1 = 27\,720a-1$．可得 $(27\,720a-1) \equiv 11 \pmod{13}$，解得 a 的最小值为 3．所以这个五位数是 $27\,720 \times 3 - 1 = 83\,159$．

17 设这样的三位数为 $\overline{abc}$．因为任何数除以 9 的余数均小于 9，所以 $a^2+b^2+c^2 \leqslant 8$．由此推知 $a+b+c \leqslant 8$．由弃九法知，$\overline{abc}$ 除以 9 的余数就等于 $(a+b+c)$，于是得到 $a^2+b^2+c^2 = a+b+c$．由上式知 a，b，c 只能是 0 或 1，所以这样的三位数有：100，101，110，111．

18 设甲乙丙的羊头数为 x，y，z（正整数），则 $\dfrac{4(x+1)}{5} =$

$$\frac{x+1}{5}+y-1, \frac{5(x+2)}{7}=\frac{2(x+2)}{7}+z-2,$$ 因此 $\frac{3(x+1)}{5}=$

$y-1, \frac{3(x+2)}{7}=z-2$,进而 $x\equiv 4(\bmod 5)$, $x\equiv 5(\bmod 7)$,这

样, x 既是 4,9,14,19,23,29,… 中的一个,也要是 5,12,

19,… 中的一个.满足上述要求的最小 x 为 19,故, $y=13$, $z=$

11, $x+y+z=43$.

19 本题相当于求能被 6 整除,除以 7 余 1,除以 11 余 6 的最小

自然数.除以 7 余 1 的数有 1,8,15,22,29,36,43,50,57,…;除以

11 余 6 的数有 6,17,28,39,50,61,72,….满足条件的最小数

是 50(不能被 6 整除),$50+7\times 11=127$(不能被 6 整除),$50+7$

$\times 11\times 2=204$(能被 6 整除).所以 A,B,C 初次同时通过出发地

点是在 A 出发后 204 分钟.

20 用 $a_i(i=1,2,\cdots,9)$ 分别代表

1,2,3,4,5,6,7,8,9,填入圆圈中,a_1,

a_2,a_3,…,a_9 的位置如图所示,则有

第 20 题

$$a_1+a_2+a_3+a_4=a_4+a_5+a_6+a_7$$
$$=a_7+a_8+a_9+a_1$$
$$=p, \qquad (*1)$$

$$a_1^2+a_2^2+a_3^2+a_4^2\equiv a_4^2+a_5^2+a_6^2+a_7^2$$
$$\equiv a_7^2+a_8^2+a_9^2+a_1^2\equiv q(\bmod 3), \qquad (*2)$$

$$3p=a_1+a_2+a_3+\cdots+a_9+a_1+a_4+a_7$$
$$=45+a_1+a_4+a_7,$$

所以 $\qquad a_1+a_4+a_7\equiv 0(\bmod 3).$ $\qquad (*3)$

又因 $\qquad 3q\equiv a_1^2+a_2^2+a_3^2+\cdots+a_9^2+a_1^2+a_4^2+a_7^2$
$$\equiv 285+a_1^2+a_4^2+a_7^2(\bmod 3),$$

所以 $\qquad a_1^2+a_4^2+a_7^2\equiv 0(\bmod 3),$ $\qquad (*4)$

由 $(*3)$ 和 $(*4)$,得到 $a_1\equiv a_4\equiv a_7(\bmod 3).$

按模 3 将 1，2，3，4，5，6，7，8，9 分为 3 个同余类：$\{3，6，9\}$，$\{1，4，7\}$，$\{2，5，8\}$，首先设 $a_1 = 1$，$a_4 = 4$，$a_7 = 7$，则 $a_2 + a_3 + a_5 + a_6 + a_8 + a_9 = 45 - 12 = 33$，由（＊1），$a_2 + a_3 + a_5 + a_6 + a_8 + a_9 = 3(a_2 + a_3) - 6 - 3$，所以 $a_2 + a_3 = 14$．

① 三个等式 $a_2 + a_3 = 9 + 5$，$a_5 + a_6 = 2 + 6$，$a_8 + a_9 = 8 + 3$，由交换律，故有 $2^3 = 8$ 种填法；

② 三个等式 $a_2 + a_3 = 8 + 6$，$a_5 + a_6 = 3 + 5$，$a_8 + a_9 = 9 + 2$，也有 $2^3 = 8$ 种填法；

对于 $a_1 = 3$，$a_4 = 6$，$a_7 = 9$ 和 $a_1 = 2$，$a_4 = 5$，$a_7 = 8$，也各有 16 种不同填法．因此，共有 48 种不同的填入方法．

第21讲

抽 屉 原 理

1 将 40 名小朋友看成 40 个抽屉. 今有玩具 122 件, $122 = 3 \times 40 + 2$. 应用抽屉原理 2, 取 $n = 40$, $m = 3$, 立即知道: 至少有一个抽屉中放有 4 件或 4 件以上的玩具. 也就是说, 至少会有一个小朋友得到 4 件或 4 件以上的玩具.

2 设挂牌的三棵树依次为 A、B、C. $AB = a$, $BC = b$, 若 a、b 中有一为偶数, 命题得证. 否则 a、b 均为奇数, 则 $AC = a + b$ 为偶数, 命题得证.

3 从三种玩具中挑选两件, 搭配方式只能是下面六种: (兔、兔), (兔、熊猫), (兔、长颈鹿), (熊猫、熊猫), (熊猫、长颈鹿), (长颈鹿、长颈鹿). 把每种搭配方式看作一个抽屉, 把 7 个小朋友看作物体, 那么根据原则 1, 至少有两个物体要放进同一个抽屉里, 也就是说, 至少两人挑选玩具采用同一搭配方式, 选的玩具相同.

4 解这个问题, 注意到一个数被 3 除的余数只有 0, 1, 2 三个, 可以用余数来构造抽屉.

以一个数被 3 除的余数 0、1、2 构造抽屉, 共有 3 个抽屉. 任意五个数放入这三个抽屉中, 若每个抽屉内均有数, 则各抽屉取一个数, 这三个数的和是 3 的倍数, 结论成立; 若至少有一个抽屉内没有数, 那么 5 个数中必有三个数在同一抽屉内, 这三个数的和是 3 的倍数, 结论亦成立.

5 试想一下, 从箱中取出 6 只、9 只袜子, 能配成 3 双袜子吗? 回答是否定的. 按 5 种颜色制作 5 个抽屉, 根据抽屉原理 1, 只要取出 6 只袜子就总有一只抽屉里装 2 只, 这 2 只就可配成一双. 拿走这一双, 尚剩 4 只, 如果再补进 2 只又成 6 只, 再根据抽屉原理1,又可配成一双拿走.如果再补进2只,又可取得第3双.所以,至少要取 $6+2+2=10$ 只袜子,就一定会配成3双.

6 最不利的情况是首先取出的5个球中,有3个是蓝色球、2个绿色球.接下来,把白、黄、红三色看作三个抽屉,由于这三种颜色球相等均超过4个,所以,根据抽屉原理2,只要取出的球数多于 $(4-1)\times 3=9$ 个,即至少应取出10个球,就可以保证取出的球至少有4个是同一抽屉(同一颜色)里的球.故总共至少应取出 $10+5=15$ 个球,才能符合要求.

7 $1,4,7,10,\cdots,100$ 中共有34个数,将其分成 $\{4,100\}$,$\{7,97\}$,$\cdots$,$\{49,55\}$,$\{1\}$,$\{52\}$ 共18个抽屉,从这18个抽屉中任取20个数,若取到1和52,则剩下的18个数取自前16个抽屉,至少有4个数取自某两个抽屉中,结论成立;若不全取1和52,则有多于18个数取自前16个抽屉,结论亦成立.

8 (1)把12种属相看作12个抽屉,$28\div 12=2\cdots\cdots 4$,根据抽屉原理,至少有3个人的属相相同.(2)要保证至少4个人的属相相同,总人数最少为:$3\times 12+1=37$(人).(3)要保证有5个人的属相相同,总人数最少为:$4\times 12+1=49$(人),不能保证有6个人属相相同的最多人数为:$5\times 12=60$(人),所以总人数应该在49人到60人的范围内.

9 假设共有 n 个小朋友到公园游玩,我们把他们看作 n 个"苹果",再把每个小朋友遇到的熟人数目看作"抽屉",那么,n 个小朋友每人遇到的熟人数目共有以下 n 种可能:$0,1,2,\cdots$,$n-1$. 其中0的意思是指这位小朋友没有遇到熟人;而每位小朋友最多遇见 $n-1$ 个熟人,所以共有 n 个"抽屉".下面分两种情况来讨论:(1)如果在这 n 个小朋友中,有一些小朋友没有遇到任何熟人;这时其他小朋友最多只能遇上 $n-2$ 个熟人,这样熟人数目只有 $n-1$ 种可能:$0,1,2,\cdots$,$n-2$. 这样,"苹果"数(n 个小朋友)超过"抽屉"数($n-1$ 种熟人数目),根据抽屉原理,至少有两个小朋友,他们遇到的熟人数目相等.(2)如果在这 n 个小朋友中,每位小朋友都至少遇到一个熟人,这样熟人数目只有 $n-1$ 种可能:1,2,$\cdots$,$n-1$. 这时,"苹果"数(n 个小朋友)仍然超过"抽屉"数($n-1$ 种熟人数目),根据抽屉原理,至少有两个小朋友,他们遇到的熟人数目相等. 总之,不管这 n 个小朋友各遇到多少熟人(包括没遇到熟人),必有两个小朋友遇到的熟人数目相等.

⑩ 证明:把两种颜色当作两个抽屉,把正方体六个面当作物体,那么 $6 = 2 \times 2 + 2$,根据抽屉原理二,至少有三个面涂上相同的颜色.

⑪ 设法制造抽屉:(1)不超过 50 个;(2)每个抽屉里的数(除仅有的一个外),其中一个数是另一个数的倍数,一个自然数可以从数的质因数表示形式入手. 设第一个抽屉里放进数:1,1×2,1×22,1×23,1×24,1×25,1×26;第二个抽屉里放进数:3,3×2,3×22,3×23,3×24,3×25;第三个抽屉里放进数:5,5×2,5×22,5×23,5×24;$\cdots\cdots$第二十五个抽屉里放进数:49,49×2;第二十六个抽屉里放进数:51. $\cdots\cdots$第五十个抽屉里放进数:99.那么随意取出 51 个数中,必有两个数同属一个抽屉,其中一个数是另一个数的倍数.

⑫ 证明:把前 25 个自然数分成下面 6 组:{1},{2,3},{4,5,6},{7,8,9,10},{11,12,13,14,15,16},{17,18,19,20,21,22,23}.因为从前 25 个自然数中任意取出 7 个数,所以至少有两个数取自上面第 2 组到第 6 组中的某同一组,这两个数中大数就不超过小数的 1.5 倍.

⑬ 设放在圆周上的数按顺时针方向依次记为 a_1,a_2,a_3,$\cdots$,a_{100}.按顺时针方向,从 a_1 起,每一个数都可以和它相邻的前面的 3 个数组成一个四数之和,这样的和数共有 100 个:$a_1 + a_2 + a_3 + a_4$,$a_2 + a_3 + a_4 + a_5$,$a_3 + a_4 + a_5 + a_6$,$a_4 + a_5 + a_6 + a_7$,$\cdots$,$a_{100} + a_1 + a_2 + a_3$,因为 $(a_1 + a_2 + a_3 + a_4) + (a_2 + a_3 + a_4 + a_5) + (a_3 + a_4 + a_5 + a_6) + (a_4 + a_5 + a_6 + a_7) + \cdots + (a_{100} + a_1 + a_2 + a_3) = 4(a_1 + a_2 + a_3 + \cdots + a_{100}) = 4 \times (1 + 2 + 3 + \cdots +$

$100) = 4 \times 5050 = 20\,200.$ 把 100 个和数看成 100 个抽屉,那么,把 $20\,200$ 个 1 分进 100 个抽屉中,有 k 个 1 属于同一个抽屉,由于 $100 \mid 20\,200$,因此 $k = \left[\dfrac{20\,200}{100}\right] = 202.$ 所以,至少有一个和数不小于 202.

⑭ 证明:将所有小于 1 的正数分为 $n-1$ 个区间:

$$\left(0, \frac{1}{n-1}\right], \left(\frac{1}{n-1}, \frac{2}{n-1}\right], \cdots, \left(\frac{n-3}{n-1}, \frac{n-2}{n-1}\right], \left(\frac{n-2}{n-1}, 1\right].$$

故可将这 $n-1$ 个区间作为 $n-1$ 个抽屉.每个区间内的两个数之差都小于 $\dfrac{1}{n-1}$.

⑮ 一副扑克牌有四种花色,每种花色各 13 张,另外还有 2 张王牌,共 54 张.(1)为了"保证"5 张牌的花色相同,我们应从最"坏"的情况去分析,即先摸出了 2 张王牌,再把四种花色看作 4 个抽屉,要想有 5 张牌属于同一个抽屉,只需要再摸出 $4 \times 4 + 1 = 17$(张),也就是共摸出 19 张牌.即至少摸出 19 张牌,才能保证其中有 5 张牌的花色相同.(2)因为每种花色有 13 张牌,若考虑最"坏"的情况,即摸出了 2 张王牌和三种花色的所有牌共计 $13 \times 3 + 2 = 41$(张),这时,只需再摸 1 张即一共 42 张牌,就保证四种花色都有了.即至少摸出 42 张牌才能保证四种花色都有.

⑯ 证明:将 5 个面积为 1 的图形分别编为 1,2,3,4,5 号.在这 5 个图形中,1 号图形至多和其余 4 个相重叠;除 1 号图形外,2 号图形至多和其余 3 个相重叠;……依次类推,这 5 个图形两两重叠的次数为 $4 + 3 + 2 + 1 = 10$(次).因为 5 个面积为 1 的图形被放置在面积为 3 的图形内,故 5 个图形重叠的总面积不小于 2,将面积 2 分在 10 次重叠中,由抽屉原理知至少有一次重叠的面积不小于 $\dfrac{1}{5}$,即两个图形,它们重叠部分的面积不小于 $\dfrac{1}{5}$.

⑰ 证明:可以证明下面的 1993 个数中必有一个能被 1993

整除. 1, 11, 111, 1111, …, $\underbrace{1111\cdots111}_{1993个1}$. 如果不然, 则它们除以

1993 有 1993 个余数, 而余数只能是 1, 2, 3, …, 1992 这 1992 个数. 由抽屉原理知, 至少有两个除以 1993 得到相同的余数. 设这两个数为 $\underbrace{1111\cdots111}_{a个1}$ 和 $\underbrace{1111\cdots111}_{b个1}$. $(a > b)$, 则 $\underbrace{1111\cdots111}_{a个1}$ —

$\underbrace{1111\cdots111}_{b个1} = \underbrace{1111\cdots111}_{a-b个1}\underbrace{0000\cdots000}_{b个0} = \underbrace{1111\cdots111}_{a-b个1} \times 10^b$ 能被 1993

整除. 又 10^b 与 1993 互质, 所以 $\underbrace{1111\cdots111}_{a-b个1}$ 能被 1993 整除.

⓲ 证明: 从这十七位科学家中, 任意选出一位来, 不妨称为 A 先生, A 先生同其余十六位科学家都通信, 信中共讨论三个题目, 根据抽屉原则, 至少有 $\left[\dfrac{16-1}{3}\right]+1 = 6$ 位科学家在同 A 先生讨论着同一个题目, 不妨把它们记为题目 1, 这样, 若这六位科学家中, 有两位也在讨论题目 1, 则结论已经得证, 否则, 他们之间只能在讨论题目 2 和题目 3. 再在这六位科学家中, 任选出一位 B 先生, 当然, B 先生也同其余五位科学家通信, 且只能讨论题目 2 和题目 3, 根据抽屉原则, 至少一位科学家在同 B 先生讨论着同一个题目, 不妨设为题目 2, 若这三位科学家中, 有两位也在讨论题目 2, 则结论也得证了, 否则, 这三人只能互相讨论题目 3, 这样也证明了结论.

⓳ 证明, 如图设 a_1, a_2, a_3, …, a_9, a_{10} 分别代表不超过 10 的十个自然数, 它们围成一个圈, 三个相邻的数的组成是 (a_1, a_2, a_3), (a_2, a_3, a_4), (a_3, a_4, a_5), …, (a_9, a_{10}, a_1), (a_{10}, a_1, a_2) 共十组. 现把它们看作十个抽屉, 每个抽屉的物体数是 $a_1 + a_2 + a_3$, $a_2 + a_3 + a_4$, $a_3 + a_4 + a_5$, …, $a_9 + a_{10} + a_1$, $a_{10} + a_1 + a_2$, 由于 $(a_1 + a_2 + a_3) + (a_2 + a_3 + a_4) + \cdots + (a_9 + a_{10} + a_1) + (a_{10} + a_1 + a_2) =$

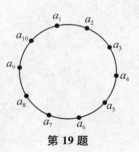

第 19 题

$3(a_1 + a_2 + \cdots + a_9 + a_{10}) = 3 \times (1 + 2 + \cdots + 9 + 10)$，根据原则 2，至少有一个括号内的三数和不少于 17，即至少有三个相邻的数的和不小于 17.

⒇ 证明：把这 6 个差数的乘积记为 p，我们必须且只需证明：3 与 4 都可以整除 p，以下分两步进行. 第一步，把 a，b，c，d 按以 3 为除数的余数来分类，这样的类只有三个，故知 a，b，c，d 中至少有 2 个除以 3 的余数相同，例如，不妨设为 a，b，这时 3 可整除 $b - a$，从而 3 可整除 p. 第二步，再把 a，b，c，d 按以 4 为除数的余数来分类，这种类至多只有四个，如果 a，b，c，d 中有两数除以 4 的余数相同，那么与第一步类似，我们立即可作出 4 可整除 p 的结论. 设 a，b，c，d 四数除以 4 的余数不同，由此推知，a，b，c，d 之中必有两个奇数（不妨设为 a，b），也必有两个偶数（设为 c，d），这时 $b - a$ 为偶数，$d - c$ 也是偶数，故 4 可整除 $(b - a)(d - c)$，自然也可得出 4 可整除 p. 如果能进一步灵活运用原理，不仅制造抽屉，还根据问题的特征，制造出放进抽屉的物体，则更可收到意想不到的效果.

第22讲

趣谈不定方程

1 依题意,即

$$5x+7y+3z=25,\qquad\qquad ①$$

$$3x-y-6z=2,\qquad\qquad ②$$

①×2+②得:$13x+13y=52$,$x+y=4$.

这方程有 3 组自然数解:

$$\begin{cases} x=1, \\ y=3, \end{cases} \begin{cases} x=2, \\ y=2, \end{cases} \begin{cases} x=3, \\ y=1. \end{cases}$$

分别代入①,经计算,$x=3$,$y=1$,$z=1$ 是本题唯一解.

2 设 12 人住的房间 x 间,5 人住的房间 y 间,于是有 $12x+5y=104$,解得 $\begin{cases} x=7, \\ y=4, \end{cases}$ 或 $\begin{cases} x=2, \\ y=16. \end{cases}$ 所以有两种分配方法.

3 设其中的两位数 $\overline{ab}$ 为 x,由题意有:$62\times10^5+10^3x+427=99y$($x$,$y$ 都是自然数),化简得:$y=\dfrac{62\times10^5+10^3x+427}{99}=62\,630+10x+\dfrac{10x+57}{99}$. 因 x,y 均为自然数,是 $\dfrac{10x+57}{99}$ 必须是自然数,考虑到 $10x+57$ 的个位数字是 7,且 $10\leqslant x\leqslant99$,经试算知 $x=24$. 所以 $a=2$,$b=4$.

4 设这个两位数为 $\overline{xy}$,则 $\overline{xy}+6=5(x+y)$,整理得:$10x+y+6=5x+5y$,$x=\dfrac{4y-6}{5}$,其中 x、y 为自然数,且 $0\leqslant y\leqslant9$. 所以 $y=4$,$x=2$ 或者 $y=9$,$x=6$,所求的两位数为 24 或 69.

5 设箱子里原有 a 个红球，b 个黑球，每次放入 k 个球.

$$\begin{cases} \dfrac{a}{a+b+k} = \dfrac{1}{4}, \\ \dfrac{a+k}{b+k} = \dfrac{2}{3}. \end{cases}$$

解得 $a = k$，$b = 2k$. 所以 $a : b = k : 2k = 1 : 2$.

6 设 3 米和 5 米的管子分别需 x 根和 y 根，则有 $3x + 5y = 87$，显然式中有整数解：$x = 29$，$y = 0$，那么它的所有整数解可表示为：

$$\begin{cases} x = 29 - 5t, \\ y = 3t \ (t \text{ 为正整数}). \end{cases}$$

容易看出：当 $t = 0, 1, 2, 3, 4, 5$ 时，可得出 6 组符合题意的解. 所以有 6 种不同的取法.

7 设共分为 x 组. 由树苗总数可列方程 $9x - 2 = nx + 20$，$(9 - n)x = 22$. 因为 $22 = 1 \times 22 = 2 \times 11$，$n$ 是小于 9 的质数，对比上式得 $x = 11$（组）.

8 假设小鸟有 x 个，小猪有 y 个.

$$\begin{cases} \dfrac{y}{4} \times 6 + 8 = x, \\ \dfrac{x}{8} \times 4 + 36 = y. \end{cases}$$

解得：$x = 248$，$y = 160$. 箱子中原来有 160 个小猪.

9 显然 z 只能取 1, 2, 3. 当 $z = 1$ 时，$2x + 3y = 16$，其自然数解为 $x = 2$，$y = 4$ 或 $x = 5$，$y = 2$；当 $z = 2$ 时，$2x + 3y = 9$，其自然数解为 $x = 3$，$y = 1$；当 $z = 3$ 时，$2x + 3y = 2$，显然无自然数解；所以原方程的自然数解为：$\begin{cases} x = 2, \\ y = 4, \\ z = 1; \end{cases}$ $\begin{cases} x = 5, \\ y = 2, \\ z = 1; \end{cases}$ $\begin{cases} x = 3, \\ y = 1, \\ z = 2. \end{cases}$

⑩ 设 4 分邮票买了 x 张,8 分邮票买了 y 张,则 10 分邮票买了 $(15-x-y)$ 张,于是有:$4x+8y+10(15-x-y)=100$,整理得:$3x+y=25$.解得:$\begin{cases} x=8, \\ y=1, \end{cases}$ 或 $\begin{cases} x=7, \\ y=4, \end{cases}$ 或 $\begin{cases} x=6, \\ y=7, \end{cases}$ 经检验当 $x\leq5$ 时,$x+y\geq15$,不合题意(即不能买齐三种邮票).故本题只有 3 组解:4 分 8 张,8 分 1 张,1 角 6 张;或 4 分 7 张,8 分 4 张,1 角 4 张;或 4 分 6 张,8 分 7 张,1 角 2 张.

⑪ 设购甲、乙、丙一件各需 x 元、y 元、z 元,由题意得:$10x+4y+z=420$,$7x+3y+z=315$,即 $3(3x+y)+(x+y+z)=420\cdots$①,$2(3x+y)+(x+y+z)=315\cdots$②. ②×3－①×2 得:$x+y+z=315\times3-420\times2=105$.所以现购甲、乙、丙各一件共需 105 元.

⑫ 设这个三位数为 $\overline{cba}$,则依题意有:$5(a+b)+3(b+c)=25+b$,$3a-(b+6c)=2$.整理化简得:$5a+7b+3c=25\cdots$①,$3a-b-6c=2\cdots$②.①×2+② 得:$13a+13b=52$,即 $a+b=4$,有:$\begin{cases} a=0, \\ b=4, \end{cases}$ $\begin{cases} a=1, \\ b=3, \end{cases}$ $\begin{cases} a=2, \\ b=2, \end{cases}$ $\begin{cases} a=3, \\ b=1, \end{cases}$ $\begin{cases} a=4, \\ b=0. \end{cases}$ 代入② 解 c,经检验仅当 $a=3$,$b=1$ 时,$c=1$ 符合要求,所求三位数是 113.

⑬ 设获一、二、三等奖分别有 x、y、z 人,则有 $7x+4y+2z=35\cdots$①,$9x+5y+z=35\cdots$②. ②×2－① 得:$11x+6y=35\cdots$③. 由③ 得:$x=1$,$y=4$,并代入② 得 $z=6$,所以获一、二、三等奖的人分别有 1 人、4 人、6 人.

⑭ 设这个三位数为 $\overline{abc}$,a,b,c 均为 $0\sim9$ 的整数,且 $a\neq0$,于是 $19(a+b+c)=100a+10b+c$,即 $81a=9b+18c$;$9a=b+2c$.把 $b=0$,1,2,3,$\cdots$,9 分十种情况讨论,可得此方程的 11 个解.这 11 个解组成以下 11 个三位数:114,133,152,171,190,209,228,247,266,285,399.

⑮ 设付给顾客 4 千克,3 千克,1 千克的分别为 x、y、z 包,则有:$4x+3y+z=15$,x 所有可能取值为 0,1,2,3,将 $x=0$,

1，2，3代入上式，分别得到6，4，3，2组解.因此共有$6+4+3+2=15$（种）方式.

16 假设A、B、C、D、E为所求的数，根据已知条件，可得出：等式(1) $100A+10B+C=19$ 的倍数；等式(2)$100B+10C+D=19$ 的倍数. 由"(2)$-10\times$(1)"，得出$D-1000A=19$ 的倍数，即：$D-(52\times19)A-12A=19$ 的倍数. 或：$D-12A=19$ 的倍数. 因此D为$12A$除以19的余数，同样，E为$12B$除以19的余数，根据A和B的赋值，可推算出D和E的值如右表所示. 首先$A\neq B\neq C$，能使得$\overline{ABC}$为19的倍数，且开头两位数A、B的值赋为2、5、7或8的，根据上表来看只有285、589和874，因此$\overline{ABCDE}$可能的赋

A 或 B	D 或 E
1	不可能
2	5
3	不可能
4	不可能
5	3
6	不可能
7	8
8	1
9	不可能

值为 28 551、58 931 和 87 418. 这三个数中，只有 58 931 是唯一一个各位数相异的数. 通过验证，589、893 和 931 正好均为 19 的倍数.

17 设骑自行车每小时 x 公里，长跑每小时 y 公里，游泳每小时 z 公里，可得：$\begin{cases}2x+3y+4z=71,\\4x+2y+3z=94,\end{cases}\begin{cases}4x+6y+8z=142,\\4x+2y+3z=94,\end{cases}$ $4y+5z=48$，解得：$y=7$，$z=4$. 从而 $x=17$，$x+y+z=17+7+4=28$.

18 设2元、5元和11元的练习本各买 x、y、z 本，x、y、z 为正整数，则 $2x+5y+11z=40$，$2x+5y=40-11z>0$，于是 z 的可能取值为1、2、3. 当 $z=1$ 时，$2x+5y=29$，y 只能为奇数；1、3、5，对应的 x 为12、7、2，共 3 种情况；当 $z=2$ 时，$2x+5y=18$，y 只能为2，对应的 x 为4，共 1 种情况；当 $z=3$ 时，$2x+5y=7$，得 $x=y=1$，只有 1 种情况. 所以，一共有 5 种购买方法.

19 设一、三组分别有 x 人和 y 人，则二组有 $\frac{1}{3}(x+y)$ 人. 由

已知条件列出方程：$5x+3y-\dfrac{1}{3}(x+y)\times 4=72$，整理可得：

$15x+9y-(x+y)\times 4=216$，即 $11x+5y=216$. 解得：

x	1	6	11	16
y	41	30	19	8
$\dfrac{1}{3}(x+y)$	14	12	10	8
$\dfrac{4}{3}(x+y)$	56	48	40	32

该班级至少有 32 人.

❷⓿ 设甲、乙和丙分别工作时间是 x，y，z 小时，则

$\begin{cases} x+y+z=100, \\ \dfrac{x}{140}+\dfrac{y}{87.5}+\dfrac{z}{77.\dot{7}}=1, \end{cases}$ 既然 $87.5=\dfrac{700}{8}$，$77.\dot{7}=77\dfrac{7}{9}=$

$\dfrac{700}{9}$，则 $\begin{cases} x+y+z=100, \\ 5x+8y+9z=700, \end{cases}$ 由题目中的限制，可知 $0\leqslant x\leqslant 60$，

$0\leqslant y\leqslant 60$，$0\leqslant z\leqslant 35$，由方程组得 $y=200-4x$，$z=3x-100$，

代入到约束条件中，有 $\begin{cases} 0\leqslant 200-4x\leqslant 60, \\ 0\leqslant 3x-100\leqslant 35, \end{cases}$ 解这个不等式组，得

$35\leqslant x\leqslant 45$. $x=45$，$y=20$，$z=35$，或 $x=35$，$y=60$，$z=5$ 符合题目要求. 所以工程队甲最多工作 45 小时，最少工作 35 小时.

第23讲

最大与最小

1 由题意,面值大的张数应尽可能多.因为总价 122 分的个位是 2,可定 8 分邮票的张数:是 $32 \div 8 = 4$(张)或 $72 \div 8 = 9$(张),当然取张数少的 4,又因为 $122 - 32 = 90 = 20 \times 4 + 10$,即张平最少有 4 张 8 分、1 张 1 角、4 张 2 角共 9 张邮票.

2 因为长 $+$ 宽 $+$ 高 $= 10$,因此当长 $=$ 宽 $=$ 高 $= 3\dfrac{1}{3}$ 时体积最大,最大体积为:$3\dfrac{1}{3} \times 3\dfrac{1}{3} \times 3\dfrac{1}{3} = 37\dfrac{1}{27}$.

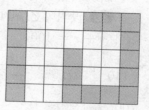
第 3 题

3 如图所示,L 的最大值为 38 厘米.

4 因为乘积末尾有连续十三个零,所以乘数中必有 13 个 2 因子,13 个 5 因子.$\left[\dfrac{59}{5}\right] + \left[\dfrac{59}{25}\right] = 11 + 2 = 13$,而 $\left[\dfrac{60}{5}\right] + \left[\dfrac{60}{25}\right] = 12 + 2 = 14$,所以最大的一个自然数是 59.

5 任意三堆数量之和能被 3 的整除,所以每堆被 3 除的余数相同,任意四堆数量之和能被 4 的整除,所以每堆被 4 除的余数也相同,又因为 17 被 3 除余 2,17 被 4 除余 1,满足被 3 除余 2,被 4 除余 1 的数最小是 5,$[3, 4] = 12$,所以每堆糖的块数是 $(12k + 5)$ 块 $(k = 0, 1, 2, \cdots)$,且都是小于 100 的质数,这种质数只有 5,17,29,41,53,89,其和为 $5 + 17 + 29 + 41 + 53 + 89 = 234$,所以桌上最多有 6 堆糖,总数量最多为 234 块.

6 注意到只有 14 含有质因数 7,所以 14 一定在被除数一组里,商一定含有质因数 7;把剩下的偶数分组,注意让乘积一样:$2 \times 10 = 20$,$4 \times 18 = 6 \times 12$,$8 \times 2$(14 里的 2)$= 16$;写出来:$(2 \times 10 \times 4 \times 18 \times 8 \times 14) \div (20 \times 6 \times 12 \times 16) = 7$,所以,商的最小值是 7.

7 我们把边长为 1 的线段看作一条"边",则 7×7 棋盘共有 $8 \times 7 \times 2 = 112$(条)边,每一个棋子都有 4 条边,但是因为有相邻的情况,所以每放一个棋子都会占住棋盘的 3 条边或 4 条边,但是最外层的边不会全部占满,所以放的棋子至多占 111 条边,而第一个棋子占 4 条边,所以剩下的棋子至多占 $111 - 4 = 107$(条)边,每个棋子至少占 3 条边,所以至多还可以放 $107 \div 3 = 35$(个)棋子,加上第一个共 36 个,所以棋盘中最多能放 36 个棋子,给出一种方法见图.

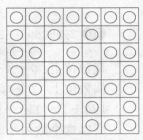

第 7 题

8 [方法 1]所求数是 9 的倍数,则数字和为 9 的倍数.从而所含 7 的个数为 9 个、18 个、27 个…. 含 9 个 7 时,若只含一个 9,则所求数为 $77 \cdots 7977 \cdots 7$ 的形式,可以写作 $77 \cdots 7$(10 个 7)$+ 20 \cdots 0$ 的形式,显然不是 7 的倍数. 所以至少再含两个 9. 注意到 $77\,777\,777\,799$、$77\,777\,777\,979$ 都不是 7 的倍数,而 $77\,777\,779\,779$ 是 7 的倍数,从而满足上述条件的最小正整数是 $77\,777\,779\,779$.
[方法 2]要想数小,尽量数位少.因为 $9 \mid 9$,$9 \mid 7 \times 9$. 所以有 7 的且能被 9 整除,至少有 9 个 7,7 所占的数位均能被 7 整除.只要 $7 \mid 9 \times 10^{k_1} + 9 \times 10^{k_2} + \cdots + 9 \times 10^{k_s}$,所得数就能满足条件.因为 $7 \nmid 9 \times 10^k$,但 $7 \mid 1001$,所以 $7 \mid 9009$. 所以满足条件的最小正整数是 $77\,777\,779\,779$.

9 如图①,可以画出 21 条对角线.如图②,标记了 21 个格点,画出的每条 1×1 正方形的对角线都要以这 21 个标记格点中的某一个为顶点.而据题意,所画出的任何两条对角线都没有公共点,所以每个标记格点至多画出一条对角线,从而至多画出 21 条对角线.

 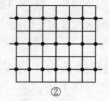

①   ②

第 9 题

10 $\underbrace{29992999\cdots29992999}_{n个2999}420$

奇数位上：$0+4+(9+2)\times n=4+11n$,

偶数位上：$2+(9+9)\times n=2+18n$.

$18n+2-11n-4=7n-2$,当 $n=5$ 时,$7n-2=33$.

所以这个数最小时,$n=5$.

11 设四个数为 a,b,c,d,且 $a<b<c<d$,

$a+b+c+d+2d=46\times3$,

$a+b+c+d+2c=40\times3$,

$a+b+c+d+2b=32\times3$,

$a+b+c+d+2a=26\times3$,

$a+b+c+d=(46+40+32+26)\times3\div6=72$.

原来四个数中,最大的一个数是 $(46\times3-72)\div2=33$.

12 若 5 人聚会,需要 3 个好人可以使所有人变成好人;若 3 人聚会,需要 2 个好人可以使所有人变成好人.所以应尽可能的安排 5 人聚会. $2012=5\times400+3\times4$,第三天聚会前,至少需要 $400\times3+4\times2=1208$ 个好人;$1208=5\times241+3\times1$,第二天聚会前,至少需要 $241\times3+1\times2=725$ 个好人;$725=5\times145$,第一天聚会前,至少需要 $145\times3=435$ 个好人.

13 如图所示.最小值为 11,最大值为 56.

相差：$56-11=45$.

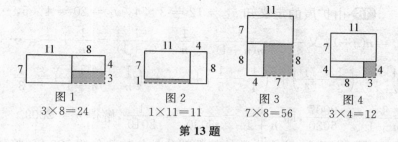

11
8
7
4
3
图 1
3×8=24
11
4
7
8
1
图 2
1×11=11
11
7
8
8
4
7
图 3
7×8=56
11
7
4
4
8
3
图 4
3×4=12

第 13 题

14 假设 $(A, B, C)=m$，$A=am$，$B=bm$，$C=cm$，$(a, b, c)=1$. 则 $am+bm+cm=2012$，$(a+b+c)m=2012$. $2012=2^2\times503$. 当 $m=503$ 时，$a+b+c=4$，无法满足 $a\neq b\neq c$. 当 $m=4$ 时，$a+b+c=503$，可以满足条件. 所以 m 最大为 4.

15 由 $p\times q-1=x$，x 为奇数可知 $p\times q=x+1$ 是偶数. 可见 p、q 中必有一个为 2，为了使 x 尽可能大，另一个应为最大的三位质数 997，这时 x 的最大值为：$2\times997-1=1993$.

16 设这个三位数是 $\overline{abc}$，根据题意有：$100a+10b+c=19(a+b+c)$，整理后得：$a=\dfrac{b+2c}{9}$. 要使这个三位数最大，那么 b、c 必须最大，都为 9，这时 $a=\dfrac{b+2c}{9}=\dfrac{9+2\times9}{9}=3$，所以这个三位数最大是 399. 要使这个三位数最小，b 只能是 1，这时 c 应为 4，故有 $a=\dfrac{b+2c}{9}=\dfrac{1+2\times4}{9}=1$，所以这个三位数最小是 114.

17 利用正方形具有对称原理，连结 PA，连结 AE 与 BD 交于 P'，

$PE+PC=PE+PA$.

当 P 在 BD 上运动时，$PE+PA\geqslant AE=EP'+AP'$，可见最小值就是 AE.

$AE^2=12^2+5^2=169$，$AE=13$，即 $PE+PC$ 的最小值是 13.

A
D
P
P'
B
5
E
7
C

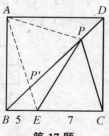

第 17 题

18 由扩展的定义知 $a_3 = 12 = 3 \times 4$，$a_4 = 20 = 4 \times 5$，…

$a_n = n(n+1)$. 又 $\dfrac{1}{a_n} = \dfrac{1}{n(n+1)} = \dfrac{1}{n} - \dfrac{1}{(n+1)} = \dfrac{1}{a_3} + \dfrac{1}{a_4} + \cdots +$

$\dfrac{1}{a_n} = \left(\dfrac{1}{3} - \dfrac{1}{4}\right) + \left(\dfrac{1}{4} - \dfrac{1}{5}\right) + \cdots + \left(\dfrac{1}{n} - \dfrac{1}{n+1}\right) = \dfrac{1}{3} -$

$\dfrac{1}{n+1} = \dfrac{2007}{6030}$，即 $\dfrac{1}{n+1} = \dfrac{3}{6030} = \dfrac{1}{2010}$，解得 $n = 2009$.

19 依题意,这个小数的整数部分是分数部分的 500 倍,整数

部分的数字之和是小数部分的数字之和的 $\dfrac{1}{2}$. 首先能判断出小数

部分越大,整数部分越大;其次小数部分最多只能是三位小数,四
位及四位以上的小数乘以 500 之后都不是整数;三位纯小数的
500 倍最多只能是三位数,故设这个有限小数的小数部分为 $\overline{abc}$,

则整数部分根据位值原理得: $\overline{\dfrac{a}{2} \dfrac{b}{2} \dfrac{c}{2}}$,此时若没有发生退位则恰

好符合题意,而一旦发生退位就一定会导致数字之和发生变化,故
a，b，c 都要能被 2 整除,所以小数部分最大为 888,整数部分最大
为 444,原数为 444.888.

20 如图 1,设填入九个小方格中的 9 个正整数为 A，B，C，
D，E，F，G，H 和 I. 令 $S = A+B+C+D+E+F+G+H+I$,显
然,图中四个 2×2 的正方形中填入的 4 个正整数之和为 $A+B+D+E = B+C+E+F = D+E+G+H = E+F+H+I = 100$,因
此,$4S = (A+B+D+E) + (B+C+E+F) + (D+E+G+H) + (E+F+H+I) + 2(A+B+C+D+F+G+H+I) + A+C+G+I = 400 + 2(A+B+C+D+F+G+H+I) + A+C+G+I.$ 由于

A	B	C
D	E	F
G	H	I

图 1

1	9	2
6	84	5
3	7	4

图 2

第 20 题

A，B，C，D，E，F，G，H，I 各不相同，从而有 $A+B+C+D+F+G+H+I\geqslant 1+2+3+4+5+6+7+8=36$，$A+C+G+I\geqslant 1+2+3+4=10$. 因此，$4S\geqslant 400+36\times 2+10=482$，即 $S\geqslant 120.5$. 由于 S 为正整数，故 $S\geqslant 121$. 图 2 中，填入 9 个正整数，符合题意，其和为 121，因此 S 的最小值为 121.

第24讲

从整体看问题

1 $2012 = 2^2 \times 503$；所以 2012 的所有约数的和是$(1+2+2^2) \times (1+503) = 7 \times 504 = 3528$.

2 四张纸片的面积分别为 4，9，16，25；每张纸片与其他纸片重叠部分的面积分别为 2，6，12，20，由于 $2+6+12=20$，所以只能前 3 张纸片与第 4 张分别重叠，没有三张重叠在一起的部分，重叠部分的面积为 20. 所以总的覆盖面积为 $4+9+16+25-20 = 34$. 右图给出一种重叠方式：

第 2 题

3 8 个.

4 若 11 是积，由于 11 是质数，则 $11 = 1 \times 11$，那么 $1+11 = 12$ 应在给出的五个数中，矛盾！所以 11 为原来某两数之和. 同理 13 也是原来某两数之和. 两正整数之积要小于这两正整数之和，则其中必有一数为 1，且积比和只小 1，但现在给出的五个数中没有任何两数的差为 1，所以最小的 6 一定也是原来某两数之和. 这样求出三数分别为 2、4、9. 检验知满足要求. 所以第三个乘积是 $4 \times 9 = 36$.

5 设中间数为 a，则五个三角形中心的数之和为 $2 \times (2+3+5+7+11+13)+3a = 82+3a$，$82+3a \equiv 1 \pmod 3$. 由于中间数有 6 种可能性，所以这个总和一共有 6 种不同的可能.

6 (1)不同的长：$6 \times (6-1) \div 2 = 15$(条)；不同的宽：$5 \times (5-1) \div 2 = 10$(条)；一共有 $15 \times 10 = 150$(个). (2)不同的长：$6 \times (6-1) \div 2 = 15$(条)；不同的宽：$4 \times (4-1) \div 2 = 6$(条)；不

同的高:$5 \times (5-1) \div 2 = 10$(条);一共有$15 \times 6 \times 10 = 900$(个).

7 设正方形的边长为$12a$,则图$24-10$中圆的半径为$3a$,图$24-9$中的圆半径为$2a$.

图$24-10$中的阴影部分的面积为$(3a)^2 \pi \times 4 = 36a^2\pi$;

图$24-9$中的阴影部分的面积为$(2a)^2 \pi \times 9 = 36a^2\pi$;

所以两图中的阴影部分面积一样大.

8 根据题意,大于$\frac{1}{5}$而小于$\frac{66}{6}$的分母为6的分数有64个,分子从2~65. 在2~65这些连续自然数中有多少个或能被2整除,或能被3整除,即有多少个能与6约分的数,排除这些数,剩下的就是题目所求的最简分数了. $64 - \left(\left[\frac{65}{2} \right] + \left[\frac{65}{3} \right] - \left[\frac{65}{2 \times 3} \right] \right) = 64 - (32 + 21 - 10) = 21$(个). 所求的最简分数一共有21个.

9 用数字0、0、1、2、3可排$3 \times 4 \times 3 = 36$(个)五位数. 显然数字1、2、3分别在万位上各出现12次,在其他数位上分别出现$(36-12) \div 4 = 6$(次). 因此所有这些五位数的平均数为:$[(1+2+3) \times 10\,000 \times 12 + (1+2+3) \times (1000+100+10+1) \times 6] \div 36 = 21\,111$.

10 第一行和为1,第二行的和为2,第三行的和为2^2,第四行和为2^3,第五行和为2^4,……,第十行的和为2^9,所以第十行各数的和是$2^9 = 512$.

11 每条线上都有1994个红色点,如果要问红色点最少有多少个,那么五条线的交点就应该全是红色点,所以有$1994 \times 5 - 1 \times 10 = 9960$(个).

12 将正十二边形做如右图的划分,右图中的阴影是所求面积的$\frac{1}{3}$. 右图阴影划分成一个等腰直角三角形和一个顶角为150度的等腰三角形. 等腰直角三角形的面积为$12 \times 12 \div 2 = 72$. 顶角为150度的三角形面积为$12 \times 6 \div$

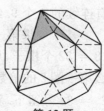
第 12 题

$2 = 36$.所求面积为$(72+36) \times 3 = 324$.

13 设一头角马一天吃草量为 1 份,$40 \times 7 = 280$(份),$80 \times 3 = 240$(份),每天新生草:$(280-240) \div (7-3) = 10$(份),原有草:$280-7 \times 10 = 210$(份). 1 天后,还剩 $210+10-50 = 170$(份),2 天后,还剩 $170+10-48 = 132$(份),3 天后,还剩 $132+10-46 = 96$(份),4 天后,还剩 $96+10-44 = 62$(份),5 天后,还剩 $62+10-42 = 30$(份),6 天后,还剩 $30+10-40 = 0$,所以这群角马第 7 天就会离开此地寻找新的食物.

14 (1)每次操作,黄球和蓝球的差要么不变,要么改变 3.(2)刚开始时,黄球和篮球的差不是 3 的倍数,结合(1)知,每次操作后黄球和蓝球的差都不是 3 的倍数.所以,黄球和蓝球的个数不能同时为 0.黄球和篮球的总和至少有 1 个.(3)下面构造说明红球最多可以有 39 个.(括号内三个数依次表示红、黄、蓝 3 种颜色的球的个数)$(11,12,17) \rightarrow (10,14,16) \rightarrow (9,16,15) \rightarrow (11,15,14) \rightarrow (13,14,13) \rightarrow (15,13,12) \rightarrow (17,12,11) \rightarrow (19,11,10) \rightarrow \cdots \rightarrow (39,1,0)$.

15 如果买 6 瓶汽水,喝完后得到 6 个空瓶,向商店借一瓶汽水,喝完后共有 7 个空瓶,向商店换一瓶汽水,正好还给商店.这样买了 6 瓶,实际喝了 7 瓶汽水.照这样计算 $2002 \div 7 = 286$,所以最少要买 $6 \times 286 = 1716$(瓶)汽水.

16 a 与 $a+1$ 是连续的自然数,所以 a 的个位数开始必有连续的若干个 9.设有 n 个 9,则 a 与 $a+1$ 各位数字之和相差 $9n-1$,因为 $9n-1$ 应能被 7 整除,可求出 n 的最小值是 4,即从个位数开始有连续的 4 个 9.经试验,$a = 69\,999$.

17 如果第一个从 1 号开始拿,那么拿掉 18 个后还剩下 $50-18 = 32$ 个棋子,从 37 号棋子开始重新按 $1 \sim 32$ 编号,继续拿,那么第一圈 2 的倍数将留下,第二圈 2^2 的倍数留下 …… 最后必定是 $2^5 = 32$ 号留下.新的 32 号原来是 $18 \times 2 = 36$ 号;即从 1 号开始拿,36 号留下,要使得留下的是 39 号,那么应该从 $1+(39-36) = 4$ 号开始拿.

18 房间如下编号①②③④,三人只能住在①②④ 号房间或 ①③④ 号房间,所以共有 $2 \times 3 \times 2 \times 1 = 12$(种) 住法.

19 第一次: $2k+1(k \geqslant 0)$, 1, 3, 5, 7, …, 2009, 2011;第二次: $3m+2(m \geqslant 0)$, 2, 5, 8, 11, …, 2009, 2012;第三次: $4n+1(n \geqslant 0)$, 1, 5, 9, 13, …, 2005, 2009.(1)第 5 盏灯是三次都拉到的灯中的第一盏.第一次每 2 盏灯开一次,第二次每 3 盏灯开一次,第三次每 4 盏灯开一次.$[2, 3, 4] = 12$,所以每 12 盏灯有一盏三次都被拉到.$(2012-5) \div 12 = 167 \cdots\cdots 3$, $167+1 = 168$.三次都拉到的灯共有 168 盏;(2)2012 盏灯开始时都亮着,拉奇数次开关的灯最终会熄灭.其中拉 3 次开关的灯已求出有 168 盏,拉 1 次开关的灯有:编号为偶数的灯只在第二次拉到过,第一盏为 2 号,此后每 6 盏灯都是一个被拉到的偶数,共有 $(2012-2) \div 6+1 = 336$(盏);由于第一次拉过了所有奇数号灯的开关,所以第二次和第三次没有拉到的奇数号灯的开关,最终只拉过一次.其中第二次拉到的奇数号灯有:$(2012-5) \div 6 = 334 \cdots\cdots 3$, $334+1 = 335$(盏);第三次拉到的奇数号灯有:$(2009-1) \div 4+1 = 503$(盏).其中重复的灯都是被拉过 3 次开关的,所以第二次和第三次拉到的奇数号灯的开关有 $335+503-168 = 670$(盏),没有被拉到的奇数号灯 $2012 \div 2-670 = 336$(盏).所以被拉过一次开关的灯有 $336+336 = 672$(盏),再加上被拉到过 3 次的 168 盏灯,共计 $672+168 = 840$(盏) 灯最终被关上,亮着的灯有 $2012-840 = 1172$(盏).

20 地雷分布如图所示,●表示有地雷.图中三个◇所在的方格与任何有数字方格都不相邻,可以有地雷,也可以无地雷.

			●	1	1	2	●
1	●		1	1	1		
2							1
1	●	◇	◇	◇			
					●	2	●
0	0	0	0			1	3
1	2	2	1			0	1 ●
	●	●				0	1

第 20 题

第25讲

反过来考虑

1 我们从"结果"入手"倒着"推导就可以了：

天	16	15	14	13	12	11	10	9	8
长势	1	$\frac{1}{2}$	$\frac{1}{4}$	$\frac{1}{8}$	$\frac{1}{16}$	$\frac{1}{32}$	$\frac{1}{64}$	$\frac{1}{128}$	$\frac{1}{256}$.

第 8 天水浮莲长满整个水塘的 $\frac{1}{256}$.

2 $[(280+480+100)\times 2-120]\times 2 = 3200(克)$.

3 $4\div \frac{1}{8} = 32 = 2^5$, $15-5 = 10(天)$.

4 从最低币值 1 角到最高币值 14 元 8 角,共 148 个不同的币值. 再从中剔除那些不能由这些纸币构成的币值. 经计算,应该剔除的币值为 $(i+0.4)$ 元$(i=0, 1, 2, \cdots, 14)$ 及 $(j+0.9)$ 元 $(j=0, 1, 2, 3, \cdots, 13)$,一共 29 种币值. 所以一共可付出 $148-29 = 119(种)$ 不同的币值.

5 倒过来想,最后一次拿之前,箱子里有 2 个杯子,每次从箱子中拿出一只杯子,再放回去一只杯子,所以箱子里永远是 2 个杯子.

6 第十次吹出 100 个肥皂泡时,第九次吹出的肥皂泡还有 50 个没破,第八次吹出的肥皂泡还有 10 个没破,第七次吹出还有 2 个没破,第六次吹出及第六次前吹出的肥皂泡已经全部破了,所以此时没破的肥皂泡至多有 $100+50+10+2 = 162(个)$.

7 由于最后剩下一个鸡蛋,所以第三次卖剩时有鸡蛋 $(1+0.5)\times 2 = 3(个)$;

第二次卖剩时有鸡蛋 $(3+0.5)\times 2 = 7(个)$;

第一次卖剩时有鸡蛋 $(7+0.5)\times 2 = 15(个)$;

原来有鸡蛋 $(15+0.5)\times 2=31$（个）；

所以老奶奶原来有 31 个鸡蛋.

8 由于又来了一位小朋友，软糖就要增加一盒，说明原来小朋友人数是 11 的倍数；最后来了一位小朋友巧克力要增加一盒，说明原来小朋友的人数加上 1 是 9 的倍数，这样的数最小是 44. 又因为 $(44+1)\div 9-44\div 11=1$，满足原来巧克力比软糖多 1 盒的条件，所以原来有小朋友 44 人，最后有 $44+1+1=46$（人）.

9 要求最后车上至少有工人多少名，只要最后第五站上来的人数越少，至少 1 人，那么第四站上车 2 人，第三站上车 4 人，第二站、第一站上车人数分别是 8 人、16 人. 那么车到工厂时车上至少有 $1+2+4+8+16=31$（个）工人.

10 若得分超过 12 分的学生至少有 10 人，则全班的总分至少有 $5\times(13+14)+5\times(0+1+2+3+4+5)=210$ 分，大于条件 209 分，产生了矛盾，所以得分超过 12 分的学生至多有 9 人.

11 第三天前有煤 $(24+5)\times 2=58$（吨），第二天前有煤 $(58+5)\times 2=126$（吨），所以原有煤 $(126+5)\times 2=262$（吨）.

12 甲分到之后余下：$(8+1)\div\left(1-\dfrac{1}{2}\right)=18$（只）；

原来一共有苹果：$(18-1)\div\left(1-\dfrac{1}{2}\right)=34$（只）.

13 $\left[(3+2)\div\left(1-\dfrac{1}{2}\right)-5\right]\div\left(1-\dfrac{2}{3}\right)=15$（个）.

14 第三次运出前有水泥

$$(800+40)\div\left(1-\dfrac{1}{5}\right)=1050\text{（袋）；}$$

第二次运进前有水泥 $1050-400=650$（袋）；

第一次运出前有水泥 $650\div\left(1-\dfrac{1}{3}\right)=975$（袋）.

仓库里原有水泥 975 袋.

15 利用逆推法,第四天加工前有零件$(1800-20)\times 2=$

3560(个);第三天加工前有零件$(3560+80)\div\left(1-\dfrac{1}{3}\right)=$

5460(个);第二天加工前有零件$(5460-150)\div\left(1-\dfrac{1}{4}\right)=$

7080(个);第一天加工前有零件$(7080+120)\div\left(1-\dfrac{1}{5}\right)=$

9000(个).所以这批零件总数是 9000 个.

16 $101\div\left(1-\dfrac{3}{4}\right)\div\left(1-\dfrac{2}{3}\right)\div\left(1-\dfrac{1}{2}\right)=2424$(颗).

17 $1995=3\times5\times7\times19$;$\dfrac{1454}{1995}=\dfrac{665}{1995}+\dfrac{399}{1995}+\dfrac{285}{1995}+$

$\dfrac{105}{1995}=\dfrac{1}{19}+\dfrac{1}{7}+\dfrac{1}{5}+\dfrac{1}{3}$.这四个质数的和是 $19+7+5+$

$3=34$.

18 第六站下车前车上的人数是:$(1+3)\div\left(1-\dfrac{1}{2}\right)=$

8(人).起点站发车时车上的人数是:$8\div\left(1-\dfrac{1}{3}\right)\div\left(1-\dfrac{1}{4}\right)\div$

$\left(1-\dfrac{1}{5}\right)\div\left(1-\dfrac{1}{6}\right)\div\left(1-\dfrac{1}{7}\right)=28$(人).从起点发车时,车上的

乘客有 $28-3=25$(人).

19 如图,为保证甲汽车 6 天后到达 B 点,我们"倒着"想,甲车如果从 B 点"回到"C 点必须有 4 天的汽油.但是甲车从 A 点到 C 点已花掉了两天,用去了一半的汽油,此时必须要有一辆汽车乙,在 C 点给甲汽车加两天的汽油,但乙车必须能从 C 返回 A,所以还必须有一辆汽车丙为汽车乙加油.由于汽车乙要用两天的汽油,丙往返只能用两天的汽油,这样丙车最远也只能开到 D 点(花 1 天的时间).由上述分析,至少要 2 辆汽车,才能帮助一辆汽车越过沙漠.具体的做法是,甲、乙、丙三辆车同时出发,第一天行到 D

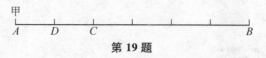

第 19 题

点,丙车分别给甲车和乙车加 1 天的油,此时甲、乙两车又均有 4 天的油,丙车还有 1 天的油,保证丙车返回 A 点;第二天甲、乙两车行到 C 点,乙车给甲车加 1 天的油,此时甲车有 4 天的油,保证后面的 4 天穿越沙漠,到达 B 点,乙车有 2 天的油,保证乙车返回 A 点.

❷⓪ (1)根据第(iv)个要求,后 9 位的数字和必须是 9 的倍数.由于 0 到 9 数字和刚好是 9 的倍数,则 A 必须是 9 的倍数,A 不能等于 0,所以 $A=9$.同样可以得到 J 也必须是 9 的倍数,9 已经用过了,所以 $J=0$.所以 $A+J=9+0=9$.(2)这个十位数的数字和是 3 的倍数,根据前三位数字和是 3 的倍数,后六位是 6 的倍数,当然也是 3 的倍数,可以得到 D 必须是 3 的倍数,0 和 9 已经用过了,只能是 3 或 6.同样 G 也只能是 3 或 6.由于 D 和 G 不同,只能一个取 3,一个取 6.所以 $D×G=3×6=18$.(3)前三位的数字和是 3 的倍数,而且 $A=9$,所以 B、C 的和也是 3 的倍数.同样可以得到 H、I 的和也是 3 的倍数.根据后六位与后三位的数字和都是 3 的倍数,可以得到 E、F 和 G 的数字和也是 3 的倍数.由于 G 等于 3 或 6,所以 E、F 的数字和也是 3 的倍数.接下来根据乘法原理,按照 $A→J→D→G→F→E→B→C→H→I$ 的顺序填数.根据前面分析,A 只能是 9,有 1 种填法;J 只能是 0,有 1 种填法;D 可以填 3 或 6,有 2 种填法;D 填完后 G 就只有 1 种填法了.把剩下的六个数字分成两组,除以 3 余 1 的有(1、4、7),除以 3 余 2 的有(2、5、8).前 6 位是 6 的倍数,则 F 必须是偶数,可以填 2、4、8,有 3 种选择.由于 E、F 的和是 3 的倍数,对于 F 的每一种选择,E 有 3 种填法.然后填 B,还剩 4 个数,都可以填,所以 B 有 4 种选择.由于 B、C 的和是 3 的倍数,对于 B 的每一种选择,C 有 2 种填法.然后填 H,还剩 2 个数,都可以填,所以 H 有 2 种选择.最后剩 1 个数,I 有 1 种选择.所以满足要求的"巨龙数"一共有 $(1×1)×(2×1)×(3×3)×(4×2)×(2×1)=288$ 个.

第26讲

不 变 量

1 除数缩小 $\frac{1}{2}$,商是原来的 2 倍.

2 设另一个乘数为 x,根据题意有 $16.72-(0.4-0.2)x=18.24-(0.8-0.2)x$,解得 $x=3.8$.

原来的乘积为 $16.72-(0.4-0.2)x=16.72-0.2\times3.8=15.96$.

3 每次取出 5 个圆球和 3 个方块的量是不变的.

取一次后剩下 32 个,32 不是 3 的倍数,取二次后剩下 24 个,24 是 3 的倍数,取三次后剩下 16 个,16 不是 3 的倍数,取四次后剩下 8 个,8 不是 3 的倍数.

显然取 2 次后所剩的圆球数是剩下的方块数的一半.

$24\div(1+2)=8$(个)……剩下的圆球,原来有圆球 $5\times2+8=18$(个).

4 如图所示:

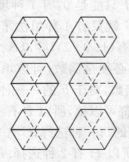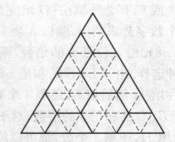

第 4 题

5 设∠1，∠2，∠3，∠4，∠5各自的内角为 a，b，c，d，e.

∠1＋∠2＋∠3＋∠4＋∠5＋∠a＋∠b＋∠c＋∠d＋∠e＝$180°×5=900°$，

因为∠a＋∠b＋∠c＋∠d＋∠e＝$180°×3=540°$，

所以∠1＋∠2＋∠3＋∠4＋∠5＝$900°-540°=360°$.

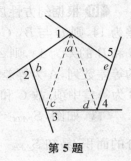

第 5 题

6 $4AB-(4+1)AB÷2=12$，解得 $AB=8(\text{cm})$.

7 根据题意，符合题意的年份必定是闰年（2月有29天），并且2月1日恰好是星期日，所以得先找到21世纪第一个2月1日是星期日的年份. 根据题意，2011年4月16日是星期六，可倒推得2004年2月1日是星期日. 这样可按每隔 $4×7(28)$ 年为一个周期推算，21世纪符合题意的年份有 2004，2032，2060 和 2088 年，共有 4 个.

8 设原来每个工人每天工资 n 元. 根据题意有 $n^2=(n-3)×(n+3.9)$，解得 $n=13$. 所以原来每个工人每天的工资是13元.

9 如图：▨ 的总数与 ■ 的总数都是总人数 23. 因为，前 5 名与后 18 名加起来是全体的 23 名队员，而前 8 名与后 15 名加起来也是全体的 23 名队员. 所以，$5×(a+3)+18×(b+0.5)=8×a+15×b$. 化简，得 $a-b=8$. 所以，前 8 位队员平均身高比后 15 位队员的平均身高多 8 厘米.

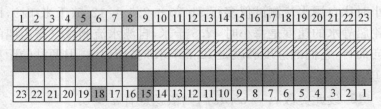

第 9 题

习题详细解答

❿ 根据幻方性质，$2A=C+E$，$2D=B+C$. 因为 B 和 C 的差为 14，则 D 与 B，C 构成公差为 7 的等差数列，D 为等差中项. A 和 B 的差为 14，则 A 与 C 的差为 28，A，C，E 构成公差为 28 的等差数列，A 为等差中项. A，B，C 构成公差为 14 的等差数列，B 为等差中项. 故 C 和 E 差 56. D 和 E 的差是 $56-7=49$.

⓫ 如图，$S_{\triangle EBC}-S_{\triangle EHG}$ 即为所求阴影部分的面积，易知 $S_{\triangle EBC}=\dfrac{1}{2}\times(1+2)^2=\dfrac{9}{2}$，在

第 11 题

$S_{\triangle ADG}$ 与 $S_{\triangle DEF}$ 中，$\dfrac{AG}{EF}=\dfrac{DA}{DE}=\dfrac{3}{5}$，故 $AG=\dfrac{3}{5}\times EF=\dfrac{3}{5}\times 2=\dfrac{6}{5}$，$BG=AB-AG=3-\dfrac{6}{5}=\dfrac{9}{5}$.

在 $S_{\triangle EFH}$ 与 $S_{\triangle BGH}$ 中，$\dfrac{FH}{GH}=\dfrac{EF}{BG}=\dfrac{2}{\dfrac{9}{5}}=\dfrac{10}{9}$，所以 $\dfrac{GH}{GF}=\dfrac{9}{10+9}=\dfrac{9}{19}$，$\triangle EFG$ 的面积是边长为 2 的正方形面积的一半，

所以，$S_{\triangle EGF}=\dfrac{1}{2}\times 2\times 2=2$，$S_{\triangle EHG}=2\times\dfrac{9}{19}=\dfrac{18}{19}$.

所以

$$S_{阴影}=S_{\triangle EBC}-S_{\triangle EHG}=\dfrac{9}{2}-\dfrac{18}{19}=\dfrac{135}{38}.$$

⓬ 因为自漂水流测试仪的速度与水流的速度相等，甲轮船每小时比自漂水流测试仪多行 $31.25\div 2.5=12.5$（千米/时），即甲轮船静水的速度是每小时 12.5 千米，自漂水流测试仪与乙船的相向而行，它们的速度和就是 12.5 千米/时，所以 A、B 两站的距离是 $12.5\times 7.2=90$（千米）.

⓭ 设此类数 $A=\overline{abcdef}$，则依题意有 $a>0$.

$$a+b+c=d+e+f \qquad \text{①}$$

$$a+c+e=b+d+f \qquad \text{②}$$

①－②得：$b-e=e-b$.

$$b=e \qquad \text{③}$$

b、e 共有 10 种选择，则 $a+c=d+f$. 若 $a+c=1$，则 a、c 有 1 种，d、f 有两种取法，1×2 种. 若 $a+c=2$：2×3 种；若 $a+c=3$：3×4 种；…… 若 $a+c=9$：9×10 种；若 $a+c=10$：9×9 种；若 $a+c=11$：8×8 种；…… 若 $a+c=18$：1×1 种；所以 a、c、d、f 共有：$1\times2+2\times3+\cdots+9^2+8^2+\cdots+1^2=2\times(9^2+8^2+\cdots+1^2)+(1+2+\cdots+9)=570+45=615$（种）. 则既"漂亮"又"优雅"的数共有 $615\times10=6150$（个）.

⓮ 男选手参赛的人数不变，男选手有 $60\times\left(1-\dfrac{1}{4}\right)=45$（人），后来男选手占全部参赛人数 $\left(1-\dfrac{2}{11}\right)=\dfrac{9}{11}$，实际参赛人数为 $45\div\dfrac{9}{11}=55$（人），正式参赛的女选手有 $55-45=10$（人）.

⓯ 此题有一个不变量，两次过程的速度和不变，前后两次的路程和差 48 厘米；时间差 3 秒，所以设第一次路程和为 $S_{和}$，花时间为 t，则 $\dfrac{S_{和}}{S_{和}-48}=\dfrac{t}{t-3}$；得到 $S_{和}=16t$；这个路程也等于第一次甲路程＋乙路程. 即 $v_{甲}\,t+v_{乙}\,t=16t$，得到 $v_{甲}+v_{乙}=16$. "如果甲、乙两人以原速度分别从 A、B 两地同时出发相向而行"，则用时 $64\div16=4$（秒）.

⓰ 女生人数没有变. 设后来转来 x 名男生，根据题意有：$54\times\left(1-\dfrac{4}{9}\right)=(54+x)\times\left(1-\dfrac{3}{5}\right)$，$x=21$. 后来转进男生 21 名.

17 $67=16\times4+3$. 标 67 页的是折完以后的第三张正面.

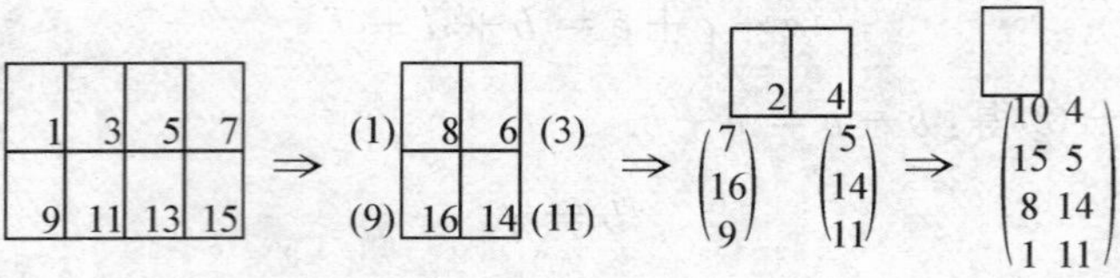

图1   图2   图3   图4

第 17 题

由上图分析可知,67 页对应上图 1 中的编号为 15,则正放左侧相邻的编号为 63,则页码是 $16\times4+14=78$.

18 "每隔 2 个点跳一步",那么每跳一次,从起点到落脚点中间都有 3 个间隔,最后到达 B 点,说明总间隔数被 3 除余 1;"每隔 4 个点跳一步",每跳一次,从起点到落脚点中间都有 5 个间隔,说明总间隔数被 5 除余 1,最后"每隔 6 个点跳一步,正好回到 A 点",说明总间隔数被 7 整除. 因为 $10<n<100$,那么总间隔为 $6\times(3\times5)+1=91$,又因为圆是封闭图形,间隔数 = 点数,所以 $n=91$.

19 假设老师有 a 名,学生多于 $2a$ 名,老师+学生=54,那么 $a+2a<54$,所以 $a<\dfrac{54}{3}=18$ 名,即老师少于或者等于 17 名,所以学生大于或者等于 $54-17=37$ 名. 其中男老师 $\geqslant3$ 名,所以女老师少于或者等于 14 名. 当女老师为 14 名时,女学生就是 19 名,这个时候男生就是 18 名. 符合题目的女生比男生多的要求. 如果女老师为 13 名时,女生为 18 名,男生就有 $37-18=19$ 名,不符合题目中女生比男生多的要求. 可见,学生人数最少是 37 名,随着女老师减少到 $\leqslant13$ 名时,女生人数就 $\leqslant18$,男生人数就至少 $\geqslant19$ 名,就不符合题目要求. 所以只有一种情况男老师 3 名,女老师 14 名,男生 18 名,女生 19 名才符合题目的"男生比女生少的"条件. 所以男生共有 18 人.

20 若三个儿子最后得到 A 枚金币,则可知在分给二儿子后且未放入聚宝盆前的金币数量是 $\dfrac{A}{2}$,即在分给大儿子后且未放入聚宝盆前的金币数量为$\left(A+\dfrac{A}{2}\right)\times\dfrac{1}{2}=\dfrac{3A}{4}$,故阿凡达原有的金

币数量为$\left(A+\dfrac{3A}{4}\right)\times\dfrac{1}{2}=\dfrac{7A}{8}$;若三个儿子最后得到$B$枚银币,

则可知在分给二儿子后且未放入聚宝盆前的银币数量为$\dfrac{B}{3}$,即在

分给大儿子后且未放入聚宝盆前的银币数量为$\left(B+\dfrac{B}{3}\right)\times\dfrac{1}{3}=$

$\dfrac{4B}{9}$,故阿凡达原有的银币数量为$\left(B+\dfrac{4B}{9}\right)\times\dfrac{1}{3}=\dfrac{13B}{27}$.由题意

可得$\dfrac{7A}{8}=\dfrac{13B}{27}$,即$189A=104B$,故$A$的最小值为$104$,$B$的最小

值为189.每个儿子至少各得金币104枚,银币189枚.

第27讲

染 色 问 题

1 共有 6 种不同的盖法：

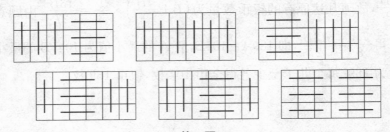

第 1 题

2 不能. 对这 16 个城市进行黑白相间的染色，一种颜色有 9 个，另一种颜色有 7 个. 而要不重复地走遍这 16 个城市，黑色与白色的个数应该相等或者相差 1.

3 用染色法可知左图可以，而右图中黑白格子数不相等，因而是不可能的.

第 3 题

4 因为每列不相同，所以每列可取 8、7、6、5、4、3、2、1，"0"（容易忽略）.

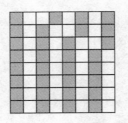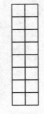

第 4 题

每行相同,则我们可以将每两列看作一对,只要使这一对中的每行有一个,配出 4 对,即可组成 8×8 的方格满足条件,即(1,7)、(2,6)、(3,5),而每列不同所以不可能出现(4,4),则第 4 组为(8,0),填入即可.

5 用染色法得 24 个黑色的格子,24 个白色的格子,黑白全部可以交换,因此是可能的.

6 6×6 的棋盘的非边缘格线有 5+5=10(条),若每一条都有纸片盖住,则至少要盖 20 张纸片,但是棋盘上仅盖了 18 张纸片,因而至少有一条格线上未盖纸片,沿此线可将棋盘划分为非空的两块即可.

7 因为老鼠遇到格点必须转弯,所以经过多少格点就转了多少次弯.如图所示,老鼠从黑点出发,到达任何一个黑点都是转奇数次弯,所以甲正确.

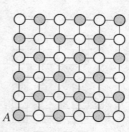

第 7 题

8 可以把房间分别涂上黑白相间的颜色,如图①,入口是黑格子房间,进入第二间的必定是白格子房间,然后又从白格子进入黑格子.房间共有 25 间,其中黑格子 13 间,白格子 12 间,由于黑格子房间比白格子房间多一间,进入到最后一房黑格子房间即为出口.可以设计出一条线路,使参观的人不重复地走完所有的房间.如图②所示:

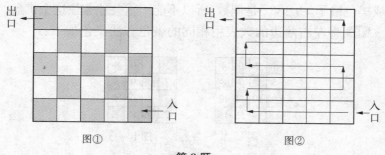

图①   图②

第 8 题

9 用染色法得 23 个黑色的格子,23 个白色的格子,因此是能够实现的.

10 用染色法对每列的 3 个格子涂色,共有 8 种不同的情况,那么,第九列的 3 个格子,必定会与前 8 列中的某一列完全相同.

11 在线段 AB 间每插入一个新点时,不论此点涂红色或蓝色,增加的标准线段总是 0 条或 2 条,再加上原来的一条标准线段 AB,得到的标准线段数是奇数.

12 将 6×6 的棋盘黑白相间染色(如图),有 18 格黑格,每张卡片盖住的黑格数不是 1 就是 3,9 张卡片盖住的黑格数之和是奇数,不可能盖住 18 个黑格.

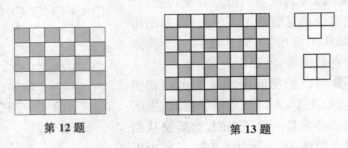

第 12 题   第 13 题

13 因为 1 个"田"字形纸片可以盖住 2 个白色格子,1 个"T"字形纸片能盖住 1 个或 3 个白色格子,因此 1 个"田"字形纸片和 15 个"T"纸片只能盖住:偶数+奇数=奇数(个白色格子).又因为白色格子和黑色格子占 32 个,如果能盖住,就应该盖住 32 个白色格子或黑色格子,由于 32 是偶数,所以不能不重叠地盖住这个棋盘.

14 将左右两边的数表用相同的染色方法染色如下:

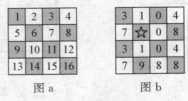

图 a   图 b

第 14 题

注意到任何一个"田"字框中一定是两个黑格两个白格,那么不论它们是同时加上一个数还是同时减去一个数,表中所有黑格之和与白格之和的差永远不变;左图中差为0,右图中差为(1−☆),故"☆"处填1.

15 把4个扇形分别用 S_1、S_2、S_3、S_4 表示. 染色时,则有两种情况. (1) 当 S_1、S_3 染色相同时,S_2 有2种染色法,S_4 有2种染色法;(2) 当 S_1 与 S_3 染色不同时,S_2 只有1种染色法,S_4 也只有1种方法. 所以共有 $3 \times 2 \times 2 + 3 \times 2 \times 1 = 18$(种) 不同的染色方法.

16 把棋盘上各点按黑白色间隔进行染色(如图). 马如从黑点出发,一步只能跳到白点,下一步再从白点跳到黑点,因此,从原始位置起相继经过:白、黑、白、黑、……. 要想回到黑点,必须黑、白成对,即经过偶数步,回到原来的位置.

第16题

17 (1)能,(2)(3)不能. 对图形进行黑白相间的染色,(1)黑白格数相等;(2)(3)黑白格数不等,而 1×2 的小矩形一次覆盖黑白格各一个.

18 如右图,将整个棋盘的每一格都分别染上红、白、黑三种颜色,这种染色方式将棋盘按颜色分成了三个部分. 按照游戏规则,每走一步,有两部分中的棋子数各减少了一个,而第三部分的棋子数增加了一个. 这表明每走一步,每个部分的棋子数的奇偶性都要改变.

因为一开始时,81个棋子摆成了 9×9 的正方形,显然三个部分的棋子数是相同的,故每走一步,三部分中的棋子数的

第18题

奇偶性是一致的.

如果在走了若干步以后,棋盘上恰好剩下一枚棋子,则两部分上的棋子数为偶数,而另一部分的棋子数为奇数,这种结局是不可能的,即不存在一种走法,使棋盘上最后恰好剩下一枚棋子.

19 分析:观察可知,开始时,仅有 2 行有格子被涂色,每操作一次则增加 2 行,因此最后共有 202 行有格子被涂色.而每一次操作,我们在每一行已涂色的格子两端各新增加 1 个涂色的格子,且在最上方已涂色的格子上方新增加 1 个涂色的格子以及在最下方已涂色的格子下方新增加 2 个涂色的格子,因此共有 $3+3\times100+2\times(2+4+\cdots+200)=20\,503$(个)格子已被涂色.

20 图中阴影正方形,我们称它为"中心格",当中心格在四个角上,不能构成凸字形,当中心格在边上,只有一种构成凸字形的方式.当中心格在棋盘中间(即不处在边和角上)时有四种构成凸字形的方式.故在 8×8 的棋盘上,剪下凸字形的不同方法有:$(8-2)\times4\times1+(8-2)\times(8-2)\times4=168$(种).在 $m\times n$ 的棋盘上,不同方法有:

$$[(m-2)+(n-2)]\times2\times1+[(m-2)\times(n-2)]\times4$$
$$=2[2(m-2)\times(n-2)+(m-2)+(n-2)]$$
$$=2[(m-2)\times(n-1)+(m-1)\times(n-2)](种).$$

第28讲

对 策 问 题

1 尽管甲先取,乙每次拿火柴,只要保持剩下的火柴数是 4 的倍数,乙必获胜.

2 为了获胜,第一次报 2,以后对方报几,我就报 7 与这个数的差. 就一定获胜.

3 为了获胜,甲第一步走 2 格,以后甲总把 5 的倍数加 1 的空格留给乙,甲就一定获胜.

4 先取者能胜. 设甲先取,甲第一次取 2 粒,以后乙无论拿几粒,甲拿的粒数与乙拿的粒数之和为 5. 这样每一轮后,剩下的棋子粒数总是 5 的倍数,最后总能留下 5 粒棋子,甲能获胜.

5 如甲先走,则甲可以获胜. 因为 $(1993-1)\div(2+3)=398\cdots\cdots2$,甲先走 2 格,再让乙走,甲再走的格数与乙走的格数之和为 5,则甲先到最后一格.

6 不一定. 3 张牌的和数等于 15 共有 8 种情况,而与 5 合在一起为 15 的有 4 种情况,故一般先取者第一张取 5,但后取者定能逼平对手.

7 让对方先报数,后报者每一次报数的个数与先报者所报的个数的和为 3.

8 甲先取 4 个球,然后乙不论取几个,甲接着取球数应与乙所取的球数之和为 6.

9 因为 $1400=7\times200$,而 $200=4\times50$,a 或者是 2 或为 $4k+1$ 或 $4k+3$ 的形式(k 为零或正整数). 乙采取的策略为:若甲取 7×2 或 $7\times(4k+1)$ 或 $7\times(4k+3)$ 颗,则乙取 7×2 或 7×3 或 7×1 颗,使得余下的棋子数仍是 7×4 的倍数. 如此最后出现剩

下数为不超过 20 的 4 的倍数与 7 的乘积. 此时甲总不能取完,而乙可以全部取完而获胜.

⑩ 先取走正中的两个棋子即可百战百胜.

⑪ 甲先从第二箱内取出 45 个球后,无论乙如何取,甲在乙取出后的另一箱内取相同数量的球.

⑫ 先翻者第一次必须翻动中间两张牌,即第 5, 6 两张牌. 然后无论后翻者翻动哪张牌,先翻者只要对称地翻即可获胜.

⑬ 让对方先放可获胜. 当对方盖上两个空格后,你就盖住与那两个空格成中心对称的两格(对称中心是 8×8 方格的中心点 A,如图). 这样盖的结果,你就能始终保持整个图形(包括被盖住部分)都是关于点 A 成中心对称的状态. 从而,只要对方有空格可盖,你在其对称位置也就有空格可盖. 所以,按上面的方法必能战胜对手.

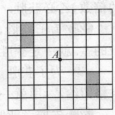

第 13 题

⑭ 甲可以获胜. 甲先写 6,乙只能写 4、5、7、8、9、10 这六个数中的一个. 将这六个数分成(4, 5)(7, 9)(8, 10)三组,当乙写某组中的一个数,甲就写另一个数,甲就可获胜.

⑮ 要获胜,开始就在第三堆拿 1 根. 第一堆有 1 根,1 用二进制表示为 1;第二堆有 4 根,4 用二进制表示为 100;第三堆有 6 根,6 用二进制表示为 110;各位上的数字加起来得 211. 有两个数位上都得到奇数,这是"奇次形式",这时对策是唯一的,就是在第三堆里拿取 1 根,使它还剩 5 根,这时的情况是:第一堆 1 根,1 用二进制表示为 1;第二堆 4 根,4 用二进制表示为 100;第三堆 5 根,5 用二进制表示为 101;各位上的数字加起来得 202,这样把"奇次形式"变成了"偶次形式",以后对方无论怎样拿都必破坏"偶次形式",再把它转化成"偶次形式"就能取得最后胜利.

⑯ 第一次报 7.

⑰ 要想取胜,当甲先走. 利用对称性,甲先走第二行的 8 步.

此时,前两行相同,后两行相同.以后,当乙走某行 a 步时,甲就走对应行的 a 步,总保持前两行相同,后两行相同.只要乙能走棋,甲必能走棋,所以乙先无棋可走,甲胜.

18 如右图,甲先把 10 填入 B,以后无论乙怎样填,甲第二次只要把 1 或 2 填入 A 或 C,甲必胜.本题 10 是一个"特殊数".由于 $1+10>2+8$,所以应先填 10.

	A	
B		D
	C	

第 18 题

19 (1)这四类走法分别为:①1,②2,③形如 $4k+1$ 的质数,④形如 $4k+3$ 的质数.(2)甲只需使自己移动后剩下的方格数目为 4 的倍数即可获胜,当甲第一次走了 3 格,对于乙的四类走法,甲对应的策略为:①乙走 1 格时甲走 3 格;②乙走 2 格时甲走 2 格;③乙走形如 $4k+1$ 的质数格时甲走 3 格;④乙走形如 $4k+3$ 的质数格时甲走 1 格.

20 采取倒推的方法,也就是从最终状态开始思考.如果石子数 1,3 或 4,则先取者可以一次取走,从而先取者赢.如果石子数 2,先取者只能取 1 个,后取者取剩下的 1 个,从而后取者赢.如果石子数是 5 或 6,先取者分别可以取 3 或 4 个给后取者留下 2 个,从而先取者赢.如果石子数 7,先取者取了之后剩下 6,5 或 3 个,都是后取者赢.如果石子数是 810 或 11,先取者分别可以取 1,3 或 4 个给后取者留下 7 个,从而先取者赢.这样继续下去,得知,如果石子数被 7 整除或者被 7 除余 2,则后取者赢.否则先取者赢.两个人轮流先取,这样周期是 14,每个周期中的第 1,2,3,5,11,13,14 局是小张赢,第 4,6,7,8,9,10,12 局是小刘赢,$76 \div 14 = 5 \cdots\cdots 6$,在 5 个完整的周期中,小张共赢 $5 \times 7 = 35$ 局,剩下的 6 局中有 4 局小张赢,所以小张共赢了 $35+4=39$ 局.

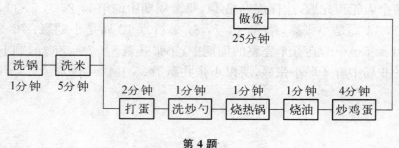

第29讲

规划与统筹

1 打水共用 $5+3+8=16$（分钟），等待的时间要少，时间总和才最少，让接水时间最少的乙先打水，甲次之，丙最后，等待时间总和为 $3\times2+5\times1=11$（分钟），他们三人所花的时间总和为 $16+11=27$（分钟）.

2 运 1 吨货物大货车耗油 $14\div7=2$（升），小货车耗油 $9\div4=2.25$（升），所以尽量用大货车. $59=7\times8+3$，1 辆小货车只装 3 吨. 总耗油量为：$14\times8+9=121$（升）.

3 我们先考虑货物总量的一半是多少，再与端点的数量比较.（$15+20+45$）$\div2=40$（吨）<45 吨，"小往大靠". 应全部集中在 5 号仓库. 所需运费为：

$$2.5\times(15\times150+20\times100)=2.5\times4250$$
$$=10\,625（元）.$$

4 因为洗锅、洗米要独立进行，如下图所示，最合理的安排要用 $1+5+25=31$（分钟）就能做好饭菜了.

第 4 题

5 如图所示,最合理的安排要用 $1+1+2+2=6$(周)就能完成.

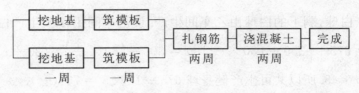

第 5 题

6 $73=20\times3+10+1\times3$,$0.12\times3+0.07+0.01\times3=0.46$(元),小明有 4 角 6 分钱;$87=20\times4+5+1\times2$,$0.12\times4+0.04+0.01\times2=0.54$(元),小刚有 5 角 4 分钱.小明和小刚的钱合起来有 1 元.$100=0.12\times8+0.04$,$20\times8+5=165$(粒).

7 如图,设在 D,E 之间任一点(含 D,E 两点)均可.本题可以简化为 B,C,D,E,F,G 处分别站着 1,1,2,1,2,1 人,求一点,使所有的人走到这点的距离和最小.

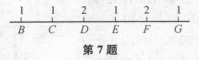

第 7 题

8 先见面通知 60 人,然后凡被通知到的人再不断打电话,到第 11 分钟共可通知 $(1+60)\times2\times2\times2\times2-1=975$(人).所以最少需要 11 分钟.是先见面通知还是先打电话通知并不重要,只要在第 4 分钟时已经被通知到的人都被安排一次见面通知即可.如果题目限定绝大多数人没有电话,则需要先安排电话通知,到第 4 分钟时已经通知到 $(1+1)\times2\times2\times2-1=15$(人),这 15 人必须有电话,这 15 人与王主任再去见面通知,共可通知到 $(15+1)\times60+15=975$(人).

9 甲车间生产黑球和白球的时间比为 $\dfrac{3}{2}$,乙车间为 $\dfrac{1}{2}$,可见甲车间擅长生产白球,乙车间擅长生产黑球. 因为甲车间 30 天可生产白球 $270 \div \left(30 \times \dfrac{2}{5}\right) \times 30 = 675$(个),所以甲车间应专门生产白球,剩下的白球由乙车间生产. 设乙车间用 x 天生产白球,则由 $675 + \left[300 \div \left(30 \times \dfrac{2}{3}\right)\right]x = 300 \div \left(30 \times \dfrac{1}{3}\right) \times (30 - x)$,解得:$x = 5$. 所以共可生产健身球 $675 + 15 \times 5 = 750$(套).

10 给这 10 箱手表编号,1 号箱取 1 个,2 号箱取 2 个,3 号箱取 3 个,……依此类推,一共取了 55 个. 如果 10 箱手表都是全钢的总重量是 11 000 克,如果实际重量是 10 980 克,说明 1 号箱的手表是半钢的,如果实际重量是 10 960 克,说明 2 号箱的手表是半钢的,用这样的方法类推,就可以找到是半钢的那箱手表.

11 每个零件都必须先车后刨,所以先安排车床上占用时间最少的乙零件,顺序为丁、甲、丙,因为车之后要刨,所以最后安排在刨床上占用时间最少的丙零件,这样前后共用了 $4 + 6 + 8 + 6 + 2 = 26$(小时)即可完成任务.

12 调运方法如右图,运费:
$0.3 \times (20 \times 2 + 10 \times 1 + 40 \times 3 + 20 \times 4 + 10 \times 1 + 20 \times 2 + 10 \times 2 + 30 \times 3) = 0.3 \times (40 + 10 + 120 + 80 + 10 + 40 + 20 + 90) = 0.3 \times 410 = 123$(元).

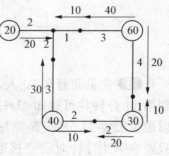

第 12 题

13 设 A 走 x 天后返回,A 留下自己返回所需要的食物,剩下的转给 B. 此时,B 共有 $(48 - 2x)$ 天的食物,由 B 最多携带 24 天的食物,知 $x = 12$. 由于 24 天的食物可以使 B 单独深入沙漠 12 天;A 返回时留有 $(24 - 2x)$ 天的食物,此时 A 最多携带 12 天的食物,知 $x = 6$. 故 B 可以向沙漠深处走 18 天,最远可以深入沙漠 $20 \times 18 = 360$(千米).

14 到甲岛,木船要 $600 \div 150 = 4$(分钟),机动船要 $600 \div$

$300 = 2$（分钟），到乙岛，木船要 $900 \div 150 = 6$（分钟），机动船要 $900 \div 300 = 3$（分钟），木船每次可运 25 人，机动船每次可运 10 人，但时间只是木船的一半，所以木船和机动船各运送 50 人.

岸边到甲岛，木船运两次，共需 $4 \times 3 = 12$（分钟）；机动船运五次，共需 $2 \times 9 = 18$（分钟）.

同理，从甲岛到乙岛，木船要 $6 \times 3 = 18$（分钟）；机动船要 $3 \times 9 = 27$（分钟），以机动船所用时间为最大限度，共用 $18 + 15 + 27 = 60$（分钟）$= 1$（小时）.

15 本题只要不出现人等船，所需时间就最少. 首先将 40 人分两批分别送到 A、B 两岛. 船从 B 岛到 A 岛等待 2 分钟后送在 A 岛参观完毕的人到 B 岛. 船又在 B 岛等待 11 分钟送在 B 岛参观完毕的人到 A 岛，再返回 B 岛等待 2 分钟把在 B 岛参观完毕的第一批人送回岸边 C，船又赶回 A 岛，第二批人正好参观完毕，接回第二批人到岸边 C. 利用 A、B 两岛间船行时间少，使这 40 名学生参观返回岸边的时间最少. 时间总和为：$12 \times 2 + (10 + 6) \times 4 + 2 \times 2 + 11 = 103$（分钟）.

16 设 A 地运往甲方 x 台，运往乙方 $(16 - x)$ 台；从 B 地运往甲方 $(15 - x)$ 台，运往乙方 $[13 - (16 - x)] = (x - 3)$ 台.

由题意得：

$$500x + 400(16 - x) + 300(15 - x) + 600(x - 3) = 400x + 9100.$$

因为 $3 \leqslant x \leqslant 15$，只有当 $x = 3$ 时，才能使这些机器的总运费最省. 总运费是 $400 \times 3 + 9100 = 10\,300$（元）.

17 如图所示，一辆卡车自身携带的油可供从 A 点出发到 C 点，需要运油车提供从 C 到 B 再返回 A 的油（中途在 C 点加油）. 由 $40a \div \frac{4}{3}a = 30$ 知，运油车可以保

第 17 题

证 30 辆车，但它本身从 A 到 C 再返回 A 要消耗掉 $\frac{4}{3}a$ 千米的油.

所以一辆运油车最多可以保证 29 辆卡车同时完成任务.

⑱ 只有 1 个圆盘时,只要移动一次;如果有 2 个圆盘,那么先把小圆盘从甲柱移到丙柱,再把大圆盘从甲柱移到乙柱,最后再把小圆盘从丙柱移到乙柱,共移动 3 次;如果有 3 个圆盘,那么可以用 3 次将小、中两个圆盘移到丙柱上,再把大圆盘移到乙柱上,再用 3 次将小、中两个圆盘移到乙柱上,共移动 $2 \times 3 + 1 = 7$(次). 以此类推,4 个圆盘要移 $2 \times 7 + 1 = 15$(次),5 个圆盘要移 $2 \times 15 + 1 = 31$(次). 一般地,把 n 个圆盘从甲柱移到乙柱上,至少要移$(2^n - 1)$ 次.

⑲ 设大汽车进入胡同的距离为 d,那么小汽车进入胡同的距离为 $3d$,整条胡同的长度为 $4d$. 如果大卡车前进的速度为 v,倒开的速度为 $\dfrac{v}{3}$,那么小汽车前进的速度为 $2v$,倒开的速度为 $\dfrac{2v}{3}$.

如果让小汽车先倒出胡同,它倒出胡同的时间为 $3d \div \dfrac{2v}{3} = \dfrac{9}{2} \times \dfrac{d}{v}$. 同时,大卡车已随着向前开出胡同. 小汽车穿过胡同所需要的时间为 $\dfrac{4d}{2v} = 2 \times \dfrac{d}{v}$. 因此,大、小汽车穿出胡同的时间是:$\dfrac{9}{2} \times \dfrac{d}{v} + 2 \times \dfrac{d}{v} = \dfrac{13d}{2v}$. 如果让大卡车先倒出胡同,它倒出胡同的时间为 $d \div \dfrac{v}{3} = \dfrac{3d}{v}$. 同时,小汽车已随着向前开出胡同. 大卡车穿过胡同所需要的时间为 $\dfrac{4d}{v}$. 因此,大、小汽车穿出胡同的时间是:$\dfrac{3d}{v} + \dfrac{4d}{v} = \dfrac{7d}{v} = \dfrac{14d}{2v}$. 通过比较可知,小汽车倒出胡同的方案比较好.

⑳ 分析:将这六个村庄依序从 1 号编到 6 号,则邮差若按照 3、6、1、5、2、4 或 3、5、1、6、2、4 的顺序投递邮包,最多可赚得 340 元工资,这是因为邮差两种投递方式分别花费 $3 + 5 + 4 + 3 +$

2 = 17(小时) 与 2＋4＋5＋2＋4 = 17(小时). 现证明无法再多：可知在此公路上共有 15 条线段,其长度分别为:5、4、4、3、3、3、2、2、2、2、1、1、1、1 与 1,为了从中选取五条线段使其总长度为 18,必须选择长度为 5 的线段,而两条长度为 4 的线段必须全选或三条长度为 3 的线段必须全选. 若两条长度为 4 的线段全选,则邮差路径必包含 2→6→1→5,此时无论如何安排 3、4 的投递顺序,其总长度皆无法超过 17. 若三条长度为 3 的线段全选,则邮差路径必包含 3→6→1→4 以及 2→5,此时无论如何安排这两条路径投递顺序,其总长度仍无法超过 17. 故总长度为 18 或以上都不可能完成,即最多为 17,故至多可赚得 340 元.

专题 *1*

分数计算与巧算

分数的计算与巧算,需要掌握一定的技巧方法,还要充分利用分数本身的特点,选择恰当的方法.

(1) 归纳思想方法. 根据题目特点,由特殊到一般,探寻其中的规律. 如从纷繁复杂的题目中选择几个数目较小的部分进行尝试,在充分利用题目特点的基础上总结出解题的规律.

(2) 正、逆向思维相结合的思想方法. 如速算和巧算中常采用逆向运用分配律,就是需要根据题目特征,或经过转化,使其符合乘法分配律的知识要求.

(3) 合理拆分的思想方法. 将一个分数拆分成几个分数的和(或差)的形式,分数的拆分形式多种多样,相关的变化灵活,学起来很有意思.

1 计算:$3 - \dfrac{2}{1 \times 2} - \dfrac{7}{1 \times 2 \times 3} - \dfrac{14}{1 \times 2 \times 3 \times 4} - \cdots - \dfrac{98}{1 \times 2 \times 3 \times 4 \times \cdots \times 10}$.

(2006 我爱数学少年夏令营)

解 $3 - \dfrac{2}{1 \times 2} = 3 - 1 = 2 \longrightarrow 3 - \dfrac{2}{1 \times 2}$

$$= 3 - \dfrac{2^2 - 2}{1 \times 2} = \dfrac{2 + 2}{1 \times 2} = 2.$$

$3 - \dfrac{2}{1 \times 2} - \dfrac{7}{1 \times 2 \times 3} = 2 - \dfrac{7}{6} = \dfrac{5}{6} \longrightarrow$

$3 - \dfrac{2}{1 \times 2} - \dfrac{7}{1 \times 2 \times 3} = 3 - \dfrac{2}{1 \times 2} - \dfrac{3^2 - 2}{1 \times 2 \times 3}$

$$= \frac{3+2}{1 \times 2 \times 3} = \frac{5}{6}.$$

$$3 - \frac{2}{1 \times 2} - \frac{7}{1 \times 2 \times 3} - \frac{14}{1 \times 2 \times 3 \times 4}$$

$$= 3 - 1 - \frac{7}{6} - \frac{14}{24} = 2 - \frac{7}{6} - \frac{7}{12}$$

$$= \frac{5}{6} - \frac{7}{12} = \frac{10}{12} - \frac{7}{12} = \frac{3}{12} = \frac{1}{4} \longrightarrow$$

$$3 - \frac{2}{1 \times 2} - \frac{7}{1 \times 2 \times 3} - \frac{14}{1 \times 2 \times 3 \times 4}$$

$$= 3 - \frac{2}{1 \times 2} - \frac{7}{1 \times 2 \times 3} - \frac{4^2 - 2}{1 \times 2 \times 3 \times 4}$$

$$= \frac{4+2}{1 \times 2 \times 3 \times 4} = \frac{6}{24} = \frac{1}{4}$$

......

由 上 述 演 算 推 得：$3 - \dfrac{2}{1 \times 2} - \dfrac{7}{1 \times 2 \times 3} -$

$$\frac{14}{1 \times 2 \times 3 \times 4} - \cdots - \frac{n^2 - 2}{1 \times 2 \times 3 \times \cdots \times n} = \frac{n+2}{1 \times 2 \times 3 \times \cdots \times n}.$$

当 $n = 10$ 时，原式 $= \dfrac{10+2}{1 \times 2 \times 3 \times \cdots \times 10} = \dfrac{12}{3\,628\,800}$

$$= \frac{1}{302\,400}.$$

② 计算：$2 + \dfrac{1}{2} + \dfrac{1}{3} + \dfrac{1}{7} + \dfrac{1}{43} + \dfrac{1}{1805} - \dfrac{1}{1805 \times 1806}.$

解　$1806 = 2 \times 3 \times 7 \times 43,$

$$\frac{1}{1805 \times 1806} = \frac{1}{1805} - \frac{1}{2} + \frac{1}{3} + \frac{1}{7} + \frac{1}{43},$$

原式 $= 2 + \dfrac{1}{2} + \dfrac{1}{3} + \dfrac{1}{7} + \dfrac{1}{43} + \dfrac{1}{1805} - \dfrac{1}{1805} + \dfrac{1}{2} - \dfrac{1}{3} - \dfrac{1}{7} - \dfrac{1}{43}$

$$= 2 + \frac{1}{2} + \frac{1}{2} = 3.$$

3 求 $(1 + 1) \times \left(1 + \frac{1}{2}\right) \times \left(1 + \frac{1}{4}\right) \times \left(1 + \frac{1}{8}\right) \times \cdots \times$

$\left(1 + \frac{1}{2048}\right)$ 的整数部分.　　　　　　*(2006 我爱数学少年夏令营)*

解　$2^{11} = 2048$,原式共有 12 项.前 4 项的乘积为 $(1 + 1) \times$

$\left(1 + \frac{1}{2}\right) \times \left(1 + \frac{1}{4}\right) \times \left(1 + \frac{1}{8}\right) = 4\frac{7}{32}$.

因为后 8 项每项都大于 1,所以原式大于 4.

原式后 8 项两两相乘,有

$$\left(1 + \frac{1}{16}\right) \times \left(1 + \frac{1}{32}\right) < 1.1,$$

$$\left(1 + \frac{1}{64}\right) \times \left(1 + \frac{1}{128}\right) < 1.03,$$

$$\left(1 + \frac{1}{256}\right) \times \left(1 + \frac{1}{512}\right) < 1.006,$$

$$\left(1 + \frac{1}{1024}\right) \times \left(1 + \frac{1}{2048}\right) < 1.002,$$

所以,原式 $< 4\frac{7}{32} \times 1.1 \times 1.03 \times 1.006 \times 1.002 < 5.$

因为 $4 <$ 原式 < 5,所以原式的整数部分是 4.

4 计算：$\dfrac{1}{3} + \dfrac{2}{2^4 + 2^2 + 1} + \dfrac{3}{3^4 + 3^2 + 1} + \cdots +$

$\dfrac{100}{100^4 + 100^2 + 1}$.　　　　　　*(2006 我爱数学少年夏令营)*

解　因为 $(n^2 - n + 1) \times (n^2 + n + 1)$

$$= (n^2 + 1 - n) \times (n^2 + 1 + n)$$

$$= (n^2 + 1)^2 - n^2 = n^4 + 2n^2 + 1 - n^2$$

$$= n^4 + n^2 + 1,$$

所以 $\dfrac{n}{n^4 + n^2 + 1} = \dfrac{1}{2} \times \left(\dfrac{1}{n^2 - n + 1} - \dfrac{1}{n^2 + n + 1} \right).$

$\text{原式} = \dfrac{1}{2} \times \left[\left(1 - \dfrac{1}{3} \right) + \left(\dfrac{1}{3} - \dfrac{1}{7} \right) + \left(\dfrac{1}{7} - \dfrac{1}{13} \right) + \cdots \right.$

$\left. + \left(\dfrac{1}{9901} - \dfrac{1}{10\,101} \right) \right]$

$= \dfrac{1}{2} \times \left[1 - \dfrac{1}{10\,101} \right] = \dfrac{5050}{10\,101}.$

5 计算：

$$\dfrac{0.6125^3 + \left(\dfrac{3}{8} \right)^3 + 0.0125^3 + 0.6125 \times \dfrac{3}{8} + 0.6125 \times 0.0125 + \dfrac{3}{8} \times 0.0125}{0.6125^2 + \dfrac{9}{64} + 0.0125^2 + 0.6125 \times \dfrac{9}{8} \times 0.0125}.$$

（2006 我爱数学少年夏令营）

解 分子、分母同乘以 8^3，得：

$\text{原式} = \dfrac{4.9^3 + 3^3 + 0.1^3 + 117.6 + 3.92 + 2.4}{4.9^2 \times 8 + 72 + 0.1^2 \times 8 + 4.41} = 1.$

6 乘积 $\left(1 + \dfrac{2}{3} \right) \times \left(2 + \dfrac{4}{5} \right) \times \cdots \times \left(8 + \dfrac{16}{17} \right) \times \left(9 + \dfrac{18}{19} \right)$ 的计算结果的个位数字是几？十位数字是几？

（华罗庚学校数学竞赛试题精选精解）

解 $\text{原式} = \left(1 + \dfrac{1 \times 2}{3} \right) \times \left(2 + \dfrac{2 \times 2}{5} \right) \times \cdots \times \left(8 + \dfrac{8 \times 2}{17} \right)$

$\times \left(9 + \dfrac{9 \times 2}{19} \right)$

$= (1 \times 2 \times \cdots \times 9) \times \left(1 + \dfrac{2}{3} \right) \times \left(1 + \dfrac{2}{5} \right) \times \cdots \times$

$\left(1 + \dfrac{2}{17} \right) \times \left(1 + \dfrac{2}{19} \right)$

$$= (1 \times 2 \times \cdots \times 9) \times \left(\frac{5}{3} \times \frac{7}{5} \times \cdots \times \frac{21}{19} \right)$$

$$= (2 \times 5) \times (3 \times 4 \times 6 \times 7^2 \times 8 \times 9),$$

因此该式的个位数字为 0，十位数字为积 $3 \times 4 \times 6 \times 7^2 \times 8 \times 9$ 的个位数字 6.

7 计算：$\dfrac{2^2+1}{2^2-1} + \dfrac{4^2+1}{4^2-1} + \dfrac{6^2+1}{6^2-1} + \cdots + \dfrac{2006^2+1}{2006^2-1}$.

（2006 年浙江省小学数学活动课夏令营）

解 $\dfrac{2^2+1}{2^2-1} = \dfrac{5}{3} = 1\dfrac{2}{3}$,

$\dfrac{4^2+1}{4^2-1} = \dfrac{17}{15} = 1\dfrac{2}{15}$,

$\dfrac{6^2+1}{6^2-1} = \dfrac{37}{35} = 1\dfrac{2}{35}$, $\cdots$（原式共有 $2006 \div 2 = 1003$ 项）.

$$原式 = 1003 + \frac{2}{2^2-1} + \frac{2}{4^2-1} + \cdots + \frac{2}{2006^2-1}$$

$$= 1003 + \frac{2}{1 \times 3} + \frac{2}{3 \times 5} + \cdots + \frac{2}{2005 \times 2007}$$

$$= 1003 + \left(1 - \frac{1}{3}\right) + \left(\frac{1}{3} - \frac{1}{5}\right) + \cdots + \left(\frac{1}{2005} - \frac{1}{2007}\right)$$

$$= 1003 + 1 - \frac{1}{2007} = 1003\frac{2006}{2007}.$$

8 计算：

$$1 + \frac{1}{2} + \frac{2}{2} + \frac{1}{2} + \frac{1}{3} + \frac{2}{3} + \frac{3}{3} + \frac{2}{3} + \frac{1}{3} + \cdots + \frac{1}{2006} +$$

$$\frac{2}{2006} + \cdots + \frac{2006}{2006} + \cdots + \frac{2}{2006} + \frac{1}{2006}.$$

（"希望杯"第二届全国数学大赛）

解 $1 = 1$, $\dfrac{1}{2} + \dfrac{2}{2} + \dfrac{1}{2} = \dfrac{4}{2} = 2$,

$$\frac{1}{3}+\frac{2}{3}+\frac{3}{3}+\frac{2}{3}+\frac{1}{3}=\frac{9}{3}=3,\cdots$$

因此解答本题要用到下面的公式:

$$1+2+3+\cdots+(n-1)+n+(n-1)+\cdots+3+2+1=n^2.$$

根据上面的公式,得到原式中分母为 n 的所有分数之和是 n.

即 $\dfrac{1^2}{1}+\dfrac{2^2}{2}+\dfrac{3^2}{3}+\cdots+\dfrac{n^2}{n}=1+2+3+\cdots+n.$

所以,原式 $=1+2+3+4+\cdots+2005+2006=2\,013\,021.$

9 计算:$\dfrac{1999}{2000}+\dfrac{1}{2000\times2001}+\dfrac{1}{2001\times2002}+\cdots+$

$\dfrac{1}{2008\times2009}$. （第三届"《小学生数学报》杯"少年数学文化传播

活动《小学生数学报》优秀小读者评选）

解 由原式得

$$\frac{1999}{2000}+\left(\frac{1}{2000}-\frac{1}{2001}\right)+\left(\frac{1}{2001}-\frac{1}{2002}\right)+\cdots+\left(\frac{1}{2008}-\frac{1}{2009}\right)$$

$$=\frac{1999}{2000}+\frac{1}{2000}-\frac{1}{2009}=1-\frac{1}{2009}=\frac{2008}{2009}.$$

10 把繁分数 $\cfrac{1}{1+\cfrac{1}{1+\cfrac{1}{\ddots+\cfrac{1}{1+\frac{1}{1}}}}}$ 共 10 条分数线化成最

简分数是多少？ （华罗庚学校数学竞赛试题精选精解）

解 我们从简单的情况算起:1 条分数线: $\dfrac{1}{1}$;2 条分数线:

$\dfrac{1}{1+\frac{1}{1}}=\dfrac{1}{2}$;3 条分数线:$\dfrac{1}{1+\frac{1}{2}}=\dfrac{2}{3}$;4 条分数线:$\dfrac{1}{1+\frac{2}{3}}=\dfrac{3}{5}$;

观察可知,这列数具有规律:后一个分数的分母等于前一个分数的分子与分母之和,而分子等于前一个分数的分母. 从而可得这列数为:$\dfrac{1}{1}$, $\dfrac{1}{2}$, $\dfrac{2}{3}$, $\dfrac{3}{5}$, $\dfrac{5}{8}$, $\dfrac{8}{13}$, $\dfrac{13}{21}$, $\dfrac{21}{34}$, $\dfrac{34}{55}$, $\dfrac{55}{89}$, …,其中的第 10 个数 $\dfrac{55}{89}$ 即为所求.

11 若 $\dfrac{1}{\triangle+\dfrac{1}{1+\frac{1}{2}}}=\dfrac{1}{2+\dfrac{1}{1-\dfrac{1}{2+\frac{1}{2}}}}$,则 $\triangle=$

_____.

（2006 我爱数学少年夏令营）

解 原式可化简为

$$\triangle+\frac{1}{1+\frac{1}{2}}=2+\frac{1}{1-\frac{1}{2+\frac{1}{2}}}$$

$$\triangle=2+\frac{1}{1-\frac{1}{2+\frac{1}{2}}}-\frac{1}{1+\frac{1}{2}}$$

$$=2+\frac{5}{3}-\frac{2}{3}=3.$$

12 如果用符号"$[a]$"表示 a 的整数部分,例如 $\left[\dfrac{5}{3}\right]=1$. 那么 $\left[\dfrac{1}{\dfrac{1}{2000}+\dfrac{1}{2001}+\cdots+\dfrac{1}{2019}}\right]$ 的整数部分是多少?

（"希望杯"第二届全国数学大赛）

解 令 $a=\dfrac{1}{2000}+\dfrac{1}{2001}+\cdots+\dfrac{1}{2019}$,则 $a<\dfrac{1}{2000}\times20=\dfrac{1}{100}$, $a>\dfrac{1}{2019}\times20=\dfrac{1}{101}$,$100<\dfrac{1}{a}<101$,所以 $\left[\dfrac{1}{a}\right]=100$.

专题 2

量 率 对 应

分数、百分数应用问题的内容是相当丰富的,实质还是倍数关系问题. 分析解答时需要弄清楚实际的数量与对应的分率之间的关系,尤其当单位"1"确定之后,如何建立已知条件与所求问题间的量率对应关系,对解决问题更为重要. 充分理解和运用题目中反映量率关系的条件并用图示表达,这是我们常用的方法.

1 小明站着不动乘电动扶梯上楼需 30 秒,如果在乘电动扶梯的同时小明继续向上走需 12 秒,那么电动扶梯不动时,小明徒步沿扶梯上楼需多少秒? （2006 小学数学 ABC 卷第 2 套试卷）

解 电动扶梯每秒上行 $\frac{1}{30}$,电动扶梯加上小明徒步上楼每秒上行 $\frac{1}{12}$,小明徒步上楼每秒上行 $\frac{1}{12} - \frac{1}{30} = \frac{1}{20}$,所以小明徒步上楼需 $1 \div \frac{1}{20} = 20$（秒）.

2 某容器里装有盐水,老师让小红再倒入 5% 的盐水 800 克,配制成 20% 的盐水. 但小红却错误地倒入了 800 克水. 老师发现后说,不要紧,你再将第三种盐水 400 克倒入容器内,就可以得到 20% 的盐水了. 第三种盐水的浓度是多少?

（2006 小学数学 ABC 卷第 4 套试卷）

解 800 克 5% 的盐水中含盐 40 克,水 760 克. 小红倒了 800 克水,少倒了 40 克盐,多倒了 40 克水,在倒第三种盐水时应"多退少补".

设第三种盐水的浓度是 $x\%$,则 400 克中含盐 $4x$ 克. "多退少补"后的质量仍是 400 克,浓度应是 20%,可列方程 $(4x - 40) \div$

$400 = 20\%$. 解得 $x = 30$，即第三种盐水的浓度是 30%.

❸ 甲、乙是两个容量为 20 升且带有刻度的相同容器. 甲中有 10 升纯酒精，乙中有 10 升水，请你在不借助其他工具的情况下进行调配，使一个容器中的酒精浓度为 20%，另一个容器中的酒精浓度为 60%.　　　　（2006 小学数学 ABC 卷第 5 套试卷）

解　① 将乙中的 10 升水看作 4 份，再加入 1 份纯酒精，就可得到 20% 的酒精.

第一步，先从甲中倒入乙中 2.5 升纯酒精，此时甲中剩 7.5 升纯酒精，乙中有 12.5 升浓度为 20% 的酒精.

② 设将乙中的 x 升酒精溶液倒入甲中，使甲中的酒精浓度为 60%，则有 $\dfrac{7.5 + x \times 20\%}{7.5 + x} = 60\%$，解得 $x = 7.5$.

第二步，将乙中的 7.5 升倒入甲，此时，乙中剩 5 升浓度为 20% 的酒精，甲中有 15 升浓度为 60% 的酒精.

❹ 甲桶装水，乙桶装纯酒精，两桶都没装满，并且有足够的空余空间. 第一步将甲桶的水倒入乙桶，倒入水的重量与乙桶中的纯酒精重量相同，调匀. 第二步把乙桶的酒精溶液倒入甲桶，倒入的重量与甲桶中剩下的水的重量相同，调匀. 第三步把甲桶的酒精溶液倒入乙桶，倒入的重量与乙桶中剩下的酒精溶液的重量相同. 此时，乙桶的酒精溶液浓度是甲桶酒精溶液浓度的多少倍？

　　　　（2006 小学数学 ABC 卷第 6 套试卷）

解　第一步后，甲桶浓度为 0%，乙桶浓度为 50%；第二步后，甲桶浓度为 25%，乙桶浓度为 50%；第三步后，甲桶浓度为 25%，乙桶浓度为 37.5%.

$$37.5\% \div 25\% = 1.5.$$

第三步后，乙桶的酒精溶液浓度是甲桶酒精溶液浓度的 1.5 倍.

❺ 某代表队运动员和工作人员共 150 人. 第一次派出运动员的 $\dfrac{1}{2}$ 少 12 人去参加比赛，第二次派出剩下运动员的 $\dfrac{3}{4}$ 多 8 人去

参加比赛,结果代表队还剩下 19 人.那么代表队中工作人员共有多少人?

（2006 我爱数学少年夏令营）

解 设有运动员 x 人,则工作人员共有 $(150-x)$ 人.

第一次派出运动员后还剩运动员 $\left(\dfrac{x}{2}+12\right)$ 人,第二次派出运动员后还剩运动员 $\left[\left(\dfrac{x}{2}+12\right)\times\dfrac{1}{4}-8\right]$ 人.

根据题意有 $\left(\dfrac{x}{2}+12\right)\times\dfrac{1}{4}-8=19-(150-x)$.

解得 $x=144$. 工作人员一共有 $150-144=6$(人).

6 一位工人要将一批货物运上山,假定运了 5 次,每次的搬运量相同,运到的货物比这批货物的 $\dfrac{3}{5}$ 多一些.按这样的运法,他运完这批货物最少共要运几次? 最多共要运几次?

（第四届小学"希望杯"全国数学邀请赛）

解 因为每次搬运量少于这批货物的 $\dfrac{3}{4}\div 5=\dfrac{3}{20}$,$1\div$

$\dfrac{3}{20}=6\dfrac{2}{3}$,所以最少要运 7 次.

因为每次搬运量多于这批货物的 $\dfrac{3}{5}\div 5=\dfrac{3}{25}$,$1\div\dfrac{3}{25}=$

$8\dfrac{1}{3}$,所以最多要运 9 次.

7 文具店有一批笔记本,按照 30% 的利润定价. 当售出这批笔记本的 80% 的时候,经理决定开展促销活动,按照定价的一半出售剩余的笔记本. 这样,当这批笔记本完全卖出后,实际获得利润的百分比是多少?

（北京市 2006 年"数学解题能力展示"读者评选活动）

解 实际获得的利润要按促销前售出的 80% 和促销售出的 20% 来计算. 促销前是 $(1+30\%)\times 80\%$;促销时是 $(1+30\%)\div$

$2 \times (1 - 80\%)$. 实际获得的利润的百分比是

$$[(1 + 30\%) \times 80\% + (1 + 30\%) \div 2 \times (1 - 80\%)] - 1$$
$$= (104\% + 13\%) - 1 = 17\%.$$

❽ 园林工人在街心公园栽种牡丹、芍药、串红、月季四种花. 已知牡丹株数为其他三种花总数的 $\dfrac{2}{13}$,芍药株数为其他三种花总数的 $\dfrac{1}{4}$,串红株数为其他三种花总数的 $\dfrac{4}{11}$,且栽种月季 60 株,那么园林工人栽种了牡丹、芍药共多少株?

(华罗庚学校数学竞赛试题精选精解)

解 依题设,牡丹株数与其他三种花总数之比为 2：13,所以牡丹占总数的 $\dfrac{2}{2+13} = \dfrac{2}{15}$. 类似地,芍药与串红分别占总数的 $\dfrac{1}{4+1} = \dfrac{1}{5}$ 和 $\dfrac{4}{11+4} = \dfrac{4}{15}$. 于是 60 株月季相当于总数的 $1 - \dfrac{2}{15} - \dfrac{1}{5} - \dfrac{4}{15} = \dfrac{2}{5}$,从而共栽花 $60 \div \dfrac{2}{5} = 150$(株),其中牡丹和芍药共有 $150 \times \left(\dfrac{2}{15} + \dfrac{1}{5}\right) = 50$(株).

❾ 丢番图(246~330)是古希腊的大数学家,生活在公元三世纪. 据说,有人给他立了一块墓碑,碑文是一道有名的数学题,大意如下:这里埋葬着丢番图. 他生命的六分之一是欢乐的童年,再度过十二分之一,他长出了胡须,又度过了七分之一,他结了婚. 五年后,他生了儿子,可惜儿子的寿命只有父亲的一半,在独生子死后四年,丢番图也结束了人生旅程. 请你算一算,丢番图一生活了多少岁?

(2008 年春·武汉明心奥数挑战赛六年级)

解 依题意,可画线段图分析:

第 9 题

利用分率转化对应量除以对应分率,所以,丢番图一生活了:

$$9 \div \left(1 - \frac{1}{6} - \frac{1}{12} - \frac{1}{7} - \frac{1}{2}\right) = 9 \div \frac{3}{28} = 84(岁).$$

❿ 从上海开车去南京,原计划中午 11:30 到达. 但出发后车速提高了 $\frac{1}{7}$,11 点钟就到了. 第二天返回时,同一时间从南京出发,按原速行驶了 120 千米后,再将车速提高 $\frac{1}{6}$,到达上海时恰好 11:10. 上海、南京两市间的路程是多少千米?

(第三届"走进美妙的数学花园"中国青少年数学论坛趣味数学解题技能展示大赛)

解 从上海到南京,车速提高到原来的 $\frac{8}{7}$,所用时间是原来的 $\frac{7}{8}$,所以原计划行车时间为 $\frac{1}{2} \div \left(1 - \frac{7}{8}\right) = 4$(小时). (提早半小时到达)

从南京回上海,车速提高到原来的 $\frac{7}{6}$ $\left[1 \times \left(1 + \frac{1}{6}\right)\right]$,所用时间是原来的 $\frac{6}{7}$ $\left(1 \div \frac{7}{6}\right)$. 因为到达上海提前了 $\frac{1}{3}$ 小时 (11:30 −11:10 = 20分钟),所以提速后行驶的时间相当于原速行驶 $\frac{1}{3} \div \left(1 - \frac{6}{7}\right) = \frac{7}{3}$(小时). 两市之间的路程是 $120 \div \left(4 - \frac{7}{3}\right) \times 4 = 288$(千米).

⓫ 在甲容器中装有浓度为 10.5% 的盐水 90 毫升,乙容器中装有浓度为 11.7% 的盐水 210 毫升. 如果先从甲、乙容器中倒出同样多的盐水,再将它们分别倒入对方的容器内搅匀,结果得到

浓度相同的盐水.各倒出了多少毫升盐水？

（第三届"走进美妙的数学花园"中国青少年
数学论坛趣味数学解题技能展示大赛）

解 设各倒出 x 毫升盐水，最后，甲容器内的盐水浓度为

$$[(90-x) \times 10.5\% + 11.7\% x] \div 90$$
$$= \{[90 \times 10.5 + (11.7 - 10.5)x] \div 90\}\%$$
$$= \left(10.5 + \frac{1.2x}{90}\right)\%.$$

乙容器内的盐水浓度为

$$[(210-x) \times 11.7\% + 10.5\% x] \div 210$$
$$= \{[210 \times 11.7 - (11.7 - 10.5)x] \div 210\}\%$$
$$= \left(11.7 - \frac{1.2x}{210}\right)\%.$$

因为两容器内的盐水浓度相同，所以 $10.5 + \dfrac{1.2x}{90} = 11.7 -$

$\dfrac{1.2x}{210}$，解得 $x = 63$.

各倒出 63 毫升盐水.

❶❷ 有甲、乙两堆小球，甲堆中的小球比乙堆多，但球数在
130 与 200 之间.第一次从甲堆拿出与乙堆同样多的球放到乙堆
中，第二次从乙堆拿出与甲堆剩下的同样多的球放到乙堆
中，……；如此做下去，挪动五次以后，发现甲、乙两堆中的小球数
目相等，那么甲堆中原有小球多少个？

（华罗庚学校数学竞赛试题精选精解）

解 我们采用倒推的方式，设后来两堆中相等的小球数目为
单位"1".第五次挪动是从甲堆中放球到乙堆，所以此前乙堆有球
$1 \div 2 = \dfrac{1}{2}$，甲堆有球 $1 + \dfrac{1}{2} = \dfrac{3}{2}$.注意在各次挪动中球是交替地
从甲堆和乙堆中移出的，故可类似地求出各次移动前甲、乙两堆中

小球的数目,具体结果如下图.于是开始甲堆中的球数是后来的 $\frac{43}{32}$ 倍,即那个相等的数目乘以 $\frac{43}{32}$ 得到介于 130 与 200 之间的另一个整数,从而该数目首先应能被 32 整除,又 $43 \times 3 < 130 < 43 \times 4 < 200 < 43 \times 5$,因此它为 32 的 4 倍,最终每堆中有球 $32 \times 4 = 128$(个),原来甲堆中有球 $43 \times 4 = 172$(个).

	甲堆中的球数	乙堆中的球数
第一次移动前	$\frac{11}{16} + \frac{21}{32} = \frac{43}{32}$	$\frac{21}{16} \div 2 = \frac{21}{32}$
第二次移动前	$\frac{11}{8} \div 2 = \frac{11}{16}$	$\frac{5}{8} + \frac{11}{16} = \frac{21}{16}$
第三次移动前	$\frac{3}{4} + \frac{5}{8} = \frac{11}{8}$	$\frac{5}{4} \div 2 = \frac{5}{8}$
第四次移动前	$\frac{3}{2} \div 2 = \frac{3}{4}$	$\frac{1}{2} + \frac{3}{4} = \frac{5}{4}$
第五次移动前	$1 + \frac{1}{2} = \frac{3}{2}$	$1 \div 2 = \frac{1}{2}$

专题 3

速度、时间,还有方向

行程问题让我们比较困扰,其实我们一直在利用速度、时间和路程之间的关系解题,关键是解题前的分析和判断:运动物体速度间的倍比关系;运动物体在运动过程中的运动方向;从不同时段分析获得的信息;从相同时段分析获得的信息;……,都是行程问题的分析手段和解题方法.

1 如图所示,甲、乙同时从自己的家里出发,分别通过对方的家门前到学校去.出发后 6 分钟两人相遇,再过 4 分钟甲通过乙家门前;再过 14 分钟两人同时到达学校.回去时,两人同时从学校出发各自直接回家.如果甲来回的速度保持不变,那么若要两人同时到家,乙回家的速度应是来时速度的几倍?

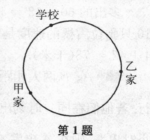

第 1 题

(2006 小学数学 ABC 卷第 1 套试卷)

解 甲出发后 6 分钟遇到乙,再过 4 分钟到乙家,所以甲、乙的速度之比为 $6:4 = 3:2$,即甲的速度是乙的 1.5 倍($6 \div 4 = 1.5$).

甲到乙家用 10 分钟,乙到甲家用 $10 \times 1.5 = 15$(分钟).因为两人同时到学校,所以乙从甲家到学校用了 $10 + 14 - 15 = 9$(分钟).这段路甲回家时需走 $9 \div 1.5 = 6$(分钟).

另一方面,甲从乙家到学校用了 14 分钟,现在乙从学校回家要用 6 分钟走完,所以乙回家的速度是来时的 $14 \times 1.5 \div 6 = 3.5$(倍).

2 一个极地探险家乘着 10 只狗拉的雪橇从甲营地赶往乙

营地. 出发后 4 小时发生了意外,有 3 只狗受伤,只好由其余的 7 只狗继续拉雪橇,前进的速度变为原来的 $\frac{7}{10}$,结果探险家比预定时间迟到了 2 小时. 如果受伤的 3 只狗能再拖雪橇走 21 千米,那么就可以比预定时间早到 1 小时. 甲、乙两个营地相距多少千米?

(2006 小学数学 ABC 卷第 2 套试卷)

解 根据题意,以全速再多走 21 千米就能早到 1 小时,推知全速再多走 42 千米,就能提前 2 小时到达,即按预定时间到达. 所以,出发 4 小时后距乙营地还有 42 千米.

7 只狗拉雪橇走 42 千米的时间,10 只狗拉雪橇能走 $42 \times \frac{10}{7} = 60$(千米).

多出的 $60 - 42 = 18$(千米)就是节约的 2 小时的路程. 所以 10 只狗拉雪橇的速度是每小时 9 千米. 甲、乙两营地的路程是 $9 \times 4 + 42 = 78$(千米).

3 A、B 两人相距 370 千米,他们骑着自行车以匀速相向而行. 若他们在同一时刻出发,则会在 4 小时后相遇. 若 B 比 A 晚 $\frac{1}{2}$ 小时出发,则在 A 出发 4 小时后他们两人相距 20 千米. 请问 A 骑自行车每小时行多少千米? (2006 年国际小学数学竞赛)

解 A、B 的速度之和为

$$370 \div 4 = 92.5(千米 / 时).$$

A、B 3.5 小时共行驶 $92.5 \times 3.5 = 323.75$(千米).

A $\frac{1}{2}$ 小时行驶的路程 $370 - 323.75 - 20 = 26.25$(千米).

A 骑车每小时行驶的路程 $26.25 \div \frac{1}{2} = 52.5$(千米).

4 如图,长方形 $ABCD$ 中,$AB : BC = 5 : 4$. 位于 A 点的第一只蚂蚁按 $A \rightarrow B \rightarrow C \rightarrow D \rightarrow A$ 的方向,位于 C 点的第二只蚂蚁

按$C→B→A→D→C$的方向同时出发,分别沿着长方形的边爬行.如果两只蚂蚁第一次在 B 点相遇,则两只蚂蚁第二次相遇在哪条边上? （第十一届全国"华罗庚金杯"少年数学邀请赛初赛）

解 两只蚂蚁的速度比是 $5:4$,从 B 点出发,两只蚂蚁第二次相遇时,两只蚂蚁共爬了一圈,其中第一只蚂蚁爬了 $\dfrac{5}{5+4}=\dfrac{5}{9}$.

$B→C→D$ 是一圈的 $\dfrac{1}{2}$, $B→C→D→A$

是一圈的

$$\frac{4+5+4}{4+5+4+5}=\frac{13}{18}.$$

因为 $\dfrac{1}{2}<\dfrac{5}{9}<\dfrac{13}{18}$,所以相遇地点在 DA 边上.

第 4 题

5 甲、乙两人分别从 A、B 两地出发,相向而行(不一定同时出发),甲骑自行车,乙步行.两人在距 A 地 500 米处第一次相遇.甲继续走到 C 地后发现忘带东西,于是将速度提高一倍,立即返回 A 地,并在距 A 地 400 米处追上乙.到达 A 地后不作停留立即前往 B 地,在距 A 地 300 米处与乙第二次相遇,最后两人同时到达目的地.那么 BC 两地相距多少米?

（2007 年北京市"数学解题能力展示"
读者评选活动高年级组决赛）

解

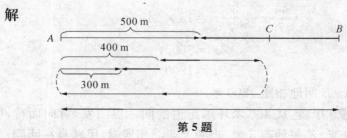

第 5 题

由图可知:甲在走 700 m 的同时乙走了 100 m,所以甲加速后速度:乙速度为 7:1.所以乙走 300 m 的同时甲走了 2100 m.所以 AB 两地相距 2400 m.

设第一次相遇地点离 C 点距离 x m,

$$\frac{100}{1} = \frac{100+x}{7} + \frac{x}{3.5}, \ x=200.$$

所以 AC 相距 $500+200=700$(m).所以 BC 相距 1700 m.

6 如图,甲、乙分别从 A,B 两地同时出发相向而行,在 C 处相遇后,甲没有休息,到 B 地后立即折返;乙则休息了 15 分钟才继续走,到 A 地后立即折返.两人折返后仍在 C 处相遇.如果甲每分钟走 60 米,乙每分钟走 80 米,那么 A,B 两地相距多少米?

第6题

(2006 小学数学 ABC 卷第 5 套试卷)

解 设 A、B 两地相距 x 米.由 $AC:CB=60:80=3:4$ 知:$AC=\frac{3}{7}x, CB=\frac{4}{7}x$. 由甲从 A 到 B 再到 C 所用时间比乙从 B 到 A 再到 C 所用时间多 15 分钟,可得方程:

$$\left(x+\frac{4}{7}x\right) \div 60 = \left(x+\frac{3}{7}x\right) \div 80 + 15,$$

$$\left(x+\frac{4}{7}x\right) \times 4 = \left(x+\frac{3}{7}x\right) \times 3 + 15 \times 240,$$

$$\frac{44}{7}x - \frac{30}{7}x = 15 \times 240,$$

$$2x = 3600,$$

$$x = 1800.$$

A、B 两地相距 1800 米.

7 甲、乙从 400 米环形跑道的同一点出发,背向而行,甲每秒跑 3 米,乙每秒跑 5 米.当两人迎面相遇时,甲转身往回跑;当乙追上甲时,乙转身往回跑. 出发后几秒两人第一次在出发点相遇.

(2006 小学数学 ABC 卷第 6 套试卷)

解 $v_甲 : v_乙 = 3 : 5$.

第一次是迎面相遇,甲跑了 $\frac{3}{8}$ 圈,乙跑

了 $\frac{5}{8}$ 圈;(即如图①)

第二次是乙追上甲,甲跑了 $\frac{3}{2}$ 圈,乙跑

了 $\frac{5}{2}$ 圈;(如图②)

第 7 题

第三次是迎面相遇,甲跑了 $\frac{3}{8}$ 圈,乙跑了 $\frac{5}{8}$ 圈;(如图③)

第四次是乙追上甲,甲跑了 $\frac{3}{2}$ 圈,乙跑了 $\frac{5}{2}$ 圈. 此时两人第一次在出发点相遇.(如图④)

甲共跑了 $\left(\frac{3}{8} + \frac{3}{2}\right) \times 2 = 3\frac{3}{4}$(圈),用时

$$400 \times 3\frac{3}{4} \div 3 = 500(秒),$$

或 $$400 \times \left[\left(\frac{5}{8} + \frac{5}{2}\right) \times 2\right] \div 5 = 500(秒).$$

⑧ 甲、乙两个机器人从环形跑道的同一地点同时出发开始跑步,他们的速度分别保持不变,并且甲比乙快. 在跑步过程中,每当两人迎面相遇,甲便转身往回跑,每当甲追上乙,乙便转身往回跑. 如果前两次相遇(迎面与追及都算)地点都不在出发点,那么从出发到两人第 30 次相遇,两人在出发点相遇了几次?

(2006 小学数学 ABC 卷第 6 套试卷)

解 条件中没有两人的速度,甚至不知道出发时两人是同向还是背向,似乎缺少条件,其实这些都不需要.

设第二次相遇点顺时针距出发点 x 米. 此时, 因为甲、乙各转向一次, 两人(顺时针或逆时针)的运动方向都与出发时刚好相反, 所以第四次相遇点应逆时针距第二次相遇点 x 米, 即回到出发点. 此时, 甲、乙各转向两次, 两人运动方向与刚出发时完全相同, 所以相遇情况每四次重复一遍.

$$30 \div 4 = 7 \cdots\cdots 2.$$

从出发到第 30 次相遇, 两人在出发点相遇 7 次.

(本题可参照前面一题的分析过程)

❾ 小张、小李和小王于某日上午分别步行、骑自行车和开汽车从 A 地出发沿公路向 B 地匀速前进. 已知小李比小张晚 1 小时出发, 小王比小李晚 45 分钟出发. 他们三人恰在途中某地相遇. 若到达 B 地小李比小张早 24 分钟, 则小王比小张早多少分钟?

(2006 我爱数学少年夏令营)

解 由"小李比小张晚 1 小时出发, 小王比小李晚 45 分钟出发"推知小王比小张晚 105 分钟出发. $(60 + 45 = 105)$

假设三人在途中某地相遇, 小张行了 120 分钟, 那么小李行了 $120 - 60 = 60$(分钟), 小王只行了 $120 - 105 = 15$(分钟). 行同一段路, 三人的时间之比是: 小张 : 小李 : 小王 $= 120 : 60 : 15 = 8 : 4 : 1$.

行完全程小李比小张少用 $60 + 24 = 84$(分钟).

行完全程小王比小张少用

$$84 \div (8 - 4) \times (8 - 1) = 147 (分钟).$$

所以小王比小张早 $147 - 105 = 42$(分钟)到达 B 地.

❿ 小汽车和大轿车都从甲地驶往乙地, 大轿车速度是小汽车速度的 $\frac{4}{5}$. 大轿车要在两地中点停 10 分钟, 小汽车中途不停车, 但比大轿车从甲地晚出发 11 分钟, 却比大轿车早 7 分钟到达乙地. 大轿车是上午 10 时出发的, 那么, 小汽车超过大轿车是 10 时几分? (北京市 2006 年"数学解题能力展示"读者评选活动)

解 不算大轿车中途休息的时间,小汽车行驶的时间比大轿车少 $11+7-10=8$(分钟),所以大轿车行驶的时间为

$$8 \div \left(1 - \frac{4}{5}\right) = 40 \text{(分钟)}.$$

小汽车行驶时间为 $40 \times \frac{4}{5} = 32$(分钟).

大轿车 10:20 到达两地中点,10:30 离开.小汽车 10:11 出发,10:27 到达两地中点,此时大轿车仍在休息,小汽车是 10:27 超过大轿车的.

11 如右图,有 A,B,C,D 四个村镇,在连接它们的三段等长的公路 AB,BC,CD 上,汽车行驶的最高时速限制分

第 11 题

别是 60 千米、20 千米和 30 千米.一辆客车从 A 镇出发驶向 D 镇,到达 D 镇后立即返回;一辆货车同时从 D 镇出发,驶向 B 镇.两车相遇在 C 镇,而当货车到达 B 镇时,客车又回到了 C 镇.已知客车和货车在各段公路上均以其所能达到且被允许的速度尽量快地行驶,客车自身所具有的最高时速大于 30 千米,货车在与客车相遇后自身所具有的最高时速比相遇前提高了 $\frac{1}{8}$,求客车的最高时速.

(华罗庚学校数学竞赛试题精选精解)

解 设汽车以 60 千米的时速驶过每段公路所需的时间为"1".依题设可知客车从 C 镇到 D 镇,然后再回到 C 镇所需的时间为 $2 \times (60 \div 30) = 4$.在这段时间内,货车从 C 镇到 B 镇,恰好走完了一段公路,因此其时速为 $60 \div 4 = 15$(千米).从而,货车相遇前的时速为 $15 \div \left(1 + \frac{1}{8}\right) = \frac{40}{3}$(千米).$\frac{40}{3} < 30$,所以从 D 镇到 C 镇货车用时 $60 \div \frac{40}{3} = \frac{9}{2}$.客车驶完 BC 段公路用时 $60 \div 20 = 3$,于是由两车相遇在 C 镇知,客车在 AB 段上耗时 $\frac{9}{2} - 3 = \frac{3}{2} > 1$.

这意味着客车的最高时速小于 60 千米,是 $60 \div \frac{3}{2} = 40$(千米).

⑫ 李刚骑自行车从甲地到乙地,要先骑一段上坡路,再骑一段平坦路,他到乙地后,立即返回甲地,来回共用了 3 小时.李刚在平坦路上比上坡路每小时多骑 6 千米,下坡路比平坦路每小时多骑 3 千米.还知道他在第一小时比第二小时少骑 5 千米,第二小时骑了一段上坡路,又骑了一段平坦路,第二小时比第三小时少骑了 3 千米.(1)李刚骑上坡路和下坡路所用的时间各是多少分钟?(2)甲、乙两地之间的距离是多少千米? (华罗庚学校数学竞赛试题精选精解)

解 (1)显然李刚第一小时都在骑上坡路,因为第二小时比第一小时多骑 5 千米,而平路比上坡每小时可多骑 6 千米,所以在第二小时他有 $\frac{5}{6}$ 的时间,即 50 分钟是在平路上行进.于是上坡所用的时间为 $60 + (60 - 50) = 70$(分钟).在第三小时李刚骑的是一段平坦路和一段下坡路,并且比第一小时多骑 $5 + 3 = 8$(千米).已知下坡比上坡每小时多骑 $6 + 3 = 9$(千米),平路比上坡每小时多骑 6 千米,故若第三小时都骑上坡路将比第一小时多前进 9 千米,这与实际相差 $9 - 8 = 1$(千米),因此第三小时骑平路的时间是 $1 \div (9 - 6) = \frac{1}{3}$(小时)$= 20$(分钟).从而下坡用了 $60 - 20 = 40$(分钟);(2)已经求出同一段路在上坡时用 70 分钟,在下坡时用 40 分钟,所以下坡速度为上坡时的 $\frac{7}{4}$ 倍,又这两个速度之差为每小时 9 千米,故上坡速度为每小时 $9 \div \left(\frac{7}{4} - 1\right) = 12$(千米),下坡速度为每小时 $12 + 9 = 21$(千米),进而在平路上的速度是每小时 $21 - 3 = 18$(千米).李刚骑行的总路程是 $12 \times \frac{70}{60} + 18 \times \frac{50 + 20}{60} + 20 \times \frac{1}{3} = 49$(千米),即甲、乙两地之间的距离为 $49 \div 2 = 24.5$(千米).

专题 4

圆 和 扇 形

　　圆和扇形与其他平面图形组成的组合图形的周长、面积,一般很难直接利用公式计算. 这时候,我们可以利用分、合、移、补等方法将其转化为若干个基本几何图形的组合,然后再分别计算这若干个基本图形,分析整体与部分的关系,问题就能迎刃而解.

　　1 如图①,半径为 25 厘米的小铁环沿着半径为 50 厘米的大铁环的内侧作无滑动的滚动,当小铁环沿大铁环滚动一周回到原位时,问:小铁环自身转了几圈?

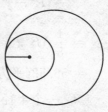

　　　　　　（第九届全国"华罗庚金杯"
　　　　　　少年数学邀请赛初赛）

第 1 题图①

　　解　因为大铁环的周长是小铁环周长的
2 倍（50÷25）,所以小铁环自身转了 1 圈. 滚动过程如图②所示:

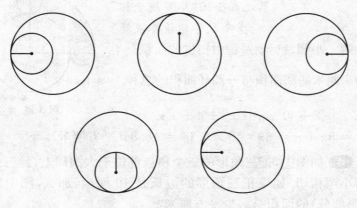

第 1 题图②

2 如图①,大、小两个半圆,它们的直径在同一直线上,弦 AB 与小半圆相切,且与直径平行,弦 AB 长 12 厘米.求图中阴影部分的面积(圆周率=3.14).

(第九届全国"华罗庚金杯"少年数学邀请赛初赛)

解 如图②所示:将小半圆平移,使两圆的圆心重叠,再在下面对称地复制成为两个同心圆:

第2题图①

设大圆半径为 R,小圆半径为 r,则所求面积为圆环面积的一半,等于

$$\frac{1}{2}(R^2-r^2)\pi = \frac{1}{2}\left(\frac{1}{2}AB\right)^2\pi$$

$$= \frac{1}{8}AB^2\pi = \frac{1}{8} \times 12^2 \times 3.14$$

$$= 56.52(平方厘米).$$

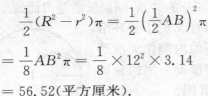

第2题图②

3 一个半径为 1 厘米的圆盘沿着一个半径为 4 厘米的圆盘外侧做无滑动的滚动,当小圆盘的中心围绕大圆盘中心转动 90 度后(如图),小圆盘运动过程中扫出的面积是多少平方厘米?(π 取 3.14)

(第九届全国"华罗庚金杯"少年数学邀请赛决赛)

解 小圆盘运动过程中扫过的面积是半径为 1 厘米的圆面积与 $\frac{1}{4}$ 圆环面积的总和.

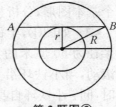

第3题

$$[(2+4)^2\pi - 4^2\pi] \div 4 + 1^2\pi$$

$$= 5\pi + \pi = 6\pi = 6 \times 3.14 = 18.84(平方厘米).$$

4 如图①,正三角形的三个顶点都位于大圆周上,且三条边都与小圆相切.如果正三角形的边长是 10 厘米,那么,图中圆环(阴影部分)的面积是多少平方厘米?

(2006 小学数学 ABC 卷第 3 套试卷)

图①

图②

第 4 题

解 如图②所示,连结圆心 O 与三角形的顶点 A 及三角形与小圆的切点 B.

$$S_{圆环} = (OA^2 - OB^2)\pi = BA^2\pi = (10 \div 2)^2 \times 3.14 = 78.5(平方厘米).$$

5 如图①所示,在半径为 2 厘米的圆周上内接一个正十二边形,求其面积. （2006 小学数学 ABC 卷第 6 套试卷）

图①

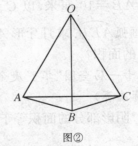

图②

第 5 题

解 选取正十二边形相邻的三个顶点 A,B,C,如图②连结. $\triangle OAC$ 是等边三角形,因为 $OB \perp AC$,所以四边形 $OABC$ 的面积为 $OB \times AC \div 2 = 2 \times 2 \div 2 = 2$(平方厘米).

正十二边形面积是四边形 $OABC$ 的 6 倍,即 $2 \times 6 = 12$(平方厘米).

6 如图①,一个小正六边形内接于一圆,一个大正六边形外切与同一圆. 若大正六边形的面积为 10 平方单位,请问小正六边形

第 6 题图①

的面积为多少平方单位？　（第十届小学数学世界邀请赛队际赛）

解　将小正六边形旋转 30 度,删掉了圆得图②,然后分割.

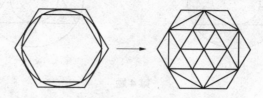

第 6 题图②

大正六边形内共有大小相等的三角形 24 个.

小正六边形内共有大小相等的三角形 18 个,

$$10 \div 24 \times 18 = 7.5(平方单位).$$

7 如图,圆 O 中直径 AB 与 CD 互相垂直,$AB = 10$ 厘米,以 C 为圆心,CA 为半径画弧 $\overset{\frown}{AEB}$. 求月牙形 $ADBEA$(阴影部分)的面积?

（第十一届全国"华罗庚金杯"少年数学邀请赛决赛）

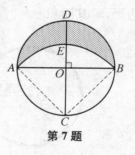

第 7 题

解　阴影部分的面积等于

半圆 $\overset{\frown}{ABD}$ 的面积 $+\triangle ABC$ 的面积 $-$ 扇形 $\overset{\frown}{CAEBC}$ 的面积

$$= \frac{1}{2} \times \pi \times 5^2 + 25 - \frac{1}{4} \times \pi \times 50 = 25(平方厘米).$$

8 如图①,其中小圆的半径为 10,大圆的半径为 20.那么阴影部分的面积是多少?（π 取 3.14）.

（华罗庚学校数学竞赛试题精选精解）

解　如图②,正方形内四个半圆面积的和减去正方形的面积得到的是正方形内的阴影面积,为 $4 \times 0.5 \times 3.14 \times 10^2 - 20^2 = 228$. 又四个小圆面积的和减去大圆面积相当于正方形内阴影面积减去正方形外阴影面积所得的差,是 $3.14 \times (4 \times 10^2 - 20^2) = 0$. 从而正方

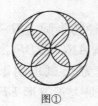

图①   图②

第8题

形内、外的阴影部分面积相等,本题的答案为 $2 \times 228 = 456$.

9 如图①,在 3×3 方格表中,分别以 A, E, F 为圆心,半径为 3, 2, 1,圆心角都是 $90°$ 的三段圆弧与正方形 $ABCD$ 的边界围成了两个带形,那么这两个带形的面积之比 $S_1 : S_2$ 是多少?

（华罗庚学校数学竞赛试题精选精解）

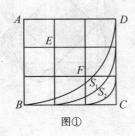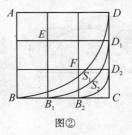

图①   图②

第9题

解 如图②,曲边三角形 B_2CD_2 由正方形 FB_2CD_2 除去 $90°$ 的扇形 FB_2D_2 得到,其面积为 $1 - \frac{1}{4} \times \pi \times 1^2 = 1 - \frac{\pi}{4}$,类似地可得曲边三角形 B_1CD_1 和 BCD 的面积分别是 $2 \times 2 - \frac{1}{4} \times \pi \times 2^2 = \left(1 - \frac{\pi}{4}\right) \times 4$,$3 \times 3 - \frac{1}{4} \times \pi \times 3^2 = \left(1 - \frac{\pi}{4}\right) \times 9$. 于是 $S_1 =$ 曲边三角形 BCD 的面积 — 曲边三角形 B_1CD_1 的面积 $= \left(1 - \frac{\pi}{4}\right) \times (9 - 4) = \left(1 - \frac{\pi}{4}\right) \times 5$,$S_2 =$ 曲边三角形 B_1CD_1 的面积 — 曲边三角形 B_2CD_2 的面积 $= \left(1 - \frac{\pi}{4}\right) \times (4 - 1) = \left(1 - \frac{\pi}{4}\right) \times 3$,故两个带形的面积之比为 $5 : 3$.

10 (1)如图①,在以 AB 为直径的半圆上取一点 C,分别以 AC 和 BC 为直径在△ABC 外作半圆 AEC 和 BFC. 已知 AC 的长度为 4,BC 的长度为 3,AB 的长度为 5. 试求阴影部分的面积;

(2)如图②,阴影正方形的顶点分别是大正方形 $EFGH$ 各边的中点,分别以大正方形各边的一半为直径向外做半圆,再分别以阴影正方形的各边为直径向外作半圆,形成 8 个"月牙形". 这 8 个"月牙形"的总面积为 32 平方厘米,问大正方形 $EFGH$ 的面积是多少平方厘米? (2008 年北大附中"资优博雅杯"数学竞赛)

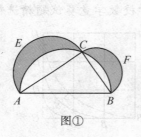

图①

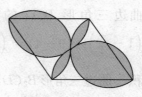

图②

第 10 题

解 分析:(1) $S_{阴} = S_{半圆AEC} + S_{半圆BFC} + S_{\triangle ABC} - S_{半圆ACB} =$

$\dfrac{1}{2} \times \dfrac{1}{4}\pi AC^2 + \dfrac{1}{2} \times \dfrac{1}{4}\pi BC^2 + \dfrac{1}{2} \times AC \times BC - \dfrac{1}{2} \times \dfrac{1}{4}\pi AB^2 =$

$\dfrac{1}{8}\pi(AC^2 + BC^2 - AB^2) + \dfrac{1}{2} \times 3 \times 4 = 6$(平方厘米).

(2) 由(1)知,两个月牙形面积总和等于下面的直角三角形面积,因此大正方形 $EFGH$ 的面积 $= 32 \times 2 = 64$(平方厘米).

11 如图①,菱形对角线长度分别为 a 和 b,分别以菱形的四条棱作为直径作半圆,求阴影部分的面积.

(2008 年北大附中"资优博雅杯"数学竞赛)

第 11 题图①

解 分析：以菱形的四条棱作为直径
作半圆的过程中，菱形中的四块阴影是重
叠的（也就是有两层），如图②深色部分所
示．所以阴影面积总和为四个半圆面积总
和减去菱形即得：

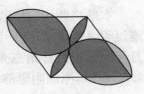

第 11 题图②

$$S_阴 = 4S_{半圆} - S_菱$$

$$= 4 \times \frac{1}{2} \times \frac{1}{4}\pi d^2 - \frac{1}{2}ab$$

$$= \frac{1}{2}\pi \times \frac{1}{4}(a^2 + b^2) - \frac{1}{2}ab$$

$$= \frac{\pi(a^2 + b^2) - 4ab}{8}.$$

12 如图①，$AB = 3$，阴影部分的面积是多少？

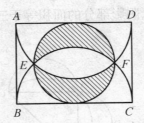

第 12 题图①

（2008 年第六届"走进美妙的数学花园"中国青少年
数学论坛趣味数学解题技能展示大赛决赛六年级）

解

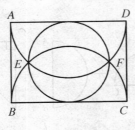

图②

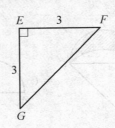

图③

本题将使用"月牙定理",定理的证明如问后所示. $EF = 3$,不难说明 $AB = EF$,所以原图中的阴影部分等于图④中的月牙. 而月牙的面积为直角三角形 EFG,$\triangle EFG$ 的面积为 $3 \times 3 \div 2 = 4.5$. 所以,原图阴影部分的面积为 4.5.

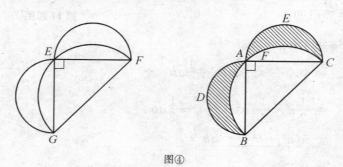

图④

"月牙定理":在直角三角形 ABC 中分别以 AB,AC,BC 为半径作 3 个半圆,那么阴影部分的面积等于三角形的面积.

证明如下:

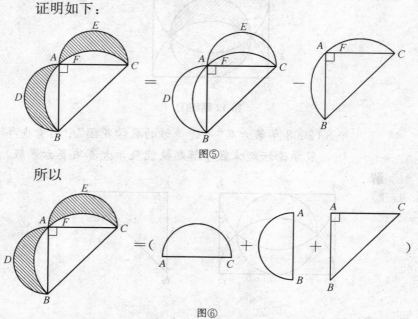

图⑤

所以

图⑥

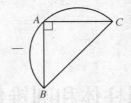

而由勾股定理知,

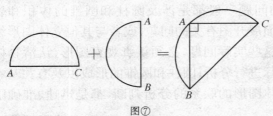

图⑦

所以

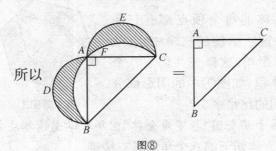

图⑧

圆柱体和圆锥体

圆柱和圆锥的问题一般都是涉及圆柱和圆锥的体积和表面积,或者与它的侧面展开图有关的问题,或者与其他立体图形结合产生的问题.解答这些实际问题,必须认真观察图形,认清物体的结构特征,联系实际进行分析;圆柱和圆锥的形成以及有关基本数量关系,与其他立体图形的联系的分析判断,都是迅速、准确解决问题的关键.

1 一个正方体的每个顶点都有三条棱,以其为端点,沿这三条棱的三个中点,从这个正方体切下一个角,这样一共切下八个角,则余下部分的体积(如图①中的阴影部分所示)和正方体体积的比是多少?

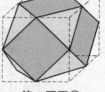

第1题图①

(第十届全国"华罗庚金杯"少年数学邀请赛决赛)

解 从这个正方体切下的八个角都是三棱锥.

设正方体的棱长为 $2a$,切下的一个角如图②所示.它的体积为:

$$(a \times a \div 2) \times a \div 3 = \frac{a^3}{6} \left(\text{取三棱柱的}\frac{1}{3}\right).$$

所求的体积比为

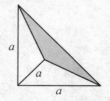

第1题图②

$$1 - \left[\frac{a^3}{6} \times 8 \div (2a)^3\right] = 1 - \frac{1}{6} = \frac{5}{6}.$$

2 一个圆柱体形状的木棒,沿着底面直径竖直切成两部分.已知这两部分的表面积之和比圆柱体的表面积大 2008 cm^2,则这

个圆柱体木棒的侧面积是多少平方厘米?(π 取 3.14)

(2008 年第二届两岸四地"华罗庚金杯"少年数学精英邀请赛)

解 表面积增加的部分是长为圆柱底面直径(d),宽为高(h)的两个长方形,则增加的面积为 $2dh$,圆柱的侧面积

$$S = 2\pi rh = \pi dh = 1004\pi = 3152.56 (\text{cm}^2).$$

第 2 题　　　　　　　　第 3 题

3 口渴的乌鸦看到一只装了水的瓶,瓶的旁边还有 350 粒玉米(假设每粒玉米的体积相等). 乌鸦本想立即吃玉米,但口渴难忍,它还得用祖辈传下来的本领——投"石"喝水呢! 乌鸦先叼了 100 粒玉米投入瓶中,水面上升到瓶的高度的 $\frac{1}{2}$;再往瓶中投了 150 粒玉米,水面上升到瓶的高度的 $\frac{7}{8}$. 如图,瓶是圆柱体形. 若再往瓶中投入玉米,乌鸦就能喝到水啦!

(1) 如果瓶的容积是 V,那么每粒玉米的体积是多少?

(2) 最初瓶中水的体积是多少?

(3) 如果乌鸦最终喝了瓶中水的 70%,那么乌鸦还需投入瓶中多少粒玉米?

(4) 这时乌鸦还可以吃到多少粒玉米?

(2008 年南京市第四届青少年
"科学小博士"思维训练系列活动)

解 (1) 每粒玉米的体积为 $\frac{1}{150} \times \left(\frac{7}{8} - \frac{1}{2} \right) V = \frac{1}{400} V$;

(2) 最初瓶中水的体积为 $\frac{1}{2}V - 100 \times \frac{1}{400}V = \frac{1}{4}V$；

(3) 乌鸦喝了瓶中 70% 的水，即投入

$$\left(70\% \times \frac{1}{4}V\right) \div \left(\frac{1}{400}V\right) = 70(粒)；$$

(4) 最后乌鸦还可以吃到 $350 - 100 - 150 - 70 = 30$（粒）.

4 一个装了一些水的瓶子，它的瓶口部分是半径为 1 厘米的圆柱体，瓶身部分是半径为 3 厘米的圆柱体，如图 a 所示. 当瓶子正立放着时，水面的高度为 20 厘米，如图 b 所示. 当瓶子倒立放着时，水面的高度为 28 厘米，如图 c 所示. 请问整个瓶子的高度为多少厘米？ （第十届小学数学世界邀请赛队际赛）

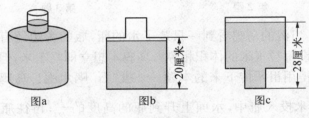

图a　　　　　图b　　　　　图c

第 4 题

解 图 b 空白部分的高比图 c 空白部分的高多 $28 - 20 = 8$（厘米），设图 c 空白部分的高为 x 厘米，则图 b 空白部分的高就为 $(x+8)$ 厘米，根据两空白部分的容积相等列方程：$\pi(x+8) = 9\pi x$，解得：$x = 1$（厘米）. 所以整个瓶子的高度为：$28 + 1 = 29$（厘米）.

5 如图①所示，将圆柱形水桶中的水倒入一个直径 40 厘米，深 50 厘米的圆柱形水杯，水桶旋置的角度与水平线成 45°，水杯中的水有多少厘米水深时才能使水与圆桶接触.

（2008 年全国小学数学资优生水平测试）

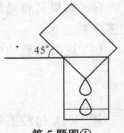

第 5 题图①

解　如图②,过点 C 作 $DE \perp AB$,则 $AB = 40$ cm, $DE = 50$ cm, $\angle CAB = 45°$, 而 $\angle ACB = 90°$. 所以 $\triangle ABC$ 是等腰直角三角形.

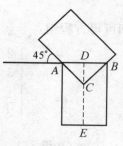

第 5 题图②

$$CD = \frac{1}{2}AB = 20 \text{ cm},$$

$$CE = 50 - 20 = 30(\text{cm}).$$

⑥ 把一个棱长为 2 厘米的正方体在同一平面上的四条棱的中点用线段连结起来(如图所示),然后再把正方体所有顶点上的三角锥锯掉. 那么最后所得的立体的体积是多少立方厘米?

（"希望杯"第二届全国数学大赛）

解　锯掉的每个三角锥的体积为:

$$1 \times 1 \times 1 \div 2 \div 3 = \frac{1}{6}(\text{立方厘米}).$$

第 6 题

剩下的立体的体积为:

$$2^3 - \frac{1}{6} \times 8 = 6\frac{2}{3}(\text{立方厘米}).$$

⑦ 如图是一个没有盖的水箱,在其侧面 $\frac{1}{3}$ 高和 $\frac{2}{3}$ 高的位置各有一个排水孔,它们排水时的速度相同且保持不变. 现在以一定的速度从上面给水箱注水. 如果打开 A 关闭 B,那么 35 分钟可将水箱注满;如果关闭 A 打开 B,那么 40 分钟可将水箱注满. 如果两个孔都打开,那么需要多少分钟才能将水箱注满?

第 7 题

（2006 小学数学 ABC 卷第 1 套试卷）

解　以水箱的容积为单位 1.设注水的速度为每分钟 x 单位,单孔排水的速度为每分钟 y 单位.根据题目中两种情况所用的时

间可得方程组:

$$\begin{cases} \dfrac{2}{3} \div x + \dfrac{1}{3} \div (x-y) = 35, & ① \\ \dfrac{1}{3} \div x + \dfrac{2}{3} \div (x-y) = 40. & ② \end{cases}$$

$2 \times ① - ②$ 得 $1 \div x = 30, x = \dfrac{1}{30},$

$2 \times ② - ①$ 得 $1 \div (x-y) = 45, x - y = \dfrac{1}{45},$

$$y = x - \dfrac{1}{45} = \dfrac{1}{30} - \dfrac{1}{45} = \dfrac{1}{90}.$$

当两个孔都打开时,注满水箱需要:

$$\dfrac{1}{3} \div x + \dfrac{1}{3} \div (x-y) + \dfrac{1}{3} \div (x-2y)$$
$$= \dfrac{1}{3} \div \dfrac{1}{30} + \dfrac{1}{3} \div \left(\dfrac{1}{30} - \dfrac{1}{90} \right) + \dfrac{1}{3} \div \left(\dfrac{1}{30} - \dfrac{2}{90} \right)$$
$$= 10 + 15 + 30$$
$$= 55(分钟).$$

⑧ 在一个高为 30 厘米的圆柱体容器内,放着一个棱长为 10 厘米的正方体铁块. 现在打开一个水龙头往容器里注水,3 分钟时水面恰好与正方体铁块顶面平齐,14 分钟时水灌满容器. 该容器的容积是多少立方厘米?(2006 小学数学 ABC 卷第 5 套试卷)

解　因为圆柱体容器的高度是正方体铁块高度的 3 倍 $(30 \div 10)$,所以容器内正好可以垂直重叠放下 3 个同样大小的正方体铁块.

因为注水 3 分钟,水面与第一块铁块顶面齐平,所以注水 9 分钟可注满容器(水面与第三块铁块顶面齐平). 也就是说,水龙头注水 5 分钟$(14-9)$正好可以补足 2 块铁块的体积,水龙头每分钟注水

$$10^3 \times 2 \div 5 = 400(\text{立方厘米}).$$

容器的容积为

$$400 \times 14 + 10^3 = 6600(\text{立方厘米}).$$

9 如图①是一个直圆柱形状的玻璃杯,一个长为 12 厘米的直棒状细吸管(不考虑吸管粗细)放在玻璃杯内. 当吸管一端接触圆柱下底面时,另一端沿吸管最少可露出上底面边缘 2 厘米,最多能露出 4 厘米. 则这个玻璃杯的容积为多少立方厘米?(取 $\pi = 3.14$)(提示:直角三角形中"勾 6、股 8、弦 10")

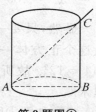

第 9 题图①

(第十一届全国"华罗庚金杯"少年数学邀请赛初赛)

解 如图②,$BC = 12 - 4 = 8$(厘米),$AC = 12 - 2 = 10$(厘米),根据"勾 6、股 8、弦 10",得到 $AB = 6$(厘米).

所以这个玻璃杯的容积为

$$
\begin{aligned}
&(AB \div 2)^2 \pi \times BC \\
&= (6 \div 2)^2 \pi \times 8 \\
&= 3^2 \times 3.14 \times 8 \\
&= 226.08(\text{立方厘米}).
\end{aligned}
$$

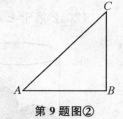

第 9 题图②

10 设半径为 10 厘米的球中有一个棱长为整数(厘米)的正方体,则该正方体的棱长最大等于多少?

(2011 第十六届"华罗庚金杯"少年数学邀请赛决赛 D 卷)

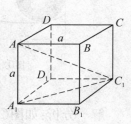

第 10 题

解 分析:如右图,球的内接正方体 $ABCD - A_1B_1C_1D_1$ 的顶点在球面上,它的(体)对角线 AC_1,就是球的直径,即 $AC_1 = 2 \times 10 = 20$(厘米).

由图形的对称性,可知 $\angle AA_1C_1 = 90°$,$\angle A_1B_1C_1 = 90°$. 设

正方体的棱长为 a，即 $AA_1 = A_1B_1 = B_1C_1 = a$，连续用勾股定理两次，得到

$A_1C_1^2 = 2a^2$，$AC_1^2 = AA_1^2 + A_1C_1^2 = 3a^2$，则 $3a^2 = 20^2 = 400$，

$a^2 = \dfrac{400}{3} = 133\dfrac{1}{3}$.

显然，只要一个正方体的棱长 a 为整数，满足 $a^2 \leqslant 133$，那么这个正方体一定可以放入球中，因为 $11^2 = 121 < 133 < 144 = 12^2$. 故所求的棱长为整数的正方体的最大棱长等于 11 厘米.

11 如图①所示，一个圆柱体的直径是 27，高是 30. 圆柱体中放有两个铅球，半径分别为 6 和 9，大铅球放在圆柱体的底面上. 将水倒入圆柱体中，并且淹没两个球. 所需水的体积至少是多少？（球的体积公式 $V = \dfrac{4}{3}\pi R^3$，圆周率 π 取 3）

（2012 第十七届"华罗庚金杯"少年数学邀请赛决赛武汉卷）

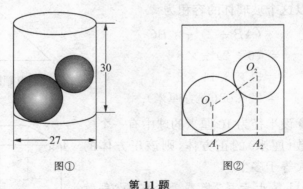

图①   图②

第 11 题

解 分析：如图②，连结球心 O_1O_2 并作底面的垂线交底面于 A_1、A_2 点，则 $O_1O_2 = 6 + 9 = 15$，$A_1A_2 = 27 - 6 - 9 = 12$，$15^2 - 12^2 = 9^2$，所以水高为 $6 + 9 + 9 = 24$. 所需水的体积是

$$\pi \times \left(\dfrac{27}{2}\right)^2 \times 24 - \dfrac{4}{3}\pi \times 6^3 - \dfrac{4}{3}\pi \times 9^3 = 9342.$$

12 在一个正方体里作一个最大的球,在球内再作一个最大的正方体. 大正方体的表面积是小正方体的多少倍?

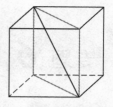

第 12 题图①

（2012 年春·武汉明心数学资优生水平测试）

解 分析：如图①所示,正方体里的最大球的直径与正方体的棱长等长. 球内最大的正方体的对角线与球的直径等长.

设小正方体的棱长为 a. 它的一个面的对角线的平方是 $2a^2$.

粗线即大正方体的棱长,棱长的平方是：$2a^2 + a^2 = 3a^2$, 即大正方体一个面的面积.

大正方体的表面积是：$3a^2 \times 6 = 18a^2$;

小正方体的表面积是：$a^2 \times 6 = 6a^2$

大正方体的表面积是小正方体的：$18a^2 \div 6a^2 = 3$ 倍.

第 12 题图②

专题 *6*

从整体考虑

从整体上来考察研究的对象,就是将题目中有联系而又相对独立的几个部分,合并成一个整体去分析、思考. 整体分析可以避开题目中那些细节问题的干扰和纠缠,从整体与各部分的关系中找出解题的思路,以便清晰地抓住问题的核心,抓住主要矛盾,迅速获得解题的方法.

1 对于每个不小于 1 的整数 n,令 a_n 表示 $1+2+3+\cdots+n$ 的个位数字. 例如 $a_1 = 1$, $a_2 = 3$, $a_4 = 0$, $a_5 = 5$,则 $a_1 + a_2 + a_3 + \cdots + a_{2007}$ 等于多少? (2007 年北京市"数学解题能力展示"读者评选活动高年级组决赛)

解 经尝试后,可观察到出现如下周期情况:

$$1360518655681506310 0136\cdots,$$

所以 $a_1 + a_2 + \cdots + a_{2007}$
$$= 70 \times 100 + 1 + 3 + 6 + 0 + 5 + 1 + 8 = 7024.$$

2 我们知道,很多自然数可以表示成两个不同质数的和,例如 $8 = 3 + 5$. 那么在写成两个不同质数之和恰有两种表示方法(加数不计顺序)的自然数中,最小的是几?

(华罗庚学校数学竞赛试题精选精解)

解 由于偶质数只有 2,且两奇质数相加之和为偶数,因此所求的自然数必为偶数. 又易见,在这两种表示方法中出现的四个质数是互不相同的,从而所求的自然数至少是 $\frac{1}{2} \times (3 + 5 + 7 + 11) = 13$. 经试算,14 只能表示成 $3 + 11$,而下一个偶数 $16 = 3 + 13 = 5 + 11$,它恰有两种表示方法,故本题的答案即为 16.

3 姐妹两人各买了一本同样的习题集,约定在相同的时间内做完它.姐姐计划头两周每周做 30 道习题,以后每周做 25 道;妹妹计划头两周每周做 35 道,以后每周做 30 道,剩余两周留作复习.那么这本习题集中共有多少道题目?

(华罗庚学校数学竞赛试题精选精解)

解 除去最后的两周,每周姐姐比妹妹少做 $35 - 30 = 30 - 25 = 5$(道)题,而姐姐在最后的两周做题 $25 \times 2 = 50$(道),因此前面应有 $50 \div 5 = 10$(周),故她们做题的计划时间为 $10 + 2 = 12$ 周.从而习题集中共有 $30 \times 2 + 25 \times (12 - 2) = 310$(道)题目.

4 某次数学考试共有 20 道试题.每答对一题得 5 分,每答错一题倒扣 1 分,未作答的题目得 0 分.小朱在此次考试的成绩为 31 分,请问她最多可能总共作答了多少道试题(包括答对的和答错的)?

(2006 年国际小学数学竞赛)

解 小朱共失去 $5 \times 20 - 31 = 69$(分).

设小朱答错 x 道,未答 y 道,有

$$(5 + 1)x + 5y = 69, \quad y = \frac{69 - 6x}{5},$$

解得
$$\begin{cases} x = 4, \\ y = 9, \end{cases} \quad \begin{cases} x = 9, \\ y = 3. \end{cases}$$

所以,小朱答了 11 道,其中答错 4 道,答对 7 道($20 - 4 - 9$);或答了 17 道,其中答错 9 道,答对 8 道($20 - 9 - 3$).因此,她最多可能总共作答了 17 题.

5 在一次聚会上,每个人都和其他所有人握了一次手,只有一个人只和他认识的人握了手.如果他们握手的总次数为 60 次(两人握手算一次),那么这个人在聚会上认识多少人?

(2006 小学数学 ABC 卷第 3 套试卷)

解 设聚会上共有 n 人.如果每个人都与所有人握了手,那么握手的总次数为 $\frac{n(n-1)}{2}$.除了那个人外,所有人握手的次数为

$\frac{(n-1)(n-2)}{2}$. 于是有

$$\frac{(n-1)(n-2)}{2} < 60 \leqslant \frac{n(n-1)}{2},$$
$$(n-1)(n-2) < 120 \leqslant n(n-1).$$

由 $11 \times 10 < 120 \leqslant 12 \times 11$,推知 $n = 12$,即共有 12 人.除这个人外,所有人握手 $11 \times 10 \div 2 = 55$(次),所以这个人在聚会上认识 $60 - 55 = 5$(人).

6 A,B 两人用相同的速度削马铃薯,每人每分钟各削好一个.刚开始时两人的篮子中马铃薯的数量相同.每次当 A 削完一个马铃薯后,就同时从自己的篮子中拿一个未削好的马铃薯放进 B 的篮子中(这个动作所费的时间不计).在某个时刻,A 未削好的马铃薯的数量与 B 未削好的马铃薯的数量之比为 $1:2$.又经过 10 分钟之后,这个比变成 $1:3$.A,B 两人从开始削马铃薯起一直到两人未削好的马铃薯的数量之比变成 $1:4$ 止,两人共削完了多少个马铃薯?　　　　　　　　　　(2006 小学数学 ABC 卷第 3 套试卷)

解　由题意知,A 的篮子中每分钟减少 2 个马铃薯,B 的篮子中马铃薯的数量不变,也就是说,$1:2$,$1:3$,$1:4$ 中的 2,3,4 对应的具体量是相等的,都是刚开始时 B 的篮子中马铃薯的个数,故可以将比的份数统一起来,变为 $6:12$,$4:12$,$3:12$.得到下表:

时　　间	A,B 篮子中马铃薯个数之比
开　　始	$12:12$
某个时刻	$6:12$
某时刻后 10 分钟	$4:12$
最　　后	$3:12$

A 的篮子中从 6 份变到 4 份用 10 分钟,那么从 12 份变为 3 份用

$$10 \times [(12-4) \div (6-4)] = 45(\text{分钟}).$$

45 分钟两人共削好马铃薯 $2 \times 45 = 90$(个).

7 李勇进行跑步训练.今天的训练计划需要跑 2400 米,其中前三分之一的时间为快跑,中间三分之一时间为中速跑,后三分之一时间为慢跑.如果李勇快速跑的速度是每秒 5 米,中速跑的速度是每秒 4 米,慢速跑的速度是每秒 3 米,那么,李勇跑后面的 1200米用了多少秒?

(2006 年浙江省小学数学活动课夏令营,五年级综合竞赛)

解 由于快速跑、中速跑和慢速跑所用时间是相同的,我们将 1 秒快速跑、1 秒中速跑、1 秒慢速跑称作 1 份时间,则 1 份时间可跑 $5+4+3 = 12$(米),$2400 \div 12 = 200$(份)时间,即三种速度各跑 200 秒.慢跑 200 秒可跑 600 米,还剩 600 米是中速跑的,需要 $600 \div 4 = 150$(秒),所以,小勇跑后 1200 米用时 350 秒.

8 计算:$\dfrac{15}{34} + \dfrac{570}{118} + \dfrac{76}{1003} + \dfrac{1}{2006}$.

(2006 年浙江省小学数学活动课夏令营)

解 显然 2006 是 1003 的倍数,那么 2006 是不是 34 和 118 的倍数呢?经计算 2006 是 34 的 59 倍,是 118 的 17 倍.所以有

$$\text{原式} = \dfrac{885}{2006} + \dfrac{969}{2006} + \dfrac{152}{2006} + \dfrac{1}{2006} = 1\dfrac{1}{2006}.$$

9 某人到花店买花,他只有 24 元.本打算买 6 支玫瑰和 3 支百合,但钱不够,只好买了 4 支玫瑰和 5 支百合,这样他还剩了 2 元多钱.请你算一算,2 支玫瑰和 3 支百合哪个的价格高?

(第三届"走进美妙的数学花园"中国青少年
数学论坛趣味数学解题技能展示大赛)

解 设 1 支玫瑰 x 元,1 支百合 y 元.

$$\begin{cases} 6x + 3y > 24, & \textcircled{1} \\ 4x + 5y < 22. & \textcircled{2} \end{cases}$$

$3 \times ② - 2 \times ①$ 得 $9y < 18$，即 $y < 2$.

$5 \times ① - 3 \times ②$ 得 $18x > 54$，即 $x > 3$.

所以 $2x > 3y$，即 2 支玫瑰比 3 支百合的价格高.

⑩ 一个数列有如下规则：当数 n 是奇数时，下一个数是 $(n+1)$；当数 n 是偶数时，下一个数是 $\dfrac{n}{2}$. 如果这列数的第一个数是奇数，第四个数是 11，则这列数的第一个数是几？

（2006 小学数学 ABC 卷第 1 套试卷）

解 由规则知，在这个数列中，奇数的前面必是偶数. 采用逆推法，得到下表

第4个数	第3个数	第2个数	第1个数

$$11 \xrightarrow{11\times2} 22 \xrightarrow{22\times2} 44 \xrightarrow{44\times2} 88$$
$$\searrow 43$$
$$22-1 \searrow 21 \xrightarrow{21\times2} 42$$

因为第一个数是奇数，所以第一个数是 43.

⑪ 规定一种运算"$\otimes$"：$a \otimes b$ 表示求 a，b 两个数的差，即用 a，b 中较大的数减去较小的数，例如：$5 \otimes 4 = 5 - 4 = 1$，$1 \otimes 4 = 4 - 1 = 3$，$6 \otimes 6 = 6 - 6 = 0$. 那么，请按规定把下式化简.

$$\left(\frac{2006}{665} \otimes 1\right) + \left(\frac{2006}{665} \otimes 2\right) + \left(\frac{2006}{665} \otimes 3\right) +$$
$$\left(\frac{2006}{665} \otimes 4\right) + \left(\frac{2006}{665} \otimes 5\right) + \left(\frac{2006}{665} \otimes 6\right)$$

（"希望杯"第二届全国数学大赛）

解 原式 $= \left(\dfrac{2006}{665} - 1\right) + \left(\dfrac{2006}{665} - 2\right) + \left(\dfrac{2006}{665} - 3\right) +$
$$\left(4 - \frac{2006}{665}\right) + \left(5 - \frac{2006}{665}\right) + \left(6 - \frac{2006}{665}\right)$$
$$= 4 + 5 + 6 - 1 - 2 - 3 = 9.$$

12 将一根长线对折后,再对折,共对折 10 次,得到一束线,用剪刀将这束线剪成 10 等份,问:可以得到不同长度的短线段各多少根? （第十一届全国"华罗庚金杯"少年数学邀请赛决赛）

解 10 次对折后,得到的是 $2^{10}=1024$（条）线并列的线束. 如图,用剪刀将得到的线束剪成 10 等分.

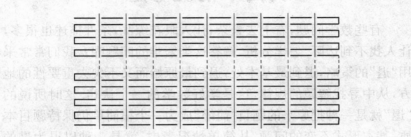

第 12 题

除去两端,中间的 8 等分的线段都是较短的线段,共有（8×1024）根. 另外,剪下的两端,其中一端有 2 条短的线段,余下（2×1024－2）线段,每两条构成 1 条线段. 所以,

较长的线段有 1024－1＝1023（根）；

较短的线段有 8×1024＋2＝8194（根）.

专题 7

从简单情况考虑

有些数学问题,看上去繁杂,让人眼花缭乱,条件描述也很多,让人找不到边际.怎样分析、解答这类繁难的问题呢?我们常常采用"退"的策略,退到最基本处,退到最原始而又不失去重要性的地方,从中寻找解题的规律,这是学好数学的一个诀窍.这时所说的"退"就是一种把原来的题目"简缩"成为一个很简单仍保持题目本质,基本形式不变的问题,从简单情况考虑,就是一种以退为进的解题策略.

1 有些自然数,它加 1 是 2 的倍数,它的 2 倍加 1 是 3 的倍数,它的 3 倍加 1 是 5 的倍数,那么所有这样的自然数中最小的一个是几?

（华罗庚学校数学竞赛试题精选精解）

解 加 1 是 2 的倍数的自然数为奇数 1,3,5,….其中 1 的 2 倍加 1 就是 3 的倍数,也满足第二个条件,又因为 2 与 3 互质,所以满足前两个条件的数就是 1,1+(2×3)×1,1+(2×3)×2,….经试算其中满足第三个条件的最小数为 13,此即所求.

2 一个正方形被 4 条平行于一组对边和 5 条平行于另一组对边分割成 30 个小长方形(大小不一定相同).已知这些小长方形的周长之和是 33 厘米,那么原来正方形的面积是多少平方厘米?

（华罗庚学校数学竞赛试题精选精解）

解 正方形内分割线上的每个小段同时属于两个小长方形,而正方形边上的每个小段仅属于一个小长方形,因此所有小长方形的周长之和应为正方形边长的 $4+2×(5+4)=22$ 倍.从而正方形边长为 $33÷22=1.5$(厘米),面积是 $1.5^2=2.25$(平方厘米).

3 李师傅加工一批零件,已知加工了全部零件的 $\frac{1}{3}$ 还多 18 个,余下没有加工的零件比已加工的还多 48 个,则这批零件共有多少个?　　　　　　　　　　　　(华罗庚学校数学竞赛试题精选精解)

解 依题意可知,没有加工的零件个数比总数的 $\frac{1}{3}$ 还多 $18+48=66$(个). 又因为已加工的零件个数与没有加工的零件个数之和是全部的零件个数,所以 $66+18=84$(个) 零件恰占了总数的 $1-\frac{1}{3}-\frac{1}{3}=\frac{1}{3}$,从而这批零件的总数应为 $84\div\frac{1}{3}=252$(个).

4 a、b 及 c 都是两位数,a 的个位数是 7,b 的个位数是 5,c 的十位数是 1. 若 $a\times b+c=2006$,请问 $a+b+c$ 等于多少?

(第十届小学数学世界邀请赛个人赛)

解 $a\times b$ 的积必是 5 的倍数,c 的十位上是 1,由 $a\times b+c=2006$ 知 $c=11$,则 $a\times b=2006-11=1995=3\times5\times7\times19$,$a=3\times19=57$(个位上是 7),$b=5\times7=35$(个位上是 5).所以 $a+b+c=57+35+11=103$.

5 小妮在一个长方形中任取三个边长相加,所得之值是 88 cm. 小诺也在同一个长方形中任取三个边长相加,所得之值是 80 cm. 请问这个长方形的周长是多少?

(2006 年国际小学数学竞赛)

解 小妮取的三个边长之和大于小诺取的三个边长之和,可以假设小妮取了两条长一条宽,小诺取了两条宽一条长,设长方形长、宽分别为 a cm、b cm,于是有

$$\begin{cases} 2a+b=88, & ① \\ a+2b=80. & ② \end{cases}$$

①+②得 $3(a+b)=168$,$a+b=56$,所以这个长方形的周长是 $56\times2=112$(cm).

6 今有一组砝码,具有如下性质:

(1) 其中有 5 个砝码的重量各不相同;

(2) 对于任意两个砝码 A 与 B，一定可以找到另外两个砝码 C 与 D，使得 A 与 B 的重量之和等于 C 与 D 的重量之和.

那么，这一组砝码最少可以有几个.

（2007 年北京市"数学解题能力展示"
读者评选活动高年级组决赛）

解 这是一道组合问题，利用排序法容易解决.

设这组砝码的质量为 $a_1 \leqslant a_2 \leqslant a_3 \leqslant a_4 \cdots \leqslant a_{n-1} \leqslant a_n$（由(1)知等号不都存在）. 由于对于任何 2 个砝码，都可以找到另外 2 个砝码，它们的质量之和相等，那么 $a_1 + a_2$ 只可能等于 $a_3 + a_4$. 这说明，必然存在 $a_1 = a_2 = a_3 = a_4$. 同样必然存在 $a_n = a_{n-1} = a_{n-2} = a_{n-3}$.

对于 $a_4 + a_5$ 只可能等于 $a_3 + a_6$（或 $a_2 + a_6$，$a_1 + a_6$），由 $a_1 = a_2 = a_3 = a_4$ 可知 $a_5 = a_6$，同样，必然存在 $a_{n-4} = a_{n-5}$.

根据这组砝码中有 5 个砝码的质量各不相同，现在 $a_1 = a_2 = a_3 = a_4 < a_5 = a_6$，$a_{n-5} = a_{n-4} < a_{n-3} = a_{n-2} = a_{n-1} = a_n$. 已有 4 种不同质量的砝码，要达到 5 个质量各不相同的砝码，只要补上一个比 a_6 重而又比 a_{n-5} 轻的即可. 这样最少要有 13 个.

下面就是一个例子：1，1，1，1，2，2，3，4，4，5，5，5，5.

7 王老汉别无财产，只有一块薄田如图，临终前想把它均匀地（面积相等）分给两个儿子，要求只能在中间筑一道直的田埂.

(1) 请你在图①中直接画出分割线表示你设计的方案，并加以必要的文字说明.

(2) 按你设计的方案，哪块地的周长较长些？ （"希望杯"第二届全国数学大赛）

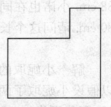

第 7 题图①

解 (1) 过矩形两条对角线交点（称为中点）的任意直线都将该矩形分成面积相等的两部分，图②中的直线同时过两个矩形的中心，所以将该图形分成了面积相等的两部分.

(2) 显然左边一块地的周长较长.（这两

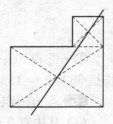

第 7 题图②

块地竖直方向的边长度相等,水平方向的边长,左边的地超过一条长,右边的地不到一条长.)

8 如图,在 2×3 的长方形中,以 A, B, C, D, E, F, G 为顶点且面积为1的三角形有多少个?

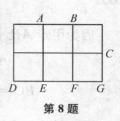

第8题

(华罗庚学校数学竞赛试题精选精解)

解 我们按三角形的顶点在水平线上的分布情况讨论. 若一条水平线上有两个顶点,则这条直线可能为 AB 或 DG. 当三角形以 A, B 为两个顶点时,AB 的长是1,故三角形的高应等于2,第三个顶点取自线段 DG,可为 D, E, F, G 中的任意一点,于是得到4个合适的三角形. 当三角形以线段 DG 上的某两点为顶点时,这两点之间距离为1的取法有3种:D 和 E,E 和 F,F 和 G,此时另一个顶点应位于 AB 边上,可能是 A 或 B,故共有 $3 \times 2 = 6$ 个合适的三角形. 这两点之间距离为2的有2种:D 和 F,E 和 G,另一个顶点是 C,又得到2个合适的三角形. 若三条水平线上各有一个顶点,经观察试算,只有三角形 BFC 和三角形 AGC 满足要求. 共计有 $4 + 6 + 2 + 2 = 14$(个).

9 从甲地到乙地,如果车速每小时提高 20 千米,那么时间由 4 小时变为 3 小时. 甲、乙两地相距多少千米?

(2006 小学数学 ABC 卷第 1 套试卷)

解 3 个小时多行 $20 \times 3 = 60$(千米),这 60 千米原来需行 1 小时,所以两地相距 $60 \times 4 = 240$(千米).

10 如图所示,甲、乙、丙分别从 A、B、C 点同时出发,并且同时到达 B、C、A 点. 如果△ABC 的周长是 460 米,甲、乙、丙绕行一周的时间分别是 8、9、12 分钟,那么 BC 长多少米?

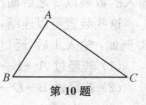

第10题

(2006 小学数学 ABC 卷第 1 套试卷)

解　路程一定时,速度与时间成反比.所以甲、乙、丙的速度

比为 $\dfrac{1}{8}:\dfrac{1}{9}:\dfrac{1}{12}=\dfrac{72}{8}:\dfrac{72}{9}:\dfrac{72}{12}=9:8:6.$

因为甲走 AB、乙走 BC、丙走 CA 所用时间相同,所以

$$AB:BC:CA=9:8:6,$$

$$BC=460\times\dfrac{8}{9+8+6}=160(米).$$

11 某小组在下午 6 点开了一个会,刚开会时小张看了一下手表,发现那时表的分针与时针垂直.下午 7 点之前小组会就结束了,散会时小张又看了一下手表,发现分针与时针仍然垂直,那么这个小组会共开了多少分钟? 　　　　　(2006 我爱数学少年夏令营)

解　分针每分钟转 $\dfrac{1}{60}$ 圈,时针每分钟转 $\dfrac{1}{720}$ 圈.分针与时针

垂直,说明分针比时针多转 $\dfrac{1}{2}$ 圈,需 $\dfrac{1}{2}\div\left(\dfrac{1}{60}-\dfrac{1}{120}\right)=\dfrac{360}{11}$(分

钟). 这个小组会开了 $\dfrac{360}{11}$ 分钟.

12 假设有一种计算器,它由 A、B、C、D 四种装置组成,将一个数输入一种装置后会自动输出另一个数.各装置的运算程序如下:

装置 A:将输入的数加上 6 之后输出;装置 B:将输入的数除以 2 之后输出;装置 C:将输入的数减去 5 之后输出;装置 D:将输入的数乘以 3 之后输出.

这些装置可以连结,如在装置 A 后连结装置 B,就记作:$A\rightarrow B$.例如:输入 1 后,经过 $A\rightarrow B$,输出 3.5.

(1) 若经过 $A\rightarrow B\rightarrow C\rightarrow D$,输出 120,则输入的数是多少?

(2) 若经过 $B\rightarrow D\rightarrow A\rightarrow C$,输出 13,则输入的数是多少?

　　　　　　　(第四届小学"希望杯"全国数学邀请赛)

解　逆向考虑.

（1）输入到 D 的数为 $120 \div 3 = 40$,输入到 C 的数为 $40 + 5 = 45$,输入到 B 的数为 $45 \times 2 = 90$,所以输入到 A 的数是 $90 - 6 = 84$.

（2）输入到 C 的数是 $13 + 5 = 18$,输入到 A 的数是 $18 - 6 = 12$,输入到 D 的数是 $12 \div 3 = 4$,所以输入到 B 的数是 $4 \times 2 = 8$.

或用代数法解:

（1）设输入的数是 x,则 $\left(\dfrac{x+6}{2} - 5 \right) \times 3 = 120$,解得 $x = 84$.

（2）设输入的数是 y,则 $\dfrac{y}{2} \times 3 + 6 - 5 = 13$,解得 $y = 8$.

专题 8

从特殊情况考虑

对于一个一般性的问题,如果觉得难入手,我们可以从它的某些特殊情况获得解题途径,这种方法称为特殊化.对问题的特殊情况进行研究,一方面是因为研究特殊情况比研究一般情况较为容易;另一方面是因为特殊的情况会有一般性,所以对特殊情况的研究常常能够揭示问题的结论或启发解决问题的思路,它是探索问题的一种重要方法.运用特殊化进行探索,通常由一般到特殊,再由特殊到一般.由特殊到一般获得的信息,还要回到一般情况予以解答.

1 在以下一系列的图形中,图形①是最大的正三角形,其面积是 1 平方单位.图形②中未涂上阴影部分的三角形的顶点是图①中较大三角形的中点.依照相同的规律继续画出图形③及以后的图形,请问在图形⑤中,阴影部分的总面积为多少平方单位?

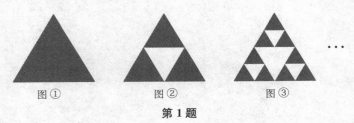

图①　　　　图②　　　　图③

第 1 题

(2006 年国际小学数学竞赛)

解 由图示可知,下一个图形都是取了前一个图形阴影部分的四分之三,所以有如下的分析过程.

图①   图②   图③   图④   图⑤

面积单位: 1 $1\times\dfrac{3}{4}=\dfrac{3}{4}$ $\dfrac{3}{4}\times\dfrac{3}{4}=\dfrac{9}{16}$ $\dfrac{9}{16}\times\dfrac{3}{4}=\dfrac{27}{64}$ $\dfrac{27}{64}\times\dfrac{3}{4}=\dfrac{81}{256}$

所以,在图形⑤中,阴影部分的总面积为 $\dfrac{81}{256}$.

2 小明用若干个大小相同的正方体木块堆成一个几何体,这个几何体从正面看如图①所示,从上面看如图②所示,那么这个几何体至少用了多少块木块?

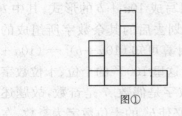 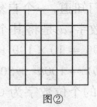

图①   图②

第2题

(2007年北京市"数学解题能力展示"
读者评选活动高年级组决赛)

解 图②中最多可缺如图③所示的5块.
所以至少有 $5^2-5+8=28$(块).

3 五位科学家共同研制一种新型设备,他们的全部资料都存放在一个保险柜中. 此柜上有很多把锁,只有当这些锁全都被打开时,保险柜才能打开. 已知每位科学家手中都有若干把锁的钥匙,他们中任何三个人在一起时都能

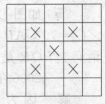

第2题图③

打开保险柜,但任何两个人却不行,那么保险柜上最少应有多少把锁?

(华罗庚学校数学竞赛试题精选精解)

解 因为5个人中任2人都至少有一把打不开的锁,所以每把锁都至少对应着一个2人组合,此组合中的2人在一起打不开这把锁. 我们断言不同的2人组合所打不开的锁是不同的,否则这

两个 2 人组合加在一起不少于 3 人却仍打不开同一把锁,这与题意不相符.以上的分析说明每把锁恰好只对应着一个 2 人组合,那么锁的最小数目应等于从 5 人中任取 2 人的组合数目,即 $\dfrac{5\times4}{2}=$ 10(把).

❹ 一个自然数与自身相乘的结果称为"平方数".若一个平方数的十位数字是 7,则它的个位数字是几?

(华罗庚学校数学竞赛试题精选精解)

解 我们知道,一个自然数可以写成 $10a+b$ 的形式,其中 b 是它的个位数字,a 是将其个位数字划去后的其余数字所组成的数(例如,$1996=10\times199+6$).经计算可知 $(10a+b)^2=(10a+b)\times(10a+b)=100a^2+20ab+b^2$,这里 $100a^2$ 的个位、十位数字均为 0,$20ab$ 的个位数字为 0,十位数字是偶数.7 是奇数,故题述平方数所对应的那个 $10a+b$ 中的 b 必使 b^2 的十位数字为奇数.在 $0^2,1^2,\cdots,9^2$ 中只有 $4^2=16$ 和 $6^2=36$ 的十位数字是奇数,又由上面的分析知 $(10a+b)^2$ 与 b^2 个位数字相同,故 16 与 36 的个位数字 6 即为本题的答案.一个这样的平方数是 $26^2=676$.

❺ 如图①,在三角形 ABC 中,$\angle C=70°$,$AP=AQ$ 且 $BQ=BR$.请问 $\angle PQR$ 是多少度?

(2006 年国际小学数学竞赛)

解 因为 $AP=AQ$,所以 $\angle APQ=\angle AQP$,又 $BQ=BR$,所以 $\angle BQR=\angle BRQ$.设 $\angle APQ=\angle AQP=a$,$\angle BQR=\angle BRQ=b$,(如图 ② 所示).

$2a+\angle A=180°$,$2b+\angle B=180°$,两式相加得 $2(a+b)+\angle A+\angle B=180°\times2$,$2(a+b)+110°=360°$(因 $\angle A+\angle B=180°-70°=$

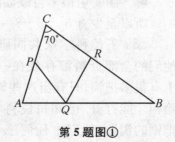

第 5 题图①

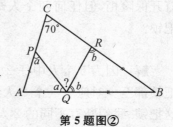

第 5 题图②

$110°)$, $2(a+b) = 250°, a+b = 125°$, 所以 $\angle PQR = 180° - 125° = 55°$(因为 $a + \angle PQR + b = 180°$).

6 骰子有六个面,每个面上分别标有数字1,2,3,4,5,6. 如果抛掷两颗骰子,所得两个数的乘积大于 10 的可能性是多少?

(2006 年南京智力数学冬令营)

解 把两个数的积列表如下:

x	1	2	3	4	5	6
1	1	2	3	4	5	6
2	2	4	6	8	10	12
3	3	6	9	12	15	18
4	4	8	12	16	20	24
5	5	10	15	20	25	30
6	6	12	18	24	30	36

掷两个骰子共可产生 $6×6=36$(种)不同情况,其中两个数的乘积大于 10 的有 17 种. 这种可能性是 $\dfrac{17}{36}$.

7 如图①所示,将一块边长为 12 厘米的有缺损的正方形铁皮剪成一块无缺损的正方形铁皮,求剪成的正方形铁皮的面积的最大值.

(第三届小学"希望杯"全国数学邀请赛)

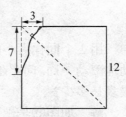

第 7 题图①

解 如图②所示,剪成的正方形 $A'BC'D'$ 的面积为 $9^2 = 81$(平方厘米).

如图③所示,剪成的正方形 $A'B'C'D'$ 的面积为 $12^2 - (3 × 9 ÷ 2) × 4 = 90$(平方厘米).

如图④所示,$DD' = BB' = 3 ÷ 2 = 1.5$(厘米). 剪成的正方形 $A'B'CD'$ 的面积为 $10.5^2 = 110.25$(平方厘米).

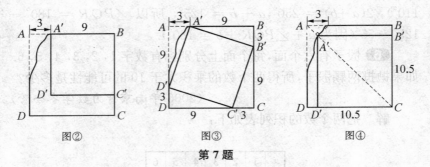

图②   图③   图④

第 7 题

因为 $81 < 90 < 110.25$，所以剪成的正方形铁皮的面积最大为 110.25 平方厘米.

8 12 个相同的硬币可以排成下面的 4 种正多边形（圆心的连线）.

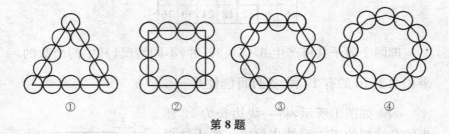

①   ②   ③   ④

第 8 题

用 1 个同样大小的硬币，分别沿着四个正多边形的外圈无滑动地滚动一周. 问：在哪个图中这枚硬币自身转动的圈数最多？最多是多少？   （2006 小学数学 ABC 卷第 3 套试卷）

解   如图⑤是硬币滚动经过正 n 边形一个角的情况.

硬币从位置 A 滚动到位置 B，自身转动了

$$2\angle 1 = 2 \times \frac{\pi}{3} = \frac{2}{3}\pi.$$

硬币从位置 B 滚动到位置 C，自身转动了

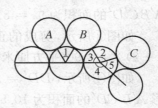

第 8 题图⑤

$$2\angle 2 = 2(2\pi - \angle 3 - \angle 4 - \angle 5)$$
$$= 2\left(2\pi - \frac{\pi}{3} - \frac{n-2}{n}\pi - \frac{\pi}{3}\right)$$
$$= 2\left(\frac{1}{3} + \frac{2}{n}\right)\pi.$$

设正 n 边形(圆心的连线)的边长为 m 个直径的长,则硬币在每条边上(不算角)自身转动了 $\frac{2}{3}\pi \times (m-1)$,在 n 条边上共转动了

$$\frac{2}{3}\pi \times (m-1) \times n = \frac{2mn}{3}\pi - \frac{2n}{3}\pi.$$

在 n 个角上共转动了

$$2 \times \left(\frac{1}{3} + \frac{2}{n}\right)\pi \times n = \frac{2n}{3}\pi + 4\pi.$$

硬币沿正多边形滚动一周,自身共转动了

$$\left(\frac{2mn}{3}\pi - \frac{2n}{3}\pi\right) + \left(\frac{2n}{3}\pi + 4\pi\right) = \frac{2mn}{3}\pi + 4\pi.$$

本题中 $mn = 12$,所以在四个图中这枚硬币自身转动的圈数相同,都是 $\frac{2 \times 12}{3}\pi + 4\pi = 12\pi = 6$(圈).

9 将 $\frac{4}{5}$ 表示成若干个分数的平方和.

(第三届"走进美妙的数学花园"中国青少年

数学论坛趣味数学解题技能展示大赛)

解 $\quad \dfrac{4}{5} = \left(\dfrac{2}{5}\right)^2 + \left(\dfrac{4}{5}\right)^2 = \left(\dfrac{2}{3}\right)^2 + \left(\dfrac{4}{15}\right)^2 + \left(\dfrac{8}{15}\right)^2$

$\qquad = \left(\dfrac{2}{5}\right)^2 + \left(\dfrac{12}{25}\right)^2 + \left(\dfrac{16}{25}\right)^2$

$\qquad = \left(\dfrac{6}{7}\right)^2 + \left(\dfrac{4}{35}\right)^2 + \left(\dfrac{8}{35}\right)^2.$

答案很多.

设 $\frac{4}{5} = \frac{1}{b^2}(a_1^2 + a_2^2 + a_3^2 + \cdots)$，其中 b 是 5 的倍数.

当 $b = 5$ 时，有 $a_1^2 + a_2^2 + a_3^2 + \cdots = \frac{4b^2}{5} = 20$.

平方数有 $1,4,9,16,25,36,\cdots$，其中 n 项（可以相同）之和等于 20，就可得到一个解. 例如 $4 + 16 = 20$，得到

$$\frac{4}{5} = \frac{1}{5^2} \times (4 + 16) = \left(\frac{2}{5}\right)^2 + \left(\frac{4}{5}\right)^2;$$

又如由 $1 + 1 + 9 + 9 = 20$，得到

$$\frac{4}{5} = \frac{1}{5^2} \times (1 + 1 + 9 + 9)$$
$$= \left(\frac{1}{5}\right)^2 + \left(\frac{1}{5}\right)^2 + \left(\frac{3}{5}\right)^2 + \left(\frac{3}{5}\right)^2.$$

当 $b = 15$ 时，有 $a_1^2 + a_2^2 + a_3^2 + \cdots = \frac{4b^2}{5} = 180$.

由 $16 + 64 + 100 = 180$，得到

$$\frac{4}{5} = \frac{1}{15^2} \times (16 + 64 + 100)$$
$$= \left(\frac{4}{15}\right)^2 + \left(\frac{8}{15}\right)^2 + \left(\frac{2}{3}\right)^2.$$

由 $1 + 9 + 49 + 121 = 180$，得到

$$\frac{4}{5} = \frac{1}{15^2} \times (1 + 9 + 49 + 121)$$
$$= \left(\frac{1}{15}\right)^2 + \left(\frac{1}{5}\right)^2 + \left(\frac{7}{15}\right)^2 + \left(\frac{11}{15}\right)^2.$$

类似的方法，可得无数个解.

❿ 甲、乙、丙三人各有一些金币，甲拿出他的金币的 $\frac{1}{2}$，乙

拿出他的金币的 $\frac{1}{3}$,丙拿出他的金币的 $\frac{1}{6}$,然后将三人拿出的金币平均分成三份,甲、乙、丙三人各取一份,结果,甲、乙、丙三人手中的金币数依次占金币总数的 $\frac{1}{2}$,$\frac{1}{3}$,$\frac{1}{6}$.问:金币总数至少是多少?

(2006 小学数学 ABC 卷第 3 套试卷)

解 金币总数是 6 的倍数,设为 $6a$,则甲、乙、丙最后依次有金币 $3a$,$2a$,a 个.

再设三人共拿出金币 $3b$ 个.用倒推法,可得下表:

	甲	乙	丙
最后的金币数	$3a$	$2a$	a
拿出金币后的金币数	$3a-b$	$2a-b$	$a-b$
拿出金币前的金币数	$2(3a-b)$	$\frac{3}{2}(2a-b)$	$\frac{6}{5}(a-b)$

$$2(3a-b)+\frac{3}{2}(2a-b)+\frac{6}{5}(a-b)=6a,$$

$$42a=47b.$$

因为 42 与 47 互质,所以 $a=47$,$b=42$(a,b 可同时扩大整数倍).金币总数至少是 $6a=6\times47=282$(个).

11 计算:

$$\cfrac{1}{2+\cfrac{1}{3+\cfrac{1}{4+\cfrac{1}{L+\cfrac{1}{2006}}}}}+\cfrac{1}{1+\cfrac{1}{1+\cfrac{1}{3+\cfrac{1}{4+\cfrac{1}{L+\cfrac{1}{2006}}}}}}$$

(北京市 2006 年"数学解题能力展示"读者评选活动)

解 设 $N = 3 + \cfrac{1}{4 + \cfrac{1}{L + \cfrac{1}{2006}}}$,

原式 $= \cfrac{1}{2 + \cfrac{1}{N}} + \cfrac{1}{1 + \cfrac{1}{1 + \cfrac{1}{N}}} = \cfrac{1}{\frac{2N+1}{N}} + \cfrac{1}{1 + \frac{N}{N+1}}$

$= \cfrac{N}{2N+1} + \cfrac{N+1}{2N+1} = 1.$

❷ 能否从 0, 1, 2, …, 13, 14 这 15 个数中选出 10 个不同的数,填入图中的各个圆圈内,使得每两个用线相连的圆圈中的数所成的差(大减小)互不相同?

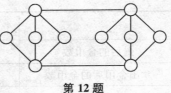

第 12 题

（华罗庚学校数学竞赛试题精选精解）

解 题述要求不能实现.（反证法）假设存在具有题述性质的填数方法,由于题图中共有 $3 \times 4 + 2 = 14$（条）线段,而可填入的数中最大数与最小数的差即为 $14 - 0 = 14$,因此各条线段连接的两个圆圈中的数所成的互不相同的差必为 1, 2, …, 13, 14 这十四个数.我们把这 14 个数相加,因为其中有 7 个奇数,7 个偶数,且 7 又是奇数,故这个和为奇数.如果在上述求和过程中,将各个差用得到它们的减法算式代入,那么将得到一个由填入的 10 个数组成的,用加、减号连接的长算式.观察题述图形可知,每个填入的数在此算式中出现 2 次或 4 次,均为偶数次.将长算式中的减号均变为加号不会改变其结果的奇偶性,又每个填入的数在其中均出现偶数次.故算式中所有数相加的和是偶数,亦即长算式的结果也是偶数,这与前面得到的 14 个数之和为奇数矛盾!

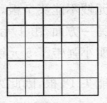

专题 9

从极端情况考虑

有些数学问题,题中的量是变化的,或许发展到最小值或最大值或某个特定的范围中成立;其直接、间接或明显、隐蔽的数量关系错综交叉,在解题过程中常采取将变化的量推向极端的原则.对于数值来说,就是指取它的最大或最小值;对于一个动点来说,指的是线段的端点,三角形的顶点等等.极端化的假设实际上也为题目增加了一个条件,求解也就会变得容易得多.

1 用若干个边长为 1,2,3,4 的正方形纸片互不重叠地拼成一个边长为 5 的大正方形,那么最少需要纸片多少张?

(华罗庚学校数学竞赛试题精选精解)

解 如果在大正方形中包含 1 张边长为 4 的正方形纸片,那么余下的部分都要用边长为 1 的正方形去填满,这样共要纸片 $(5\times5-4\times4)+1=10$(张). 若选用边长为 3 的正方形纸片 1 张,则为使所需纸片张数尽可能少,应将其放在角上,并在余下的部分用边长为 $5-3=2$ 的正方形纸片填充. 如右图所示,最多还能放下 3 个

第 1 题

边长为 2 的正方形,剩下一个角用 4 个边长为 1 的正方形补齐即可. 此时需要纸片 $1+3+4=8$(张). 如果只用边长为 1 和 2 的正方形纸片,那么边长为 2 的至多可用 $2\times2=4$(张),于是边长为 1 的至少要 $5\times5-(2\times2)\times4=9$(张),合计最少要 $4+9=13$(张). 综上所述,本题的答案为 8.

2 有些自然数既能够表示成连续 9 个整数之和,又能够表示成连续 10 个整数之和,还能够表示成连续 11 个整数之和,则所

竞赛热点精讲

专题 9 从极端情况考虑 / 213

有这样的数中最小的一个是几?

（华罗庚学校数学竞赛试题精选精解）

解 易见 9 个连续自然数之和恰为中间数的 9 倍,因而是 9 的倍数.同理,11 个连续自然数之和是 11 的倍数.10 个连续自然数之和是中间两数和的 $10 \div 2 = 5$ 倍,所以是 5 的倍数.由于 9,11,5 两两互质,故所求数必为 $9 \times 5 \times 11 = 495$ 的倍数.又容易验证 $495 = 51 + 52 + \cdots + 59 = 45 + 46 + \cdots + 54 = 40 + 41 + \cdots + 50$. 故 495 即是所求.

3 小红、小明和小强三个小朋友一起去买冰棒,每人都带了整数元钱,冰棒的价格是整数分.已知小红带了 1 元钱,最多能买 2 根冰棒;小明带的钱最多能买 6 根,小强带的钱最多能买 11 根,并且小明、小强的钱合起来仍不够买 18 根,那么一根冰棒的价格是多少元?

（华罗庚学校数学竞赛试题精选精解）

解 因为 1 元钱可以买 2 根,所以 3 元钱可以买 6 根,又 1 元钱不能买 3 根,故 2 元钱不能买 6 根,从而小明带了 3 元钱.于是 3 元钱不能买 7 根,又 1 元钱不能买 3 根,因此 4 元钱不能买 10 根;另一方面,由 1 元钱可以买 2 根得到 6 元钱可以买 12 根,这就说明小强带了 5 元钱.这样依题意 5 元钱可以买 11 根,而 8 元钱不能买 18 根,因此冰棒的价格应介于 $\frac{8}{18}$ 元与 $\frac{5}{11}$ 元之间,即 0.444 与 0.454 之间,故冰棒必为每根 0.45 元.

4 将一根细绳对折 n 次（$n \geq 1$）,长度是整数厘米.然后,从重叠的绳的一端开始,每隔 1 厘米剪 1 刀,最后得到一些长 1 厘米和长 2 厘米的细绳.如果长 1 厘米的细绳有 222 根,那么原来细绳的长度有多少种可能? 分别是多长?

（2006 小学数学 ABC 卷第 2 套试卷）

解 对折 n 次后,有 2^n 根绳子重叠在一起,在两端剪下来的绳子中,有 2 根长 1 厘米,其余（$2^n - 1$）根长 2 厘米.不在两端的被剪下来的绳子都长 1 厘米,根据题意,这部分绳子有

$$222 - 2 = 220(根).$$

因为是 2^n 根重叠在一起,所以不在两端的被剪下的绳子是 2^n 的倍数,即 220 应是 2^n 的倍数.220 是 2^1 和 2^2 的倍数,即 $n=1$ 或 2.

当 $n=1$,即对折 1 次时,原来的绳子长

$$220 + 2^1 \times 2 = 224(厘米);$$

当 $n=2$,即对折 2 次时,原来的绳子长

$$220 + 2^2 \times 2 = 228(厘米).$$

5 甲、乙两人在 2 千米环形道路的同一地点、同方向、同时出发,并要同时完成绕行 2 周.由于只有一辆自行车,所以最初由甲骑着出发,途中放下自行车,剩下的路步行;乙最初步行,途中骑上甲放下的自行车,行完剩下的路程.已知步行速度甲为 5 千米/时,乙为 4 千米/时,骑自行车速度甲为 20 千米/时,乙为 15 千米/时.绕完 2 周最少需要多少时间?甲骑行了多少千米将自行车放下? (2006 小学数学 ABC 卷第 4 套试卷)

解 要想时间尽量少,骑自行车的路程应尽量多,所以两人骑自行车的路程都应超过 1 周,步行的路程都不足 1 周.

设甲骑车行了 $(2+x)$ 千米,步行 $(2-x)$ 千米,其中 $0 < x < 2$,则乙步行了 x 千米,骑车行了 $(4-x)$ 千米.根据两人用的总时间相同,可列方程:

$$(2+x) \div 20 + (2-x) \div 5 = x \div 4 + (4-x) \div 15.$$

解得 $x = 0.7$.

甲骑车用 $(2+x) \div 20 = 0.135(小时)$,乙步行用 $0.7 \div 4 = 0.175(小时)$,共用时间:

$$0.7 \div 4 + (4 - 0.7) \div 15 = 0.395(小时) = 23 分 42 秒.$$

甲骑行了 $2 + 0.7 = 2.7(千米)$.

6 甲、乙两人都想把一些沙子聚成重达 10 吨以上的塔,他

们采用的方法是不同的.

甲聚沙的方法是:第一天聚沙 1 吨,第二天聚沙 $\frac{1}{2}$ 吨,第三天聚沙 $\frac{1}{4}$ 吨,第四天聚沙 $\frac{1}{8}$ 吨……总之,每一天聚沙都是前一天的一半.

乙聚沙的方法是:第一天聚沙 1 千克,第二天聚沙 $\frac{1}{2}$ 千克,第三天聚沙 $\frac{1}{3}$ 千克,第四天聚沙 $\frac{1}{4}$ 千克,第五天聚沙 $\frac{1}{5}$ 千克……第 n 天聚沙 $\frac{1}{n}$ 千克.

两人成年累月地聚沙不止.请问:甲能聚沙成塔吗?乙呢?为什么? （第三届"《小学生数学报》杯"少年数学文化传播活动《小学生数学报》优秀小读者评选）

解 甲 $(n+1)$ 天聚沙的数量为

$$1+\frac{1}{2}+\frac{1}{4}+\frac{1}{8}+\cdots+\frac{1}{2^n}$$

$$<1+\frac{1}{2}+\frac{1}{4}+\frac{1}{8}+\cdots+\frac{1}{2^n}+\frac{1}{2^n}$$

$$=2(\text{吨}).$$

无论 n 多大,甲聚的沙永远不超过 2 吨,所以甲不能聚沙成塔.

乙聚沙的数量为

$$1+\frac{1}{2}+\frac{1}{3}+\frac{1}{4}+\cdots$$

$$=1+\frac{1}{2}+\left(\frac{1}{3}+\frac{1}{4}\right)+\left(\frac{1}{5}+\frac{1}{6}+\frac{1}{7}+\frac{1}{8}\right)+$$

$$\left(\frac{1}{9}+\frac{1}{10}+\cdots+\frac{1}{16}\right)+\left(\frac{1}{17}+\frac{1}{18}+\cdots+\frac{1}{32}\right)+\cdots$$

因为每一个括号内的数之和都大于$\frac{1}{2}$,当 n 增大时,这个和会越来越大,所以乙能聚沙成塔.

7 有 10 张卡片,上面分别写着 33,36,37,40,42,46,50,53,58,60.甲取走 2 张,其余的被乙、丙、丁三人取走.已知乙取走的卡片上的数字之和是丁的 3 倍,丙取走的卡片上的数字之和是丁的 4 倍,那么甲取走的两张卡片分别写着几和几?

（2006年"我爱数学杯"数学竞赛）

解 乙、丙、丁取走的卡片上的数之和是 3+4+1=8 的倍数,而这 10 张卡片上的数之和被 8 除余 7,因此,甲取走的两张卡片上的数之和被 8 除余数是 7,只能是 37,42 或 37,50 或 37,58 或 53,42 或 53,50 或 53,58.而只有当它们是 37,50 时,其余 8 个数之和除以 8 的商等于 46,在这 8 个数中.即丁取走的是 46,此时乙取走的是 36,42,60,丙取走的是 33,40,53,58.因此,甲取走的两张卡片分别写着 37 和 50.

8 足球世界杯小组赛的每个小组有四个队参加单循环（每两个队之间都踢一场比赛）比赛,每组的前两名可以出线.其积分方法为:每胜一场得 3 分,平一场得 1 分,负一场得 0 分.当两个组的积分相同时,以净胜球数（总进球数减去总失球数的差）的多少来定名次,净胜球多的队排名靠前.已知某队以最低的积分出线了,那么这个队在小组赛中的积分是几分?

（2006年浙江省小学数学活动课夏令营）

解 以最低积分出线,肯定是小组第二名.假设小组中的四个队为甲、乙、丙、丁,甲队第一,乙队第二,甲队分别与乙、丙、丁的比赛都赢,而乙、丙、丁三队之间都是平局,则甲队得 9 分,乙、丙、丁三队各得 2 分,而这三个队中净胜球多的队即为出线的队.

得 1 分的队肯定不能出线.得 1 分的队 2 负 1 平,胜他的 2 个队至少得 3 分,所以得 1 分的队不可能出线.

以最低的积分出线的队在小组赛中的积分是 2 分.

9 一个两位数与一个三位数的乘法算式如下:

$$\overline{X6} \times \overline{4YZ} = 27\,160.$$

则 $X + Y + Z = $ _____.

(2006 年浙江省小学数学活动课夏令营)

解 本题中三位数 $\overline{4YZ}$ 最小是 400,最大是 499. 因此 $\overline{X6}$ 不超过 $\dfrac{27\,160}{400} = 67.9$,不小于 $\dfrac{27\,160}{499} \approx 54.4$.

所以 $\overline{X6}$ 只能是 56 或 66. 因为 $27\,160 \div 56 = 485$,而 $27\,160 \div 66$ 的商不是整数,所以 $\overline{X6} = 56$. 因此 $\overline{4YZ} = 485$.

$$X + Y + Z = 5 + 8 + 5 = 18.$$

10 将数字 1~9 填入下面方框,每个数字只能用一次,使得下列等式成立:($\boxed{}\boxed{}\boxed{}\boxed{}$+2)÷4+$\boxed{}\boxed{}$−★=2007.

现在"2"、"4"已经填入,当把其他数字都填入后,算式中唯一的减数(★处)是(　　).

(2007 年北京市"数学解题能力展示"读者评选活动高年级组决赛)

解 由题意可得:

$2008 \leqslant (\boxed{}\boxed{}\boxed{}\boxed{}+2) \div 4 + \boxed{}\boxed{} = 2007 + ★ \leqslant 2016$

$1910 \leqslant 2008 - \boxed{}\boxed{} \leqslant (\boxed{}\boxed{}\boxed{}\boxed{}+2) \div 4$

$\leqslant 2016 - \boxed{}\boxed{} \leqslant 2003$,

$7640 \leqslant \boxed{}\boxed{}\boxed{}\boxed{}+2 \leqslant 80\,162$,$7638 \leqslant \boxed{}\boxed{}\boxed{}\boxed{} \leqslant 8010$,

所以千位数为 7 或 8.

考虑到 ($\boxed{}\boxed{}\boxed{}\boxed{}$+2)÷4 为整数,所以个位数字为 6 或 8.

并且,当个位数字为 6,十位数字只能为 8,所以千位数字只能是 7.

当个位为 6,十位为 8 时,($7\boxed{}86+2$)÷4 个位数字为 7、2,而 $\boxed{}\boxed{}$−★个位一定不为 0、5,所以个位不能为 6,只能为 8. 所以四位数为 76$\boxed{}$8 或 79$\boxed{}$8,所以十位只能填 1、3、5.

当四位数为 7618 时,小于 7638,之后不难找出 7658 是唯一正确的四位数. 所以 93 为加数,★为 1.

11 华罗庚爷爷在一首诗文中勉励青少年:

"猛攻苦战是第一,熟练生成百巧来,
勤能补拙是良训,一分辛劳一分才."

现在将诗文中不同的汉字对应不同的自然数,相同的汉字对应相同的自然数,并且不同汉字所对应的自然数可以排列成一串连续的自然数.如果这 28 个自然数的平均值是 23,问"分"字对应的自然数的最大可能值是多少?

(第十一届全国"华罗庚金杯"少年数学邀请赛决赛)

解 这 28 个数的总和为 $23 \times 28 = 644$. 这 28 个汉字共有 24 个不同的汉字.设这串连续自然数的起始的数是 m,不同汉字所对应的自然数依次是:m,$m+1$,$\cdots$,$m+23$;

设其中"分"字对应的自然数是 $(m+x)$,"是"字对应 $(m+a)$,"一"字对应 $(m+b)$,诗文中"分"、"是"各出现 2 次,"一"出现 3 次,其他汉字各出现 1 次.则有

$$\frac{(m+m+23) \times 24}{2} + m+x+m+a+2(m+b) = 644,$$

$$28m + 276 + (a+2b) + x = 644,$$

$$28m = 368 - x - (a+2b),$$

$$m = \frac{368 - x - (a+2b)}{28},$$

$$m+x = \frac{368 + 27x - (a+2b)}{28}.$$

因为 $23 \geqslant x$,$a+2b \geqslant 1+0+0 = 1$,所以

$$m+x = \frac{368 + 27x - (a+2b)}{28}$$

$$\leqslant \frac{368 + 27 \times 23 - 1}{28} < 35.29.$$

取 $m = 12$,$x = 23$,$a = 9$,$b = 0$(或 $a = 5$,$b = 2$ 或 $a = 1$,$b = 4$),得到满足条件的解,其中"分"对应的自然数是 35.

12 如图①,试着把边长为 $\frac{1}{2}$, $\frac{1}{3}$, $\frac{1}{4}$, …,

$\frac{1}{100}$ 的这 99 个小正方形不重叠地放入 1 个边长为 1

的正方形内. 能做到就画出一种放法,不能,请说明

理由. (第三届"走进美妙的数学花园"中国青少年

数学论坛趣味数学解题技能展示大赛)

第 12 题图①

解 $\frac{1}{2}+\frac{1}{3}<\frac{1}{2}\times 2=1,$

$\frac{1}{4}+\frac{1}{5}+\frac{1}{6}+\frac{1}{7}<\frac{1}{4}\times 4=1,$

$\frac{1}{8}+\frac{1}{9}+\cdots+\frac{1}{15}<\frac{1}{8}\times 8=1,$

$\frac{1}{16}+\frac{1}{17}+\frac{1}{18}+\cdots+\frac{1}{31}<\frac{1}{16}\times 16=1,$

$\frac{1}{32}+\frac{1}{33}+\frac{1}{33}+\cdots+\frac{1}{63}<\frac{1}{32}\times 32=1,$

$\frac{1}{64}+\frac{1}{65}+\frac{1}{66}+\cdots+\frac{1}{100}<\frac{1}{64}\times 37<1,$

$\frac{1}{2}+\frac{1}{4}+\frac{1}{8}+\frac{1}{16}+\frac{1}{32}+\frac{1}{64}=\frac{63}{64}<1.$

如图②,将边长 $\frac{1}{2}$, $\frac{1}{3}$ 的

小正方形放入长 1、宽 $\frac{1}{2}$ 的长方

形;将边长 $\frac{1}{4}\sim\frac{1}{7}$ 的小正方形

放入长 1、宽 $\frac{1}{4}$ 的长方形;将边

长 $\frac{1}{8}\sim\frac{1}{15}$ 的小正方形放入长

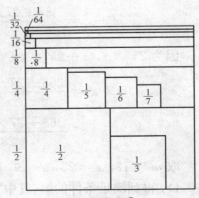

第 12 题图②

1、宽 $\frac{1}{8}$ 的长方形;将边长 $\frac{1}{16}$ ~ $\frac{1}{31}$ 的小正方形放入长 1、宽 $\frac{1}{16}$ 的长方形;将边长 $\frac{1}{32}$ ~ $\frac{1}{63}$ 的小正方形放入长 1、宽 $\frac{1}{32}$ 的长方形;将边长 $\frac{1}{64}$ ~ $\frac{1}{100}$ 的小正方形放入长 1、宽 $\frac{1}{64}$ 的长方形.

专题 **10**

添辅助线解题

有些平面几何图形问题,仅凭直觉观察很难找到已知条件或已知条件与所求问题间的联系,如果能恰当地添辅助线,就如架设起一座沟通内在联系的桥梁,依靠它,可以把需要解决的问题转化为过去学过的问题,用已学过的知识解决新问题,从而使较复杂的几何图形问题容易找到分析的途径.

1 如图①,长方形的面积是 60 平方厘米,其内三条长度相等且两两夹角为 $120°$的线段将长方形分成了两个梯形和一个三角形.则一个梯形的面积是多少平方厘米?

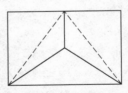

第 1 题图①

(华罗庚学校数学竞赛试题精选精解)

解 作如图②所示的辅助线,这样长方形被分成了两个直角三角形和三个钝角三角形.根据题设的线段和夹角相等的条件知,三个钝角三角形的面积相等,并且它们合在一起构成了一个正三角形.正三角形与

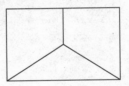

第 1 题图②

长方形同底等高,因此面积是长方形的一半,为 $60 \div 2 = 30$(平方厘米),从而一个钝角三角形的面积是 $30 \div 3 = 10$(平方厘米).易见两个直角三角形面积相等,它们合起来也等于长方形面积的一半,故每个的面积是 $60 \div 2 \div 2 = 15$(平方厘米).梯形由一个直角三角形和一个钝角三角形拼成,其面积是 $10 + 15 = 25$(平方厘米).

2 如图①,线段 AB 与 BC 垂直,已知 $AD = EC = 4$ 厘米,

$DB = BE = 6$ 厘米,那么图中阴影部分的面积是多少平方厘米?

（2006年"我爱数学杯"数学竞赛）

解 如图②所示,作辅助线 BO,则图形关于直线 BO 对称,则有

$$S_{\triangle ADO} = S_{\triangle CEO}, \quad S_{\triangle DBO} = S_{\triangle EBO}.$$

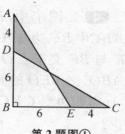

第 2 题图①

设 $\triangle ADO$ 的面积是 2 份,则 $\triangle DBO$ 的面积为 3 份(因为 $\triangle ADO$ 与 $\triangle DBO$ 是等高的三角形,底边之比是 $4:6 = 2:3$),直角三角形 ABE 为 8 份. 因为 $S_{\triangle ABE} = 6 \times (6 + 4) \div 2 = 30$(平方厘米),而阴影部分的面积为 4 份,所以阴影部分的面积为 $30 \div 8 \times 4 = 15$(平方厘米).

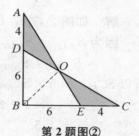

第 2 题图②

3 三角形 ABC 中,E 点在 AB 上,F 点在 AC 上,BF 与 CE 交于点 P. 如果四边形 $AEPF$,三角形 BEP,三角形 CFP 的面积都等于 4,则三角形 BPC 的面积是多少?

（2006年"我爱数学杯"数学竞赛）

解 先画出这个三角形(如图),连结 AP.

设 $S_{\triangle APF} = x$,则

$$S_{\triangle AEP} = 4 - x.$$

第 3 题

因为 $S_{\triangle BCF} : S_{\triangle BAF} = S_{\triangle PCF} : S_{\triangle PAF} = 4 : x$,

$$S_{\triangle BCE} : S_{\triangle ACE} = S_{\triangle BPE} : S_{\triangle APE} = 4 : (4-x),$$

而

$$S_{\triangle BCE} = S_{\triangle BCF},$$

$$S_{\triangle BAF} = S_{\triangle ACE} = 4 + 4 = 8,$$

所以

$$4 : x = 4 : (4-x),$$

解得 $x = 2$,即 $S_{\triangle BCF} : S_{\triangle BAF} = 4 : 2 = 2 : 1$.

所以 $S_{\triangle BPC} = 8 \times 2 - 4 = 12$.

4 如图①中，E、F 分别是 $\triangle ABC$ 中 BC 边与 AC 边上的点，AE 与 BF 交于点 O，且 $\triangle AFO$，$\triangle ABO$，$\triangle BEO$ 的面积依次是 3，2，1. 则四边形 $CEOF$ 的面积是多少？

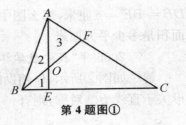
第4题图①

(2006年浙江省小学数学活动课夏令营)

解 如图②，连结 EF.

因为 $S_{\triangle AFO} : S_{\triangle ABO} = 3 : 2$

$\qquad = S_{\triangle EFO} : S_{\triangle BEO}$，

所以 $S_{\triangle EFO} = 3 \times S_{\triangle BEO} \div 2$

$\qquad = 3 \times 1 \div 2$

$\qquad = 1.5.$

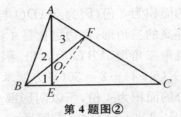
第4题图②

因为 $S_{\triangle ABF} : S_{\triangle CBF} = AF : FC = S_{\triangle EAF} : S_{\triangle CEF}$，

所以 $S_{\triangle CEF} = x$，有

$$(2+3) : (1+1.5+x) = (3+1.5) : x,$$

解得 $x = 22.5$.

所以四边形 $CEOF$ 的面积是 $22.5 + 1.5 = 24$.

5 在如图①所示的 $\triangle ABC$ 中，D，E 分别是 BC，AC 边上的点，AD，BE 相交于点 F，用 $S_{\triangle ABC}$ 表示 $\triangle ABC$ 的面积，$S_{\triangle CBE} = 385$ 平方厘米，$S_{\triangle ABE} = 275$ 平方厘米，又 $BD : DC = 1 : 2$，则 $S_{\triangle BDF}$ 是多少平方厘米？

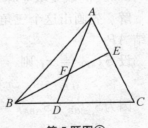
第5题图①

(甘肃省第十四届小学生数学冬令营)

解 如图②所示，连结 CF，图中各小三角形的面积用 S_1，S_2，S_3，S_4，S_5 表示

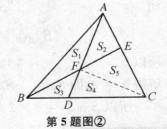
第5题图②

$$S_{\triangle ABC} = S_{\triangle CBE} + S_{\triangle ABE}$$
$$= 385 + 275$$
$$= 660(平方厘米).$$

因为 $BD:DC = 1:2$，所以

$$S_1 + S_3 = \frac{1}{1+2} \times S_{\triangle ABC} = \frac{1}{3} \times 660 = 220(平方厘米).$$

因为 $\qquad \dfrac{AE}{EC} = \dfrac{S_{\triangle ABE}}{S_{\triangle CBE}} = \dfrac{275}{385} = \dfrac{5}{7}$，

所以 $\qquad \dfrac{S_2}{S_5} = \dfrac{5}{7}$，

所以 $\qquad \dfrac{S_1}{S_3 + S_4} = \dfrac{5}{7}$.

因为 $\qquad BD:DC = 1:2$，

所以 $\qquad S_4 = 2S_3$，

所以 $\qquad \dfrac{S_1}{S_3 + 2S_3} = \dfrac{S_1}{3S_3} = \dfrac{5}{7}, \dfrac{S_1}{S_3} = \dfrac{15}{7}$，

所以 $\qquad \dfrac{S_1 + S_3}{S_3} = \dfrac{15+7}{7} = \dfrac{22}{7}$.

$$\frac{220}{S_3} = \frac{22}{7},$$
$$S_3 = 70(平方厘米).$$

6 如图①，$ABCD$ 是边长为 12 cm 的正方形，从 G 到正方形顶点 C, D, 连成一个三角形，已知这个三角形在 AB 上截得的长度 EF 为 4 cm；那么三角形 GDC 的面积是多少？

（福州市 2006 年小学生"迎春杯"数学竞赛）

解 如图②所示，过 G 点向 DC 作垂线交 DC 于点 M.

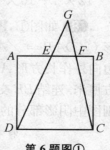

第 6 题图①

$$DC : EF = GM : GN,$$
$$12 : 4 = GM : GN,$$
$$GM = 3GN.$$
$$MN = 2GN,$$
$$GN = MN \div 2 = 12 \div 2 = 6(\text{cm}),$$
$$GM = GN + MN = 6 + 12$$
$$= 18(\text{cm}),$$
$$S_{\triangle GDC} = DC \times GM \div 2$$
$$= 12 \times 18 \div 2 = 108(\text{cm}^2).$$

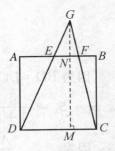

第 6 题图②

7 如图①所示的长方形 $ABCD$ 中，$AB = 12$，$AD = 5$，点 P、Q、R 及 S 都在对角线 AC 上，且 $AP = PQ = QR = RS = SC$. 请问阴影部分的总面积为多少？

（2006 年国际小学数学竞赛）

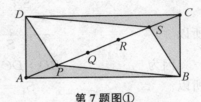

第 7 题图①

解 如图②，连结 BR，BQ，DR，DQ. 因为 $AP = PQ = QR = RS = SC$，又 AC 是长方形的对角线，所以图中十个三角形同底等高，因此阴影部分的总面积为

$$12 \times 5 \div 10 \times 4 = 60 \div 10 \times 4 = 24.$$

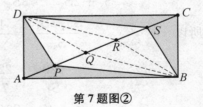

第 7 题图②

8 如图①，图中 $ABCD$ 是个直角梯形（$\angle DAB = \angle ABC = 90°$）. 以 AD 为一边向外作长方形 $ADEF$，其面积为 6.36 平方厘米. 连结 BE 交 AD 于点 P，再连结 PC. 则图中阴影部分的面积是多少平方厘米.

（第十一届全国"华罗庚金杯"少年数学邀请赛初赛）

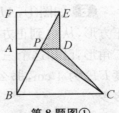

第 8 题图①

解　如图②,连结 BD.

因为 $AD /\!/ BC$,所以 $S_{\triangle PCD}=S_{\triangle PBD}$.

所以原题图阴影部分的面积等于 $\triangle EBD$ 的面积,是 $ED \times AD \div 2 =$

$\dfrac{1}{2}S_{矩形ADEF}=\dfrac{1}{2}\times 6.36=3.18$(平方厘米).

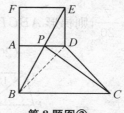

第 8 题图②

9 将大矩形分割为四个面积分别为12 cm², 24 cm², 36 cm², 48 cm² 的小矩形,如图①所示.已知所有矩形的边长均为正整数(以 cm 计),请问阴影部分的面积为多少 cm²?

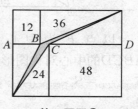

第 9 题图①

(第十届小学数学世界邀请赛个人赛)

解　如图②,延长 SC 至 Q 点,延长 RB 至 P 点.

长方形 $RQSP$ 的面积就是阴影部分面积的 2 倍.

$$AB=\dfrac{1}{4}AD,\quad AC=\dfrac{1}{3}AD,$$

$$BC=AC-BC=\dfrac{1}{12}AD.$$

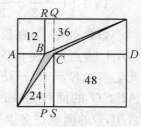

第 9 题图②

大矩形的宽为 $\dfrac{12+36+24+48}{AD}=\dfrac{120}{AD}$,

那么长方形 $RQSP$ 的面积为 $\dfrac{120}{AD}\times\dfrac{1}{12}AD=10$（cm²）.

所以阴影部分的面积为 $10\div 2=5$（cm²）.

10 如图①,在梯形 $ABCD$ 中,E、F 分别是其两腰 AB、CD 的中点,G 是 EF 上任意一点,已知 $\triangle ADG$ 的面积为 15 cm²,而 $\triangle BCG$ 的面积恰好是梯形 $ABCD$ 面积的

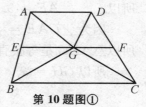

第 10 题图①

$\dfrac{7}{20}$，则梯形 $ABCD$ 的面积是多少平方厘米？

（2008 年"陈省身"国际青少年数学邀请赛六年级）

解

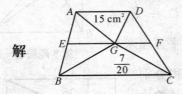

可以转化为

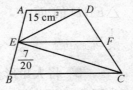

以点 F 为中心作梯形 $ABCD$的中心对称图形$CDGH$，$S_{梯形ABCD}=S_{平行四边形AEMG}$；$S_{\triangle EDM}=$ $\dfrac{1}{2}S_{平行四边形AEMG}.$

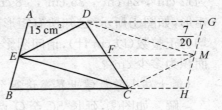

$$15 \div \left(1-\dfrac{1}{2}-\dfrac{7}{20}\right)=15 \div \dfrac{3}{20}=100（平方厘米）.$$

11 如图①，在长方形 $ABCD$ 中，E、F、G 分别是BC、CD、DA上的点，且使得四边形$AEFG$是直角梯形，$\angle GAE=45°$，$GF:AE=2:3$. 如果梯形 $AEFG$ 的面积是 15 平方厘米，那么长方形 $ABCD$的面积是多少平方厘米？

（2007 年北京市"数学解题能力展示"
读者评选活动高年级组决赛）

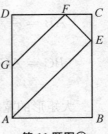

第 11 题图①

解 如图②，过 G 向 AE 作高，交 AE 于 H. 设 GF 的长度为 $2x$.

因为 $GF:AE=2:3$，

所以 $AE=3x$，$AH=x$.

因为 $\angle GAE=45°$，$\angle GHA=90°$，

所以$\triangle AHG$是等腰直角三角形.

所以 $GH=x$.

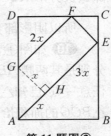

第 11 题图②

所以 $S_{\text{梯形}AEFG} = \dfrac{1}{2}(2x+3x)x = 15$,

$$5x^2 = 30,\ x^2 = 6.$$

$$S_{\text{长方形}ABCD} = S_{\triangle DGF} + S_{\triangle FCE} + S_{\triangle ABE} + S_{\text{梯形}AEFG}.$$

$$= \frac{1}{4}(2x)^2 + \frac{1}{4}(x)^2 + \frac{1}{4}(3x)^2 + 15$$

$$= \frac{1}{4}(4x^2 + x^2 + 9x^2) + 15$$

$$= \frac{1}{4} \cdot 14x^2 + 15$$

$$= \frac{7}{2}x^2 + 15.$$

将 $x^2 = 6$ 代入,$S_{\text{长方形}ABCD} = \dfrac{7}{2} \times 6 + 15 = 21 + 15 = 36$(平方厘米).

❷ 如图①,$ABCD$ 和 $CGEF$ 是两个正方形,AG 和 CF 相交于点 H,已知 CH 等于 CF 的三分之一,三角形 CHG 的面积等于 6 平方厘米,求 $ABGEF$ 的面积.

(2008 年第十三届全国"华罗庚金杯"少年数学邀请赛决赛)

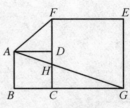

第 12 题图①

解 如图②,连结 AC,FG,那么四边形 $ACGF$ 是梯形,三角形 ACF 和 CAG 同底等高,因而面积相等,则

$$S_{\triangle CHG} = S_{\triangle AHF} = 6(\text{cm}^2).$$

由于 $S_{\triangle CHG} = \dfrac{1}{2}CH \times CG = \dfrac{1}{2} \times$

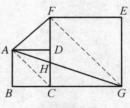

第 12 题图②

$\dfrac{1}{3}CF \times CG = \dfrac{1}{6}CG \times CG = 6(\text{cm}^2)$,因此,$CG = 6(\text{cm})$.

因为 $S_{\triangle AHF} = \dfrac{1}{2}FH \times AD = \dfrac{1}{2} \times 2CH \times AD$

$\qquad = \dfrac{1}{3}CF \times AD = \dfrac{1}{3}CG \times AD$

$\qquad = 2AD = 6(\text{cm}^2).$

因此，$AD = 3\,\text{cm}$，易得 $FD = CF - CD = CG - AD = 3\,\text{cm}$，可以得到

$S_{\text{多边形}ABGEF} = S_{\text{正方形}ABCD} + S_{\text{正方形}CGEF} + S_{\triangle ADF}$

$\qquad = 6 \times 6 + 3 \times 3 + \dfrac{1}{2} \times 3 \times 3$

$\qquad = 49.5(\text{cm}^2).$

专题 11

数形结合解题

　　用数码表示图形,或把图形表示为数码,这是很有趣也很有用的事情. 在方格纸上沿格画线,若规定向上画一格线为+1,向下画一格线为-1……这样就可以在方格纸上描绘出一个图形,我们平时作线段图分析应用题也是一种形式. 通过数与形的对应转换,使我们对问题有更清晰的认识和理解,从而找到解题的途径.

　　❶　如图,$AMOQ$、$MBNO$、$ONCP$、$QOPD$ 及 $ABCD$ 都是矩形. 若矩形 $QOPD$ 的面积是 51 平方单位,矩形 $ONCP$ 的面积是 17 平方单位,矩形 $MBNO$ 的面积是 29 平方单位. 请问四边形 $MNPQ$ 的面积为多少平方单位?

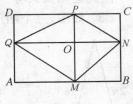

第 1 题

　　(第十届小学数学世界邀请赛个人赛)

　　解　矩形 $QOMA$ 的面积是 $51×29÷17=87$(平方单位),四边形 $MNPQ$ 的面积为 $(51+17+87+29)÷2=92$(平方单位).

　　❷　希望小学举行运动会,全体运动员的编号是从 1 开始的连续整数,他们按图①中实线所示,从第 1 行第 1 列开始,按照编号从小到大的顺序排成一个方阵. 小明的编号是 28,他排在第 3 行第 4 列,则运动员共有多少人?

　　(第四届小学"希望杯"全国数学邀请赛)

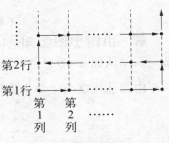

第 2 题图①

解 如图②，▲所在的位置是小明排在第 3 行第 4 列，显然小明排在第 3 行从左到右的第 4 个位置上. 从小明的编号 28 去掉 4，可以求出前两行每行站的人数，也就是方阵每行和每列的人数.

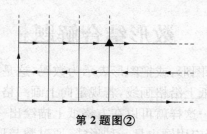

第 2 题图②

$(28-4)\div(3-1)=12$（列）（也是每行的人数）.

因此运动员共有 $12\times12=144$（人）.

3 如图，三个图形的周长相等，则 $a:b:c$ 是多少？

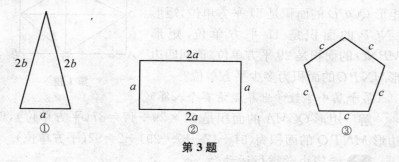

第 3 题

（第四届小学"希望杯"全国数学邀请赛）

解 由图①图②知，$4b+a=4a+2a$，即 $4b+a=6a$，$4b=5a$，从而 $a:b=4:5$.

由图②图③知，$4a+2a=5c$，即 $6a=5c$，从而 $a:c=5:6$.

$$
\begin{array}{ccc}
a : & b : & c \\
4 : & 5 & \\
5 : & & 6
\end{array}
$$

组成连比是　　　　　$20:25:24$

所以 $a:b:c = 20:25:24$.

4 如图,图中每个小正方形的边长都是 4 厘米,四条实线围成的是一个梯形. 有一盒长度都是 4 厘米的火柴,分别取出其中的 4 根和 5 根,如图②和图③,都可以将梯形分成面积相等的两部分. 现在请你分别取出 6,7,8,9,10 根火柴,在图④⑤⑥⑦⑧中沿虚线放置(火柴之间不能重叠),将梯形分成面积相等的两部分(用实线表示这些火柴). (第二届小学"希望杯"全国数学邀请赛)

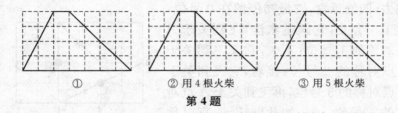

①   ② 用 4 根火柴   ③ 用 5 根火柴

第 4 题

解 将梯形分成面积相等的两部分,每部分占 8 个面积单位 $[(1+7)\times 4\div 2\div 2 = 8]$.

用 4 根和 5 根火柴分割相对容易. 用 6 根以上的火柴分割就要采用凹凸的分割形式,如

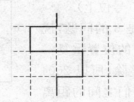

分割的方法不唯一,下图是一种方法.

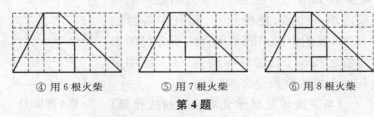

④ 用 6 根火柴   ⑤ 用 7 根火柴   ⑥ 用 8 根火柴

第 4 题

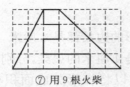

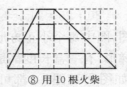

⑦ 用 9 根火柴   ⑧ 用 10 根火柴

第 4 题

5 如图①是一片刚刚割过的稻田,每个小正方形的边长是 1 米,A,B,C 三点周围的阴影部分是圆形的水洼.一只小鸟飞来飞去,四处觅食,它最初停留在 0 号位,过了一会儿,它跃过水洼,飞到关于 A 点对称的 1 号位;不久,它又飞到关于 B 点对称的 2 号位;接着,它飞到关于 C 点对称的 3 号位,再飞到关于 A 点对称的 4 号位,……如此继续,一直对称地飞下去.由此推断,2004 号位和 0 号位之间的距离是多少米?(第二届小学"希望杯"全国数学邀请赛)

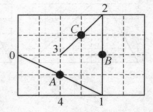

第 5 题图①

解 ……关于 A 点对称的 4 号位,接着飞到关于 B 点对称的 5 号位(如图②所示),再飞到关于 C 点对称的 6 号位上(即原 0 号位上).

本题是关于周期是 6 的问题,说明小鸟每飞 6 次,停留的位置重复一次.2004 刚好能被 6 整除,所以 2004 号位和 0 号位相同,它们之间的距离为 0.

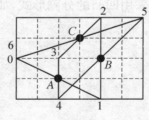

第 5 题图②

6 在如图①所示的 3×3 方格表中的每个空格内填一个数,使得每行、每列中各数的和均为 22,且图中画出的每条直线所穿过的方格中诸数之和等于线旁所标的值.那么图中最大数与最小数的乘积是多少?

(华罗庚学校数学竞赛试题精选精解)

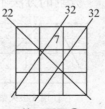

第 6 题图①

解 如图中三条斜线经过中心方格 3 次,经过其余八个方格各 1 次,因此中心方格内应填 [(22＋32＋32)－22×3]÷(3－1)＝10. 为方便起见,以有序数对"(行,列)"表示每个方格中所填的数. 考察两条穿过四个方格的斜线,我们得到 (1，2)＋(2，1)＋(3，1)＝32－(2，2)＝22,(1，3)＋(2，3)＋(3，2)＝32－(2，2)＝22,又已知第一列、第三列中各数之和亦为 22,故有 (1，1)＝(1，2)＝7,(3，2)＝(3，3). 再观察通过三个方格的斜线可知 (3，3)＝22－(1，1)－(2，2)＝5. 进而根据行和、列和都是 22 即可确定出其余的数,具体结果如图②. 其中的最大数与最小数之积是 12×3＝36.

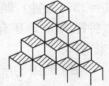

7	7	8
3	10	9
12	5	5

第 6 题图②

7 如图①,同样大小的立方体木块堆放在房间的一角,一共垒了十层,那么在这十层中看不见的木块共有多少个?(华罗庚学校数学竞赛试题精选精解)

第 7 题图①

解 观察可知,从上向下数,第一层有 0 个木块看不见,第二层有 0＋1＝1(个) 木块看不见,第三层有 0＋1＋2＝3(个) 木块看不见(如图②中阴影部分),第四层有 0＋1＋2＋3＝6(个) 木块看不见,这样一直数下去,第十层有 0＋1＋2＋…＋8＋9＝45(个) 木块看不见,于是十层中看不见的木块一共有 0＋1＋3＋6＋10＋15＋21＋28＋36＋45＝165(个).

第三层

第 7 题图②

8 小华 9 点钟从 A 地步行出发,途中经过 C 地,在 A 地与 B 地之间往返(如图所示). 返回时的速度是去时速度的 2 倍,在 B 地停留了 30 分钟.那么:

① 到达 B 地时是几时几分?

② 小华在返回的途中,11 点

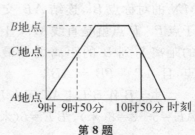

第 8 题

钟通过的地点距离 A 地 3000 米,则返回时每分钟行多少米?

（2006 年武汉"明心奥数挑战赛"）

解　① 返回时的速度是去时速度的 2 倍,走同一段路程,返回所花时间是去时所花时间的一半.

从图中可看出,去时 9 时 50 分路过 C 地,返回时 10 时 50 分路过 C 地,从 9 时 50 分至 10 时 50 分这 60 分钟的时间里小华有 30 分钟在 B 地停留,则另 30 分钟（60－30）从 C 到 B,又从 B 到 C.由于返回时间是去时时间的一半.所以去时从 C 到 B 用 30÷(1+2)×2=20（分钟）,到达 B 地时是 10 时 10 分.

② 去时共用 70 分钟（9 时到 10 时 10 分）,从 B 地返回到 A 地共用 70÷2＝35（分钟）,从 A 地出发返回 A 地共用 70＋30＋35＝135（分钟）,即返回 A 地的时刻是 11 时 15 分.由于返回时 11 点钟距离 A 地还有 3000 米,所以返回时每分钟行 3000÷15＝200（米/分）.

9 如图①所示,加油站 A 和商店 B 在马路 MN 的同一侧,A 到 MN 的距离为 5 米,B 到 MN 的距离为 3 米,$DC=6$ 米.行人 P 在马路 MN 上行走.当 P 到 A 的距离和 P 到 B 的距离之和最小时,这个和最小等于多少米?

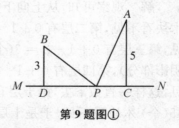

第 9 题图①

（2006 年武汉"明心奥数挑战赛"）

解　如图②,作点 B 关于直线 MN 的对称点 B',连结 AB' 交 MN 于点 P.P 点就是直线 MN 上到 A 的距离与到 B 的距离之和最小的点,且 $AP+PB=AB'$.

过点 B' 作 $B'E \perp AC$ 于点 E,故 $AE=5+3=8$（米）,$B'E=6$（米）.

$$AB'^2 = AE^2 + B'E^2$$

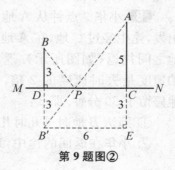

第 9 题图②

$$= 8^2 + 6^2$$
$$= 100 = 10^2,$$

所以 $AB' = 10$（米），这个和最小等于 10 米.

⑩ 如图表示从 A 站到 B 站的特快车和普通车时间与距离的关系. 普通车出发 7 分钟后, 特快车从 A 站出发, 追上了停在途中的普通车后, 继续行驶到达 B 站. 特快车从 A 站出发经过多长时间到达 B 站? 另外, 普通车在特快车到达 B 站后的 5 分钟也随之到达, 则普通车在中途停车几分钟?

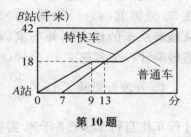

第 10 题

（2006 年武汉"明心奥数挑战赛"）

解 由题图可知特快车 $13 - 7 = 6$（分钟）行了 18 千米, 普通车 9 分钟行了 18 千米, 可求出特快车、普通车每分钟分别行驶:

$$v_{特} = 18 \div 6 = 3（千米/分）,$$
$$v_{普} = 18 \div 9 = 2（千米/分）.$$

特快列车从 A 站出发到达 B 站需 $42 \div 3 = 14$（分钟）. 普通车比特快车迟 5 分钟到达, 因此普通车从 A 站出发到达 B 站共用 $7 + 14 + 5 = 26$（分钟）, 而普通车中途不停行全程需要 $42 \div 2 = 21$（分钟）, 因此普通车中途停留了 $26 - 21 = 5$（分钟）.

特快车从 A 站出发经过 14 分钟到达 B 站.

普通车在中途停留了 5 分钟.

⑪ 璇璇与哥哥同时从家里出发去外婆家. 璇璇一开始以时速 4 千米的速度走路, 中途改乘时速 42 千米的计程车. 哥哥则是以时速 12 千米的速度骑自行车. 结果璇璇比哥哥早到了 10 分钟. 参考下右图, 求璇璇家到外婆家的距离.

（2006 年武汉"明心奥数挑战赛"）

解 题图显示, 璇璇乘计程车的地点是在离家 3 千米处. 这段路程(3 千米),璇璇走了 $\frac{3}{4} \times 60 = 45$(分钟),哥哥骑行了 $\frac{3}{12} \times 60 = 15$(分钟).

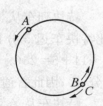

第 11 题

因此,璇璇到达乘车的地点时,哥哥早在 30 分钟前($45-15$)就已经通过. 所以,从璇璇乘车的地点到外婆家,哥哥骑车比璇璇乘计程车多花了 40 分钟($30+10$).

40 分钟哥哥骑了 $12 \times \frac{40}{60} = 8$(千米).

计程车比自行车多行8 千米 需要 $8 \div (42-12) = \frac{4}{15}$(小时)$=$ 16(分钟),即璇璇乘了 16 分钟计程车.

所以,从璇璇乘计程车的地点到外婆家是 $42 \times \frac{4}{15} = 11.2$(千米).

从璇璇家到外婆家的路程是 $3+11.2 = 14.2$(千米).

12 A、B、C 三人在圆形跑道上,以图①中所示的地点与方向同时出发以等速跑步. 现知每人跑完一圈都用 10 分钟,且规定两人相遇时各自立即反向以原速奔跑. 问:他们第一次全部都回到各自出发点需用多少分钟?

(第六届新加坡小学数学奥林匹克竞赛)

第 12 题图①

解 如图②:

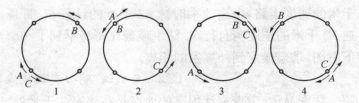

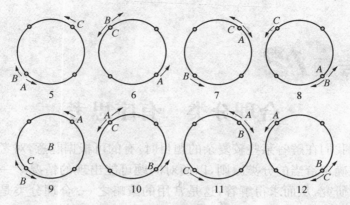

第 12 题图②

　　已知每人跑完一圈都用 10 分钟,所以从出发到 A、C 第一次相遇需要 $10÷4＝2.5$ 分钟,从图②可以看到,经过 12 个 2.5 分钟,A、B、C 第一次全部都回到各自出发点.$2.5×12＝30$(分钟).(他们每一次运动都是跑了四分之一个圆周)

合理分类　有序思考

我们在解答某些较复杂的题目时,有的可根据题意,对考察的对象确定恰当的分类原则,以便对问题可能出现的情况一一加以分析研究,从而求得解答,这是常用的策略之一.合理分类是解题的关键.按照一定顺序进行观察、分析和思考,就是有序思考,是根据题目特点而总结、概括后的顺序,或先后、或大小、或内外等.如果不能把握"序",遇到较复杂的题,观察、分析和思考都将失去章法造成困难而无从入手了.

合理分类,有序思考既是一种良好的思维习惯,更是一种科学的思维方法.

❶ 由数字 1,2,3 组成五位数,要求这五位数中 1,2,3 至少各出现一次,那么这样的五位数共有几个?

(2007 年北京市"数学解题能力展示"读者评选活动高年级组决赛)

解 用 1,2,3 组成五位数,共能组成 $3^5 = 243$ 个数.

其中,只有 1 和 2 的,有 $2^5 = 32$ 个;

只有 1 和 3 的,有 $2^5 = 32$ 个;

只有 2 和 3 的,有 $2^5 = 32$ 个.

其中,11 111,22 222,33 333 均计了两次.

所以不符合条件的五位数有 $32 \times 3 - 3 = 93$(个).

所以符合条件的五位数有 $243 - 93 = 150$(个).

❷ 在小于 1000 的自然数中,有多少个数它的首位数字与末位数字之和等于 13? 　　　　　(2006 年国际小学数学竞赛)

解 一位数没有这样的数.

两位数满足条件的有 49,94,58,85,67,76 六个;

三位数有 409，419，429，…，499，904，914，924，…，994
共 20 个；同样 508，518，…，598，805，815，…，895 有 20 个；
607，617，…，697，706，716，…，796 有 20 个.

总共有 $6+20\times3=66$ 个.

3 已知 $N=\overline{abcde}$ 是一个五位数. 例如，当 $a=4$，$b=0$，
$c=4$，$d=7$ 及 $e=7$ 时，$\overline{abcde}=40\,477$. 若 $\overline{ab}\times\overline{cde}=42\,042$ 且
$\overline{abc}\times\overline{de}=24\,642$，试求 N 之值.

（第十届小学数学世界邀请赛队际赛）

解 $\overline{ab}\times\overline{cde}=42\,042=2\times3\times7\times7\times11\times13=66\times637$；

$\overline{abc}\times\overline{de}=24\,642=2\times3\times3\times37\times37=666\times37$；

所求的 N 之值为 66 637.

4 三角形其中的两个边长分别为 2006 及 6002，且三角形
的第三边的长度也是整数. 请问共有多少种不同的三角形满足上
述条件？　　　　　（第十届小学数学世界邀请赛个人赛）

解 三角形任意两边之和大于第三边.

第三条边最小是 $6002-2006+1=3997$；

第三条边最大是 $6002+2006-1=8007$.

所以满足这个三角形要求的共有 $8007-3997+1=4011$
（种）.

5 先写出一个两位数 62，接着在 62 右端写这两个数字的
和 8，得到 628，再写末两位数字 2 和 8 的和 10，得到 62810，用上
述方法得到一个有 2006 位的整数：

6 2 8 1 0 1 1 2 3 …

则这个整数的数字之和是_____.

（第十一届全国"华罗庚金杯"少年数学邀请赛决赛）

解 这个 2006 位整数的前若干位如下：

62810 ┊ 1123581347 ┊ 11…

从第 6 位起，每 10 位数字循环出现一次，这 10 位数字之和为

$$1+1+2+3+5+8+1+3+4+7 = 35.$$
$$(2006-5)\div 10 = 200\cdots\cdots 1,$$

这个整数的数字之和是

$$6+2+8+1+0+35\times 200+1 = 7018.$$

6 设 $301\times 302\times\cdots\times 1997\times 1998 = 12^n\times M$，其中 n 和 M 都是自然数，并且 M 不是 12 的倍数，那么 n 等于几？

解 依题意，$12^n\times M$ 等于前 1998 个连续自然数的乘积除以前 300 个连续自然数的乘积，我们将这两个乘积分别用 1998! 和 300! 表示. 因为 $12 = 2^2\times 3$，所以为求出 n 只需计算 $\dfrac{1998!}{300!}$ 中所含的质因数 2 和 3 的幂次. 经计算，在 1998! 中质因数 2 和 3 的幂次分别为：$\left[\dfrac{1998}{2}\right]+\left[\dfrac{1998}{2^2}\right]+\cdots+\left[\dfrac{1998}{2^{10}}\right] = 999+499+249+$

$124+62+31+15+7+3+1 = 1990$，$\left[\dfrac{1998}{3}\right]+\left[\dfrac{1998}{3^2}\right]+\cdots+$

$\left[\dfrac{1998}{3^6}\right] = 666+222+74+24+8+2 = 996$；而在 300! 中质因数

2 和 3 的幂次分别为：$\left[\dfrac{300}{2}\right]+\left[\dfrac{300}{2^2}\right]+\cdots+\left[\dfrac{300}{2^8}\right] = 150+75+$

$37+18+9+4+2+1 = 296$，$\left[\dfrac{300}{3}\right]+\left[\dfrac{300}{3^2}\right]+\cdots+\left[\dfrac{300}{3^5}\right] = $

$100+33+11+3+1 = 148$. 因此题述乘积中 2 和 3 的幂次各是 $1990-296 = 1694$ 和 $996-148 = 848$. n 应当等于 2 的幂次之半的整数部分和 3 的幂次中的较小者，而 1694 除以 2 的商是 847，故 847 和 848 中的较小数 847 即为本题的答案.

7 40 名学生参加义务植树活动，任务是：挖树坑，运树苗. 这 40 名学生可分为甲、乙、丙三类，每类学生的劳动效率如表所示. 如果他们的任务是：挖树坑 30 个，运树苗不限，那么应如何安排人员才能既完成挖树坑的任务，又使树苗运得最多？

（第四届小学"希望杯"全国数学邀请赛）

效率 \ 任务 人员	挖树坑 （个/人）	运树苗 （棵/人）	人 数 （名）
甲 类	2	20	15
乙 类	1.2	10	15
丙 类	0.8	7	10

解 这三类学生挖树坑的相对效率分别是：

$$甲类：\frac{挖树坑}{运树苗} = \frac{2}{20} = 0.1;$$

$$乙类：\frac{挖树坑}{运树苗} = \frac{1.2}{10} = 0.12;$$

$$丙类：\frac{挖树坑}{运树苗} = \frac{0.8}{7} \approx 0.114.$$

由上可知，乙类学生挖树坑的相对效率最高，其次是丙类学生，故应先安排乙类学生挖树坑，可挖 $1.2 \times 15 = 18$（个）.

再安排丙类学生挖树坑，可挖 $0.8 \times 10 = 8$（个）.

还差 $30 - 18 - 8 = 4$（个）树坑，由两名甲类学生去挖，$4 \div 2 = 2$（人），这样就能完成挖树坑的任务.

其余 $15 - 2 = 13$（人）甲类学生运树苗，可以运 $20 \times 13 = 260$（棵）.

❽ 在平面上画一个三角形、一个长方形和一个五边形，最多可以将这个平面分成几部分？（例如，按图①所示的画法，平面被分成了 9 部分）.

（华罗庚学校数学竞赛试题精选精解）

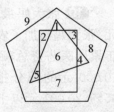

第 8 题图①

解 在平面上画一个三角形将平面分成了 2 部分. 因为三角形的每条边最多与长方形

的边界有两个交点,所以在画长方形时它最多可与原有的三角形相交出 $2 \times 3 = 6$(个) 点,即将长方形边界分为 6 段. 注意每段折线将原有的一部分分成两份,故平面又被多分出了 6 块,即共有 $2 + 6 = 8$(部分). 类似地,在画五边形时,由于三角形与五边形、四边形与五边形的交点个数至多分别为 $2 \times 3 = 6$(个) 和 $2 \times 4 = 8$(个),因此平面被分成的部分数最多可增加 $6 + 8 = 14$. 最多共可分成 $8 + 14 = 22$(部分),图②给出了一种这样的画法.

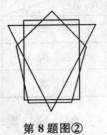

第8题图②

9 甲、乙两个苹果产地,分别向 A,B,C 三个城镇提供相同品种的苹果. 按合同规定,要向 A 提供 45 吨,向 B 提供 75 吨,向 C 提供 40 吨. 现在甲地有 60 吨,乙地有 100 吨可以提供,甲、乙与 A,B,C 的距离如图所示. 已知每吨苹果每千米运费为 1 元,那么怎样安排,才能使总运费最低? 并求出最低的运费.

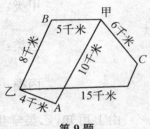

第9题

(第三届《小学生数学报》杯"少年数学文化传播活动《小学生数学报》优秀小读者评选)

解 从甲地运往 C 地 40 吨,运往 B 地 20 吨;从乙地运往 A 地 45 吨,运往 B 地 55 吨.

运费为 $(40 \times 6 + 20 \times 5 + 45 \times 4 + 55 \times 8) \times 1 = 960$(元).

10 张大妈最近在医院动了一次手术,花去医药费 25 000 元. 张大妈参加了农村大病医疗保险,医药费具体报销办法是:全年累计医药费总额超过 4000 元(4000 元以下自理),凡 4001 元～10 000 元的部分报销 50%,10 001 元～20 000 元的部分报销 65%,20 001 元以上部分报销 80%;参保对象属"三老"优抚对象的,其报销标准比普通对象提高 5%;参保对象每年每人报销的最高金额不超过 16 000 元. 请问:张大妈作为"三老"优抚对象,实际需要支付的医药费是多少?

（第三届"《小学生数学报》杯"少年数学文化
传播活动《小学生数学报》优秀小读者评选）

说明 由于本题设计数学术语与生活中约定俗语之语义区别,在理解上有分歧,故解答有两种可能.

解法一 将"其报销标准比普通对象提高 5%"理解为将题目中的 50%,65%,80% 分别提高到 55%,70%,85%,得到下面的解.

$$25\,000 - (6000 \times 55\% + 10\,000 \times 70\% + 5000 \times 85\%)$$
$$= 25\,000 - 14\,550 = 10\,450(元).$$

解法二 将"其报销标准比普通对象提高 5%"理解为报销规定数额的 $(1+5\%)$,得到下面的解.

$$25\,000 - (6000 \times 50\% + 10\,000 \times 65\% +$$
$$5000 \times 80\%) \times (1+5\%)$$
$$= 25\,000 - 14\,175 = 10\,825(元).$$

11 一辆汽车从甲地开往乙地. 如果将车速提高五分之一,可以比原定时间提前半小时到达;如果以原速行驶 84 千米后再将车速提高三分之一,也比原定时间提前半小时到达. 那么甲、乙两地相距多少千米?
（2006 年"我爱数学杯"数学竞赛）

解 车速提高 $\frac{1}{5}$,即车速是原来的 $\frac{6}{5}\left[1 \times \left(1+\frac{1}{5}\right)\right]$,所用时间应是原来的 $\frac{5}{6}\left(1 \div \frac{6}{5}\right)$. 由提前半小时到达,推知原定时间为 $\frac{1}{2} \div \left(1-\frac{5}{6}\right) = 3(小时).$

车速提高 $\frac{1}{3}$,即车速是原来的 $\frac{4}{3}\left[1 \times \left(1+\frac{1}{3}\right)\right]$,所用时间应是原来的 $\frac{3}{4}\left(1 \div \frac{4}{3}\right)$. 由提前半小时到达,推知减少 84 千米后

的路程原定的行驶时间为 $\dfrac{1}{2} \div \left(1 - \dfrac{3}{4}\right) = 2$(小时).

因为原定的总时间为 3 小时,所以原定 84 千米应行(3−2＝1)1 小时,甲、乙两地相距 84×3 ＝ 252(千米).

❷ 甲每天买鸡蛋花费 10 元,乙每天买鸡蛋 2500 克. 如表给出了一周内的单价. 请你指出甲、乙二人本周内谁买的鸡蛋更实惠.

	周一	周二	周三	周四	周五	周六	周日
单价(元/500 克)	2	1.9	1.8	1.9	2.1	2.2	2.1

(第三届"走进美妙的数学花园"中国青少年
数学论坛趣味数学解题技能展示大赛)

解 乙本周平均正好是每 500 克鸡蛋 2 元.

甲周二、周日平均与周四、周五平均,每 500 克鸡蛋

$$\dfrac{10+10}{\dfrac{10}{1.9}+\dfrac{10}{2.1}} = \dfrac{20}{\dfrac{(20+19)\times100}{19\times21}} = \dfrac{20\times(19\times21)}{40\times100}$$

$$< \dfrac{20\times20\times20}{40\times100} = 2(\text{元}).$$

甲周三、周六平均每 500 克鸡蛋

$$\dfrac{10+10}{\dfrac{10}{1.8}+\dfrac{10}{2.2}} = \dfrac{20}{\dfrac{(22+18)\times100}{18\times22}} = \dfrac{20\times(18\times22)}{40\times100}$$

$$< \dfrac{20\times20\times20}{40\times100} = 2(\text{元}).$$

甲周一正好 500 克 2 元,其余六天平均 500 克低于 2 元,所以本周甲买的更实惠.

専题13

构造与论证

"若干个 2 的乘积加 1,一定是质数"我们可以指出这个结论是错误的,因为 $2 \times 2 \times 2 + 1 = 9$ 不是质数. 不少数学问题正是要求构造出一个具体的对象,肯定或否定所提出的结论. 无论构造出正面的例子,还是反面的例子,对数学研究来说都是十分重要的. 通过观察、验证若干具体实例,发现存在于它们之中的某种似乎带规律性的东西或不存在规律,这就是对构造的论证,从而作出肯定或否定的结论.

1 两个互不相等的三位数写在一起就成了一个六位数,若这个六位数恰等于那两个三位数乘积的整数倍,则这个整数倍数是几? 请简述你的理由. （2006 我爱数学少年夏令营）

解 设两个不相等的三位数分别为 A 和 B,且

$$1000A + B = kAB, （k 为整数）$$

上式化简为

$$1000 + \frac{B}{A} = kB.$$

显然 k 大于 1. 因为等号右边是整数,所以 $\frac{B}{A}$ 是整数,即 B 是 A 的整数倍. 不妨设 $B = nA$,其中 $2 \leqslant n \leqslant 9$. 于是得到 $1000 + n = knA$, $\overline{100n = knA}$.

在 $1002 \sim 1009$ 之间,寻找能够分解成 3 个大于 1 的因数相乘,并且一个因数是三位数,还有一个因数与等号左边四位数的个位数相同. 符合条件的只有 $1002 = 2 \times 3 \times 167$.

于是得到 $k = 3$, $n = 2$, $A = 167$, $B = nA = 334$.

$$167\ 334 = 3 \times (167 \times 334),$$

这个整数倍是 3.

❷ 下面是一些"神秘等式".式中的"＋"、"－"、"×"、"÷"运算符号的意义都与普通的用法相同,但 0,1,2,3,…,9 等数字所代表的意义则与普通的不同.

① $1 \times 5 = 1$,　　　　　② $7 \times 2 = 96$,

③ $99 - 5 = 3$,　　　　　④ $83 \div 4 = 4$,

⑤ $\underbrace{5 \times 5 \times \cdots \times 5}_{7 \uparrow 5} = 6$,　　⑥ $9 + (7 \times 8) = 97$.

(1) 请你破解出这些"神秘等式"中的秘密,找出其中每个数字所代表的普通意义;

(2) 普通意义的 2006 用"神秘等式"中数字所代表的意义来表示,怎样表示?

(3) 如果采用"神秘等式"中数字所代表的意义,那么 $60 + 06$ 等于多少?　　　　　　　　("希望杯"第二届全国数学大赛)

解 (1) 从 $1 \times 5 = 1$ 可知 1 表示 0.

从 $1 \times 5 = 1$,$99 - 5 = 3$,$5^7 = 6$,推得 $5^7 = 6$ 表示 $2^3 = 8$ 或 $3^2 = 9$,或 $2^2 = 4$.假如表示 $2^3 = 8$,那么 $99 - 5 = 3$ 就表示 $11 - 2 = 9$,用这个假设检验 $7 \times 2 = 96$,$9 + (7 \times 8) = 97$.$7 \times 2 = 96$,即 $3 \times \underline{\quad} = 18$,推得 2 表示 6;$9 + (7 \times 8) = 97$,即 $1 + (3 \times \underline{\quad}) = 13$,推得 8 表示 4.那么 $83 \div 4 = 4$ 就表示 $49 \div 7 = 7$.破解的结果如下表:

神秘数字	0	1	2	3	4	5	6	7	8	9
普通数字	5	0	6	9	7	2	8	3	4	1

(2) 2006 用神秘数字表示为:5112;

(3) $60 + 06$ 用普通意义表示是 $85 + 58 = 143$.143 用神秘数字表示为 987,推知"神秘等式"为:$60 + 06 = 987$.

3 12个人号码为1~12,排成一列,然后1,2,3报数,报到3的人立即排到排尾去,报数继续进行,直到报不到3才停止.如果开始的顺序为:1,2,3,4,5,6,7,8,9,10,11,12. (1)

那么停止时,这12个人排成的顺序是怎样的?反过来,如果报完数后排成的顺序恰好是(1),那么开始时这12个人的顺序是怎样的? (2006年南京智力数学冬令营)

解 一开始的顺序为(1):1,2,3,4,5,6,7,8,9,10,11,12报数过程如下,其中圈中的数字为向后移到排尾的人.

1,2,③,4,5,⑥,7,8,⑨,10,11,⑫, ┆3,6,⑨,12, ┆9

最后的顺序为1,2,4,5,7,8,10,11,3,6,12,9 (2)

对比(1)(2),就可得到最后的顺序为(1)时的一开始的顺序(3),见下表:

(1)	1	2	3	4	5	6	7	8	9	10	11	12
(2)	1	2	4	5	7	8	10	11	3	6	12	9
(3)	1	2	9	3	4	10	5	6	12	7	8	11

第3行第6列的数字⑩是第2行的6对应的第1行的数字10;第3行第11列的数字⑧是第2行的11对应的第1行的数字8;其余类推.

4 若干个1与2排成一行:1,2,1,2,2,1,2,2,2,1,2,…

规则是:第1个数是1,第2个数是2,第3个数是1……一般的,先写一个1,再在第 k 个1与第($k+1$)个1之间插入 k 个2($k=1,2,3,\cdots$),则第2005个数是几?前2005个数的和是多少? (2006年南京智力数学冬令营)

解 当写到第 k 个1时($k=1,2,3,\cdots$),2共写了

$$1+2+3+\cdots+(k-1)=\frac{(k-1)k}{2}(\text{个}).$$

$$1 与 2 共写了 k+\frac{(k-1)k}{2}=\frac{k(k+1)}{2}(个).$$

当 $k=62$ 时，$\frac{62\times63}{2}=1953$;

当 $k=63$ 时，$\frac{63\times64}{2}=2016$.

$$1953 < 2005 < 2016,$$

所以第 2005 个数是第 62 个 1 后面的第

$$2005-1953=52 个 2.$$

前 2005 个数之和是

$$1\times62+2\times\left[\frac{(62-1)\times62}{2}+52\right]=62+3886=3948.$$

5 将 100 个空盘放在桌子上，记为 1 号到 100 号，每次把 7 个珠子放入其中 7 个盘子里，每个盘子放 1 个，称为 1 轮操作，那么至少要进行多少轮操作，才能使所有盘子里的珠子数目都是奇数，说明你的操作过程及最后每个盘子中各有几个珠子？

（福州市 2006 年小学生"迎春杯"数学竞赛）

解 100 个奇数之和是偶数，所以放入珠子的总数是偶数. 不小于 100 并且是 7 的倍数的偶数，最小的是 112，需要进行 $112\div7=16$（轮）.

最简单的操作是：先选定一个盘子，前 13 轮每轮都向这个盘子放 1 个珠子，其余的 6 个珠子分别放入 6 个空盘. 这样，有 $6\times13=78$（个），盘子中各有 1 个珠子，1 个盘子中有 13 个珠子，还剩空盘子 $100-78-1=21$（个）. 后 3 轮每轮给 7 个空盘各放入 1 个珠子.

说明 最少要 16 轮，但放法不唯一，所以每个盘子的珠子数不确定.

6 一个爱斯基摩人乘坐套有 5 只狗的雪橇赶往朋友家. 在

途中第一天,雪橇以爱斯基摩人规定的速度全速行驶. 一天后,有 2 只狗扯断了缰绳和狼群一起逃走了. 于是剩下的路程爱斯基摩人只好用 3 只狗拖着雪橇,前进的速度是原来的 $\frac{3}{5}$. 这使他到达目的地的时间比预计的时间迟到了 2 天. 事后,爱斯基摩人说:"逃跑的狗如果能再拖雪橇走 60 千米,那我就能比预计时间只迟一天到."那么,爱斯基摩人总共走了多少千米路程?

(2006 年武汉"明心奥数挑战赛")

解 如果逃跑的狗能再拖 60 千米,那么比预计时间只迟到一天,即 5 只狗拉雪橇走 60 千米,比 3 只狗拉雪橇走 60 千米少用一天.

设 5 只狗的速度是 v 千米/天,3 只狗的速度是 $\frac{3}{5}v$ 千米/天,得到 $\dfrac{60}{\frac{3}{5}v} - \dfrac{60}{v} = 1$,解得 $v = 40$.

又设原计划走 x 天,则 $40x = 40 + 40 \times \frac{3}{5} \times (x+1)$,解得 $x = 4$.

故爱斯基摩人总共走了 $40 \times 4 = 160$(千米).

7 在一根长木棍上有两种刻度线,第一种刻度线将木棍分成十等份,第二种刻度线将木棍分成 m 等份,如果沿每条刻度线将木棍锯断,木棍总共被锯成 20 段. 求出 m 所有可能的值.

(2006 年武汉"明心奥数挑战赛")

解 若 $m \geq 21$,不考虑第二种刻度,木棍也至少被分成 21 段,不合题意.

若 $m \leq 9$,两种刻度都不重合,最多只能分成 19 段,也不合题意.

所以,$10 \leq m \leq 20$.

按第一种刻度线将木棍分成十段,有 9 个分点,木棍总共锯成

20 段,还需添加 10 个分点,将木棍 m 等分,得到 $(m-1)$ 个分点.

（1）第二类分点与第一类分点无重合,则 $m=11$,13,17,19.显然,$m=11$ 时符合题意.

（2）第二类分点与第一类分点有重合.

$m=12$,14,16,18,恰好有一个分点重合,所以,$m=12$ 符合题意；

$m=15$ 时,两类分点共有 4 个分点重合,符合题意；

$m=20$ 时,两类分点共有 9 个分点重合,符合题意.

m 所有的可能值为：11,12,15,20.

❽ 小苏试图打开小康的号码锁.这个锁有四个滚轮,每个轮子上都标记有 1,2,3,…,8 及 9 等九个数.小康向小苏提示开锁的号码为：从左边算起,第一个数是 3 的倍数,第二个数是个质数,第三个数是 2 的倍数,且整个四位数可被 4 整除.例如：⑥⑦⑧⑧.

若小苏只尝试符合小康所提示规律的号码,请问小苏最多需要尝试多少组不同的号码就可以打开小康的号码锁?

（第十届小学数学世界邀请赛个人赛）

解 首先考虑末两位数字,它们是 24、28、44、48、64、68、84、88（8 种）,前面两位分别有 3 种和 4 种选择,所以,$8\times3\times4=96$（组）.

❾ 自制的一副玩具牌共计 52 张（含 4 种牌：红桃、红方、黑桃、黑梅.每种牌都有 1 点,2 点,…,13 点牌各一张）.洗好后背面朝上放好.一次至少抽取多少张牌,才能保证其中必定有 2 张牌的点数和颜色都相同? 如果要求一次抽出的牌中必定有 3 张牌的点数是相邻的（不计颜色）,那么至少要取多少张牌?

（第十一届全国"华罗庚金杯"少年数学邀请赛初赛）

解 对于第一问,最不利的情况是两种颜色都抽取了 1~13 点各一张,此时再抽取一张,这张牌必与已抽取的某张牌的颜色与点数都相同,所以答案是 27.

对于第二问,最不利的情况是:先抽取了 1, 2, 4, 5, 7, 8, 10, 11, 13 各 4 张,此时再抽取一张,这张的点数是 3, 6, 9, 12 中的一个,在已抽取的牌中必有 3 张的点数相邻,所以答案是 37.

⑩ 从正整数 1, 2, 3, 4, 5, … 中删去所有 2 的倍数和 3 的倍数,但是不删去所有 5 的倍数.剩下的数如下所示:

1, 5, 7, 10, 11, 13, 15, 17, 19, 20, 23, 25, 29, 30, …
请问上述数列中第 2006 项的数是什么?

(第十届小学数学世界邀请赛队际赛)

解 按要求列举一些数如下:

1, 5, 7, 10, 11, 13, 15, 17, 19, 20, 23, 25, 29, 30,
31, 35, 37, 40, 41, 43, 45, 47, 49, 50, 53, 55, 59, 60,
61, 65, 67, …
91, 95, 97, …
121, …
151, …

$$(2006 - 14) \div 14 = 142 \cdots\cdots 4,$$
$$3 + (143 - 1) \times 3 = 429.$$

第 2006 项应排在下列数中的第 4 个,

4291, 4295, 4297, $\boxed{4300}$, …

⑪ 如果一个自然数的各位数字能够分成两组,使得每组中的数字之和相等,则称这个数为"好数".例如 51 251 是"好数"因为 $5 + 1 + 1 = 2 + 5$.(1)求出最小的自然数,使得它本身以及与其相邻的下一个自然数都是"好数";(2)是否存在三个连续的自然数均为"好数"?   (华罗庚学校数学竞赛试题精选精解)

解 (1)一位数显然都不是"好数",两位数只有两个数字,是"好数"必须这两个数字相等,即所有的两位"好数"是 11, 22, …, 99,它们互不相邻.设有两个相邻的三位数都是"好数",那么它们的各位数字之和应均为偶数. 其中的小数加 1 得到大数, 在做加法时若不发生进位, 则两数仅是个位数字不同, 且个位数字相差 1, 所以两数字和也相差 1, 不会均为偶数. 故作加法时要进位, 即前一个数的个位为 9, 后一个数的个位是 0. 后一个数的个位数字为 0, 它是"好数"需要其百位数字与十位数字相等, 也就是前一个数的百位数字应比十位数字大 1. 又前一个数也是"好数"且个位数字为 9, 故它满足百位数字与十位数字之和等于 9 的关系. 由此可求出该数的百位数字是 $(9+1)\div2=5$, 十位数字为 $5-1=4$, 两相邻的"好数"为 549 和 550, 前者即为本题的答案.（2）不存在. 假设存在三个连续的"好数", 第（1）问中对两个相邻三位"好数"的前半段分析在这里仍然适用, 即任何两个相邻的"好数"个位数字依次是 9, 0, 由此便知不存在三个相邻的"好数".

⑫ 一根长为 L 的木棍, 用红色刻度线将它分成 m 等份, 用黑色刻度线将它分成 n 等份 $(m>n)$.

（1）设 x 是红色与黑色刻度线重合的条数, 请说明:（$x+1$）是 m 和 n 的公约数;

（2）如果按刻度线将该木棍锯成小段, 一共可以得到 170 根长短不等的小棍, 其中最长的小棍恰有 100 根. 试确定 m 和 n 的值. （第十一届全国"华罗庚金杯"少年数学邀请赛决赛）

解 （1）红线将木棍分成 m 等份, 每等份长是 $\dfrac{L}{m}$; 黑线将木棍分成 n 等份, 每等份长是 $\dfrac{L}{n}$.

设自左端起, 长木棍上第 k 条红线和第 l 条黑线重合, 则

$$\frac{kL}{m}=\frac{lL}{n} \ \text{或} \ \frac{n}{m}=\frac{l}{k}. \qquad ①$$

反之, 如果第 k 条红线到左端的距离为 $\dfrac{kL}{m}$, 第 l 条黑线到左端的距离为 $\dfrac{lL}{n}$, 且①成立, 则第 k 条红线与第 l 条黑线重合. 设

最大公约数 $(m, n) = d$，$m = dm_1$，$n = dn_1$，$(m_1, n_1) = 1$，那么，

当 $l = in_1$，$k = im_1$，$i = 1, 2, 3, \cdots, d-1$ 时，

$$\frac{l}{k} = \frac{in_1}{im_1} = \frac{n_1}{m_1} = \frac{n}{m}.$$

木棍上红色刻度线与黑色刻度线重合的条数是 x，因此 $x = d - 1$．$(x+1)$ 是 m 和 n 的最大公约数.

（2）红线与黑线重合的刻度线是 $(m, n) - 1$ 条，则木棍上刻度线的总数是（重合的线看作 1 条）

$$(m-1) + (n-1) - [(m, n) - 1]$$
$$= m + n - (m, n) - 1.$$

按这些刻度线锯断长木棍，可得到 170 根长短不等的小棍，所以

$$m + n - (m, n) = 170. \qquad ②$$

长木棍上不和红色刻度线重合的黑色刻度线的条数是

$$n - 1 - [(m, n) - 1] = n - (m, n).$$

因黑色刻度线少，红色刻度线多，两条相邻的红线的距离要小于两条相邻的黑线的距离，所以两条相邻的红线中间最多只有一条黑色刻度线．按红色刻度线锯下来的 m 个小木棍中，其中 $n - (m, n)$ 个（不是位于两端）有黑色刻度线．相邻两条红色刻度线，如果中间没有黑色刻度线，那以按这两条红色刻度线锯下来的就是最长的短棍．所以

$$m - n + (m, n) = 100. \qquad ③$$

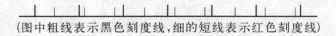

（图中粗线表示黑色刻度线，细的短线表示红色刻度线）

由②＋③立即得到 $m = 135$．将 $m = 135$ 代入③，得到

$$(135, n) = n - 35,$$

$(135, n)$ 是 n 的约数，就整除 35. 因此 $(135, n)$ 是 135 和 35 的公约数，即 $(135, n) = 1$ 或 5.

若 $(135, n) = 1$，则 $n = 36$，$(135, 36) = 9$，矛盾！

若 $(135, n) = 5$，则 $n = 40$，$(135, 40) = 5$，满足条件.

观察与归纳

在大自然中,几乎所有的花、花瓣的数目是下列数中的一个: 3,5,8,13,21,34,59,89.我们稍加观察就可以归纳出这样的结论:从第三个数起,每一个数都是前两个数的和.许多数学问题,需要我们通过仔细观察,归纳出一般性的规律,然后力图去证明这个一般性的规律,并利用规律去解决问题.可见观察是关键,只有认真观察,才能找到有规律性的东西.

1 将从 1 开始到 103 的连续奇数依次写成一个多位数:

$$a=135791113151721921\cdots9799101103$$

则数 a 共有几位? 数 a 除以 9 的余数是多少?

(第十一届全国"华罗庚金杯"少年数学邀请赛初赛)

解 一位奇数有 5 个,两位奇数有 45 个,三位奇数有 2 个,这个多位数共有 $1\times5+2\times45+3\times2=101$ (位).

因为连续 9 个奇数的和能被 9 整除,1 到 103 共有 52 个连续奇数,52 除以 9 余 7,所以 a 除以 9 的余数与从 1 开始的连续 7 个奇数除以 9 的余数相同.135791113 除以 9 的余数是 4,所以 a 除以 9 余 4.

2 在四张卡片上分别标记数 1、2、3 及 4.任意选取其中的三张卡片分别放置在以下等式的方格内,如图所示:

$$n=5+\square+\square-\square.$$

请问可以得到多少种不同的 n 值?

(第十届小学数学世界邀请赛个人赛)

解 只要考虑 $\square+\square-\square$ 的结果有几种不同的值即可.

$$C_4^2\times C_2^1=12(种),$$

其中，$1+2-3=1+3-4=0$，

$1+3-2=1+4-3=2$，

$1+4-2=2+4-3=3$，

$2+4-1=3+4-2=5$.

所以 n 不同的值有 $12-4=8$(种).

3 某条街道上，每一间房子正好与另一间房子隔街相对着，门牌的排列方式是从街头的一侧开始按 1，2，3，$\cdots$ 的顺序编号，编到街尾的最后一间房子时再继续由其正对面的房子接续编号，直到街头为止. 已知在此街道上 37 号房子的正对面是 64 号. 请问此街道上共有多少间房子？   （2006 年国际小学数学竞赛）

解 若有 20 间房子，它的排列如下：

1，2，3，4，5，6，7，8，9，10

20，19，18，17，16，15，14，13，12，11.

相对面的两个门牌号之和减 1 正好是房子的总数.

$$37+64-1=100(\text{间}).$$

4 如图，点 D，E，F 在线段 CG 上，已知 $CD=2$ 厘米，$DE=8$ 厘米，$EF=20$ 厘米，$FG=4$ 厘米，AB 将整个图形分成上、下两部分，下边部分面积是 67 平方厘米，上边部分面积是 166 平方厘米，则三角形 ADG 的面积是多少平方厘米？（第四届小学"希望杯"全国数学邀请赛）

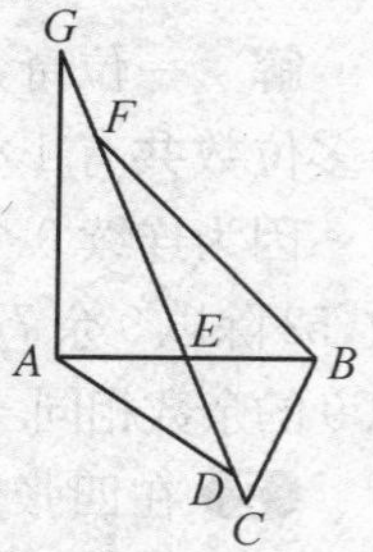

解 设 $\triangle CBE$，$\triangle DAE$ 的面积分别为 x，y 平方厘米.

因为　　$CE=2+8=10$，$EF=20$，

所以　　　　　　$S_{\triangle FBE}=2S_{\triangle CBE}=2x$.

因为　　$DE=8$，$EG=20+4=24$，

所以　　　　　　$S_{\triangle GAE}=3S_{\triangle DAE}=3y$.

因为　　$x+y=67$，$2x+3y=166$，

第 4 题

所以　　　　　　　　　　　　$y = 32$,

所以　$S_{\triangle ADG} = 4S_{\triangle DAE} = 4y = 4 \times 32 = 128$（平方厘米）.

5 如图①,一个停车场(7 行 7
列,共 49 个方格)内停着 14 辆汽车,
其中 5 辆长车(编号①②③④⑧,每辆
占 3 个方格),8 辆短车(编号⑤⑥⑦
⑨⑩⑪⑫⑬,每辆占 2 个方格),还有 1
辆救护车(编号⊕,占 2 个方格).每辆
车都不能转弯,也不能横着行驶,只能
沿着行或列前进和后退.比如,图中救

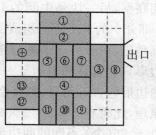

第 5 题图①

护车⊕,向左、向右行驶都可以,但不能向上或向下行驶.现在交通
警察接到命令,要求调度这些车子,使救护车能够从出口开出.应
该怎样调度?　　　　　　(第三届"《小学生数学报》杯"少年数学文化
传播活动《小学生数学报》优秀小读者评选)

　　解　①②向左 2 格,⑥⑦向上 2 格,③向上 1 格,④向右 1 格,
⑤向下 1 格,⊕向右 3 格,得到图②.

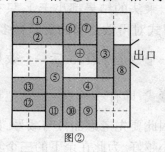

图②

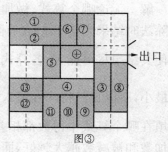

图③

第 5 题

　　⑤向上 1 格,④向左 1 格,③向下 2 格,⑧向下 1 格,得到图
③.此时⊕向右可以从出口开出.

　　6 对于一个平面封闭图形,在组成它的边中只要有一条边
不是直线段,就称为曲边形,例如圆、半圆、扇形等都是曲边形.在
右图中,共有多少个不同的曲边形?

　　　　　　　　　　(华罗庚学校数学竞赛试题精选精解)

解 在右图中,圆周被分成了 5 个弧段,圆面被分成了 6 部分,其中的 5 块分别与 5 条弧段相联系,另一块是中间的五角星. 曲边形总是由 6 部分中的若干部分组成的. 若曲边形中不包括五角星,由于另 5 个部分是互不相连的,因此曲边形只能就是其中的某一部分,有 5 种可能. 若

第 6 题

曲边形包含五角星,则其余的 5 部分中还要至少包含一块,由乘法原理,此时有 $2 \times 2 \times 2 \times 2 \times 2 - 1 = 31$(种) 可能. 合计共有 $5 + 31 = 36$(个) 不同的曲边形.

7 $\dfrac{1}{2} \boxed{} \dfrac{1}{9} = $ _____ , $\dfrac{1}{3} \boxed{} \dfrac{1}{8} = $ _____ , $\dfrac{1}{4} \boxed{} \dfrac{1}{7} = $ _____ , $\dfrac{1}{5} \boxed{} \dfrac{1}{6} = $ _____ . 将加、减、乘、除四个运算符号分别填入上面四个算式的方框中,使得这些算式的得数之和尽可能大,那么这个最大的和是多少?

(华罗庚学校数学竞赛试题精选精解)

解 无论哪个算式,做加法、减法、乘法的结果都小于 1,只有做除法时结果大于 1,故含有除号的算式对得数之和的贡献最多,应使其结果尽可能大. 各算式中的前一个数是 $\dfrac{1}{2}$ 最大,后一个数是 $\dfrac{1}{9}$ 最小,所以自然将除号填入第一个算式,即有 $\dfrac{1}{2} \div \dfrac{1}{9} = \dfrac{9}{2}$. 把乘号填在哪个算式中得数都相差不大,因此要先考虑加号与减号. 显然加数和被减数越大越好,而减数越小越好. 为此在余下的三个算式后一个数中的最小者 $\dfrac{1}{8}$ 前面填减号,又 $\dfrac{1}{4} + \dfrac{1}{7} > \dfrac{1}{5} + \dfrac{1}{6}$,故在 $\dfrac{1}{7}$ 的前面填加号,即得到算式 $\dfrac{1}{3} - \dfrac{1}{8} = \dfrac{5}{24}$,$\dfrac{1}{4} + \dfrac{1}{7} = \dfrac{11}{28}$,进而还有一个算式为 $\dfrac{1}{5} \times \dfrac{1}{6} = \dfrac{1}{30}$. 此时的四个得数之和是

$$\frac{9}{2} + \frac{5}{24} + \frac{11}{28} + \frac{1}{30} = 5\frac{113}{840}.$$

8 $1, 2, \cdots, 35, 36$ 随意地填入如图所示的 6×6 方格表中,每个格恰填一个数. 问:是否一定能从表中删去一行数与一列数,使得剩下的各数之和为偶数?

（华罗庚学校数学竞赛试题精选精解）

解 能. 我们反过来考虑,假设有某种填数方法使得不能从表中删去一行数与一列数,使剩下的各数之和为偶数,然后推出矛盾,以证明肯定性的结论,注意表中所有数之和为 $1 + 2 + \cdots + 36 = (1 + 36) \times 36 \div 2$, 是偶数, 故根据前述假设, 任意一行和任何一列中数的和应为偶数 － 奇数 ＝ 奇数, 即其中应有奇数个奇数. 下面来说明此时每行、每列中都恰有偶数个奇数.

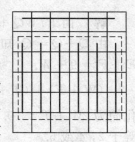

第8题

以右图中第一行为例, 若第一行中有奇数个奇数, 由于它与任意一列合起来含有奇数个奇数, 因此任意一列去掉在第一行中的数外, 余下的奇数还应有奇数 － 奇数 ＝ 偶数个. 又六个偶数之和为偶数, 所以第 2～6 行中的奇数共有偶数个. 整个表中将有偶数 ＋ 奇数 ＝ 奇数个奇数, 然而实际上 1～36 中共有 36 － 2 ＝ 18 个奇数, 这不可能. 于是每行、每列中确均有偶数个奇数. 我们已经得出:每行、每列中都有偶数个奇数, 且一行与一列和起来都有奇数个奇数, 对于任意一行和一列交叉处的数, 它在行和列中均出现, 而偶数 ＋ 偶数 $\neq$ 奇数, 所以这个交叉处的数必为奇数, 这也就意味着表中所有的数均为奇数, 矛盾! 从而假设错误, 题述要求可以做到.

9 M 国的一名谍报员获得两份军事情报.

从第一份情报中获知:N 国将兵分两路进攻 M 国. N 国部署的从东路进攻的兵力, 人数为 "$ETWQ$";从西路进攻的兵力, 人数为"FEFQ".

从第二份情报中获知：N 国的东、西两路兵力的总和为"AWQQQ".

此外,这个 M 国情报人员还获知东路兵力的人数比西路兵力的人数多.

请将上述密码破译出来,N 国进攻 M 国的总兵力为多少人?

(2006 年武汉"明心奥数挑战赛")

解 由 $ETWQ + FEFQ = AWQQQ$,知 $A = 1$;

由 $Q + Q = Q$,知 $Q = 0$,从而得到 $W + F = 10$,$T + E = 9$,$E + F = 9 + W$.

$$(W + F) + (T + E) - (E + F) = 10 + 9 - (9 + W),$$

化简为 $2W + T = 10$.因为 $Q = 0$,$A = 1$,所以 $W \geqslant 2$,T 只可能等于 2,4 或 6.

当 $T = 2$ 时,$W = 4$,$F = 6$,$F = 7$,总兵力为

$$7240 + 6760 = 14\,000(人);$$

当 $T = 4$ 时,$W = 3$,$F = 7$,$E = 5$,此时东线人数比西线少,不合题意,舍去;

当 $T = 6$ 时,$W = 2$,$F = 8$,$E = 3$,此时东线人数比西线少,不合题意,舍去.

故 N 国进攻 M 国的总兵力为 14 000 人.

❿ 计算：$\dfrac{1}{2} + \dfrac{1}{3} + \dfrac{1}{30} + \dfrac{1}{31} + \dfrac{1}{41} + \dfrac{20}{51} + \dfrac{10}{119} + \dfrac{26}{120} + \dfrac{28}{123} + \dfrac{27}{124}.$

(2006 年"我爱数学杯"数学竞赛)

解 原式 $= \dfrac{1}{2} + \dfrac{1}{3} + \dfrac{1}{30} + \dfrac{1}{31} + \dfrac{1}{41} + \left(\dfrac{1}{3} + \dfrac{1}{17}\right) + \left(\dfrac{1}{7} - \dfrac{1}{17}\right) + \left(\dfrac{1}{4} - \dfrac{1}{30}\right) + \left(\dfrac{1}{3} - \dfrac{1}{41}\right) + \left(\dfrac{1}{4} - \dfrac{1}{31}\right)$

$$= \frac{1}{2} + \frac{1}{3} + \frac{1}{30} + \frac{1}{31} + \frac{1}{41} + \frac{1}{3} + \frac{1}{17} + \frac{1}{7} -$$

$$\frac{1}{17} + \frac{1}{4} - \frac{1}{30} + \frac{1}{3} - \frac{1}{41} + \frac{1}{4} - \frac{1}{31}$$

$$= \frac{1}{2} + \left(\frac{1}{3} + \frac{1}{3} + \frac{1}{3} \right) + \left(\frac{1}{4} + \frac{1}{4} \right) + \frac{1}{7}$$

$$= \frac{1}{2} + 1 + \frac{1}{2} + \frac{1}{7}$$

$$= 2\frac{1}{7}.$$

11 有甲、乙两个容积相同的空立方体水箱,在它们的侧面上分别有排水孔 A 和 B. A 孔和 B 孔与底面的距离分别是水箱高度的 $\frac{5}{6}$ 和 $\frac{1}{2}$,且在排水时速度相同.现在以相同的速度一起给两水箱注水,并通过管道使 A 孔排出的水直接流入乙箱,这样经过 70 分钟后,甲、乙水箱同时被注满.如果以上述的速度给乙箱注水,那么水箱从空到满需要多少分钟?

(华罗庚学校数学竞赛试题精选精讲)

解 设每个水箱的容积为 1 个单位.当两箱中的水不超 $\frac{1}{2}$ 时,排水孔都不起作用;在甲箱中的水量为 $\frac{1}{2} \sim \frac{5}{6}$ 时,乙箱的 B 孔开始排水.但 A 孔不排水;随后 A 孔开始排水.但又都注入了乙箱,于是抵消了 B 孔的排水量,故此时甲箱边注水边排水,乙箱则相当于只注水不排水.由于两水箱容积一样.且注满经过了相同的时间.因此它们在有孔排水时所注入的水量相等.在 A 孔排水时,甲箱中的水量从 $\frac{5}{6}$ 变到 1,故在乙箱的排水时间内,即从 B 孔开始排水到 A 孔开始排水注入乙箱,它的水量应增加 $1 - \frac{5}{6} = \frac{1}{6}$. 而这段时间甲箱无孔排水,水量增加是 $\frac{5}{6} - \frac{1}{2} = \frac{1}{3}$; $\frac{1}{3} \div \frac{1}{6} = 2$,故一个孔排水会使水量的净增加速度减少一半,从而注水速度是排水速度的 2 倍. 在给甲箱注水的过程中,只有注入最后的 $\frac{1}{6}$ 水量时 A 孔起作用,因此注满所需的时间为排水孔关闭情况下的 $\frac{5}{6} + \frac{1}{6} \times 2 = \frac{7}{6}$ 倍. 从而以题述的速度将无孔的空箱注满需要 $70 \div \frac{7}{6} = 60$(分钟). 给乙箱下面的 $\frac{1}{2}$ 注水时,B 孔不排水,需要 $60 \times \frac{1}{2} = 30$(分钟),给上面的 $\frac{1}{2}$ 注水时,B 孔排水,速度减慢一半,需要 $60 \times \frac{1}{2} \times 2 = 60$(分钟). 共计 $30 + 60 = 90$(分钟),此即本题的答案.

⓬ (1) 将黑、白棋子各 4 个排列于圆周上.(如图①所示,其中 B 代表黑色,W 代表白色)

以下的步骤是 8 个棋子的一次替换:

步骤一:在每两个相邻的同色棋子间放一个黑子;并在每两个相邻的异色棋子间放一个白子.(如图②所示)

步骤二:将原有的 8 个棋子取走.(如图③所示)

从图①开始,需几次替换才会得到一种只有黑子的排列?

(2) 试找出一种排法使其在 3 次替换后,会得到一种只有黑子的排列.

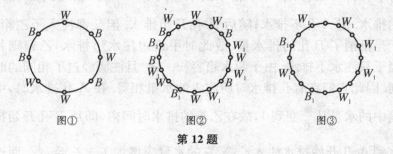

图①　　　　图②　　　　图③

第 12 题

(第八届新加坡小学数学奥林匹克竞赛)

解　采用图解法,根据题目的要求,把每次替换后棋子的排列情况依次画出来:

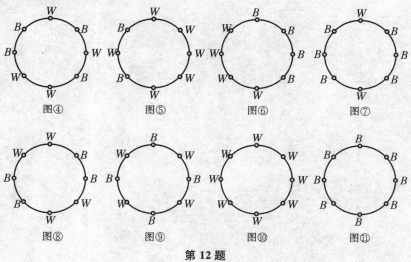

第 12 题

图④表示黑白棋子原来的排列方法,图⑤至图⑪表示从第一次到第七次依次替换后得到的排列方法.

(1) 从图中可以看出,需要经过 7 次替换才会得到一种只有黑子的排列.

(2) 根据图⑧表示的排列方法,推 3 次,即得到一种只有黑子的排列.